À PROCURA DELES

Mary del Priore

À PROCURA DELES

Quem são os negros e mestiços que ultrapassaram a barreira do preconceito e marcaram a história do Brasil

Da Colônia à República

Benvirá

Copyright © Mary del Priore, 2021

Direção executiva Flávia Alves Bravin
Direção editorial Renata Pascual Müller
Gerência editorial e de projetos Fernando Penteado
Edição Neto Bach e Tatiana Vieira Allegro
Produção Daniela Nogueira Secondo

Preparação Paula Carvalho
Revisão Willians Calazans
Diagramação Manu | OFÁ Design
Capa Deborah Mattos

Imagens de capa Ordem da esquerda acima para a direita abaixo: 1. © Reprodução/Wikipedia/Wikimedia; 2. © Reprodução/Coleção Apparecido Jannis Salatini; 3. © Governo do Brasil, Galeria de Presidentes, 1909. (Domínio público.); 4. © Acervo Arquivo Nacional, s/d. (Domínio público.); 5. © Reprodução/Escola de Música da Universidade Federal do Rio de Janeiro.; 6. © IGOR ALECSANDER, acervo Museu da Irmandade da Santa Casa de Misericórdia de Valença (RJ).; 7. © Reprodução/Coleção Biblioteca Brasiliana Guita e José Mindlin. (Domínio público.); 8. © Reprodução/Coleção Apparecido Jannis Salatini.; 9. LAGO, Bia Corrêa; CORRÊA DO LAGO, Pedro. Coleção Princesa Isabel: fotografia do século XIX, 1878. Rio de Janeiro: Capivara, 2008. (Domínio público.)

Impressão e acabamento Gráfica Eskenazi

Dados Internacionais de Catalogação na Publicação (CIP)
Vagner Rodolfo da Silva – CRB-8/9410

P958p   Priore, Mary del
    À procura deles: quem são os negros e mestiços que ultrapassaram a barreira do preconceito e marcaram a história do Brasil, da Colônia à República / Mary Del Priore – São Paulo : Benvirá, 2021.
    320 p.

    ISBN 978-65-5810-000-3 (Impresso)

    1. História do Brasil. 2. História de Negros. 3. Brasil Colônia. 4. Brasil Império. 5. Brasil República. 6. Costumes. I. Título.

	CDD 981
2021-916	CDU 94(81)

Índices para catálogo sistemático:
1. História do Brasil   981
2. História do Brasil   94(81)

1ª edição, junho de 2021

Nenhuma parte desta publicação poderá ser reproduzida por qualquer meio ou forma sem a prévia autorização da Saraiva Educação. A violação dos direitos autorais é crime estabelecido na Lei n. 9.610/98 e punido pelo art. 184 do Código Penal.

Todos os direitos reservados à Benvirá, um selo da Saraiva Educação.
Av. Paulista, 901, 3º andar
Bela Vista – São Paulo-SP – CEP: 01311-100

SAC: sac.sets@saraivaeducacao.com.br

CÓDIGO DA OBRA   703670   CL   670963   CAE   765279

*Este livro é dedicado a quem me fez conhecer toda a
beleza de sua gente preta, meu irmão,
o músico Charles Robert Murray.*

Sumário

Introdução 9

1 | Nas famílias 13

2 | Entre tesouros 43

3 | Entre anjos e reis 61

4 | Nos campos de batalha 83

5 | No centro do poder 109

6 | Entre letrados 143

7 | Entre empresários 175

8 | Nas cidades 187

9 | Entre os homens de branco 207

10 | Na presidência da República 233

Epílogo 263

Referências 265

Introdução

Antes que alguém pergunte qual é o meu lugar de fala, já vou respondendo: meu lugar de fala é o da escuta. Digo isso pois viajo muito pelo país, e sempre que estou com leitores e interessados em História, com professores e alunos, ouço a pergunta: "Mas a história do preto é só sofrimento, pelourinho e senzala? Não tinham alegrias, apesar de tudo? Não tiveram sucesso?".

Durante pesquisas junto a membros de famílias pretas, a historiadora Zita de Paula Rosa conversou com uma entrevistada cujo desejo era "saber como é que viviam, a comida deles, essas coisas". Ela não está sozinha. Muitos querem saber essas e outras histórias. Por exemplo, a do enriquecimento e sucesso de inúmeros escravos libertos, mesmo durante o pior período da escravidão em nosso país.

Para a maioria dos brasileiros, nossa história não passa de uma luta entre senhores e escravos, entre brancos e pretos. Nosso passado seria uma câmara exclusiva de tortura de africanos e seus descendentes, não? Errado. Errado, porque desde o século XVIII a mestiçagem, as alforrias e o enriquecimento de negros e pardos livres foi um fato. Porém, um fato pouco estudado – e pouco divulgado. O pequeno comércio, a lavoura, a mineração e até o tráfico de escravos foram degraus de ascensão social. Apesar da proibição de cargos eclesiásticos, títulos e postos da administração régia aos então chamados "infectos de sangue", nada impediu que pardos e negros ocupassem posições importantes. Apagavam-se os chamados "defeitos de qualidade", pois, embora considerados inferiores, tais aliados da monarquia – e, depois, do Império – foram indispensáveis para a defesa, o gerenciamento e o desenvolvimento de vastidões brasileiras. As barreiras de cor tenderam a ficar porosas a partir do final do século XVIII, quando ocorreu uma pardização da sociedade, e a intensa mobilidade social escondeu tais "defeitos".

Ao registrar suas impressões sobre a Colônia no fim do século XVII, o jesuíta italiano Jorge Benci apontava a grande maioria de mestiços na sociedade. No século XIX, o mesmo comentário estaria na boca de dezenas de viajantes estrangeiros, e não faltaram autoridades, como José Bonifácio de Andrada e Silva, que advogassem em favor da mestiçagem como forma de promover a integração no Império, criando uma nova cultura graças ao amálgama das diferentes raças. Nos inventários e testamentos de negros livres e libertos despontam aqueles possuidores de bens imóveis, prataria, joias e até escravos. Para garantir a constante melhoria social, na hora do casamento a escolha dos cônjuges levava em conta os ofícios e o pecúlio das "caras-metades".

O Primeiro Reinado encontrou o monarca d. João VI cercado de amigos como o negro José da Silva Lisboa, barão de Cairu, ou o negro Antônio Pereira Rebouças, advogado e posteriormente conselheiro de d. Pedro I. Esse, por sua vez, teve até inimigos políticos pardos, como Natividade Saldanha, mas também um médico de absoluta confiança que o acompanhou até morrer, o doutor João Fernandes Tavares, negro formado em Paris. No início do século XIX, multiplicavam-se magistrados, médicos, comerciantes, jornalistas e engenheiros afro-brasileiros, com destaque para Francisco Gê Acaiaba de Montezuma, João Maurício Wanderley, Domingos Borges de Barros, Teodoro Sampaio, Luiz Gama, José do Patrocínio e Gonçalves Dias. Existiu mesmo uma intelectualidade negra, com membros na maçonaria e nos mais altos postos da cultura e do Estado. À volta da família imperial circulavam amigos negros, entre os quais o obstetra da imperatriz Teresa Cristina, o doutor Cândido Borges Monteiro, visconde de Itaúna, e suas "damas" e outros "barões de chocolate" – como o francês conde de Gobineau denominou os membros da corte brasileira.

Estrangeiros como Carl von Martius falavam em "hibridismo social" para explicar o que viam, enquanto o pintor Johann Moritz Rugendas cravava: "Quanto às origens, as alianças, as riquezas ou o mérito pessoal permitem a um mulato ambicionar um lugar [...] Seja ele muito escuro é registrado como branco, e nesta qualidade figura em todos os seus papéis, em quaisquer negociações e está apto a ocupar qualquer emprego".

Se a proposta deste livro há de parecer incorreta para alguns por eu não ser uma autora negra, a ideia que o fez desabrochar me pareceu boa: responder à pergunta que me fazem. Dar protagonismo aos que conseguiram "chegar lá", driblando as dificuldades e o preconceito. Apresentá-los ao público. Mostrar uma faceta pouco explorada, a de negros como agentes sociais. Lutar contra o apagamento de lideranças pretas e pardas, que existiram e não são lembradas.

Gostaria de ser lida aqui não apenas como uma historiadora branca, mas considerando as horas e os anos que passei pesquisando em arquivos, dando aulas e palestras ou escrevendo livros. Penso ser fundamental para esse debate que autores de qualquer cor possam falar com leitores de todas as cores. Sem ser especialista em estudos sobre escravidão, tive o cuidado de me debruçar sobre as obras dos colegas que o são, e que vêm se especializando no tema desde os anos 1980, quando do centenário da Abolição. Penso, também, que leitores devem ler este livro com o espírito livre. Afinal, gostando ou não, somos um país mestiço. E a mestiçagem, como já disse o antropólogo Antonio Risério, não é uma ilusão de ótica. Nunca fomos um país de brancos de um lado e negros do outro. Aqui, nunca houve bebedouros para brancos e pretos, banheiros para brancos e pretos ou proibição de casamento entre brancos e pretos, como ocorreu nos Estados Unidos da América. Ao contrário. Somos gente que se encontrou, se misturou e criou uma cultura singular feita de aportes ocidentais cristãos, africanos e indígenas.

Em nenhum momento vai se fugir do fato histórico de que os negros foram terrivelmente torturados a ferro quente e sangue frio. Ou do fato de que a escravização foi um processo longo, resistente e medonho. O racismo, como resumiu o filósofo Achille Mbembe, é uma forma de "discriminação trans-histórica". Porém, nas duas últimas décadas, as pesquisas sobre o tema revelaram informações e destruíram mitos, conectando-nos com histórias reais que nos revelam pessoas que driblaram dificuldades para se tornar protagonistas inspiradoras. Que nos fazem ver beleza, energia e valor em seus caminhos. Que, sem querer apagar a cor da pele, trouxeram do passado a força para construir um presente diferente. Por falar em cor, aproveito para esclarecer que, no passado, palavras como "crioulo" e "mulato" eram comumente usadas, e foram extraídas de documentos históricos. Portanto, sempre que eu as usar nesta obra será dentro de algum contexto histórico. Crioulo, por exemplo, referia-se a negros nascidos em terras brasileiras, em oposição aos nascidos na África. Já "mulato" designava a "mistura de branco com preto", termo que foi ganhando conotações pejorativas ao longo do tempo, com veremos adiante.

Este livro é um convite para que você conheça alguns atores negros do passado e os cenários nos quais emergiram. A ideia é aguçar a sensibilidade da

leitora e do leitor para temas que raramente associamos ao passado de afro-
-brasileiros: fortuna, prestígio, independência, protagonismo. A escolha dos
personagens foi feita a partir de ocasiões históricas importantes que ajudaram
na construção de seu sucesso, e optei por personagens menos conhecidos
do grande público, fugindo de outros já muito estudados, como Machado de
Assis, Luiz Gama e José do Patrocínio. Aqui, também, adentro cenários pouco
conhecidos pela maioria dos leitores, como a família, as artes, as irmandades
religiosas, a escola, a política, os negócios. Cenários que muitos ainda ignoram
e que abriram janelas para enxergarmos anônimos. Já figuras como Francisco
Gê Acaiaba de Montezuma, Francisco de Salles Torres Homem, Eduardo Ribeiro, Juliano Moreira e Nilo Peçanha abrem janelas para vermos o cenário ao
fundo: a vida social e política do país. Quando se trata de negros, tais assuntos
são tão ignorados quanto os atores que os protagonizaram.

Desejo que você tenha o mesmo prazer que tive em conhecer antepassados
que sofreram horrores, mas que nem por isso desistiram de encontrar brechas
para que pudessem ser bem-sucedidos no mundo que criaram. O fato de tais
pessoas terem constituído família, comprado sua alforria, possuído um ofício,
recorrido à Justiça, estudado, tomado o elevador social, alcançado o sucesso
não são evidências de uma sociedade igualitária, mas, sim, indícios da ação
e das estratégias de quem construiu a própria vida vencendo preconceitos,
numa sociedade ao mesmo tempo rígida e informal.

Eles não se cansaram de evocar suas histórias, muitas vezes não ouvidas.
Mas elas estão aí. Diz Achille Mbembe que o fato de existir discriminação não
é razão para não conciliarmos pontos precisos, símbolos comuns. Num vaivém entre eles, se teceu nosso passado, fruto de uma cultura móvel, múltipla
e mestiça que permitiu a negros e pardos alcançar o topo da pirâmide. Nela,
precisamos conhecer e admirar essas pessoas – e nos orgulharmos delas como
construtoras do Brasil.

Nas famílias

Encontro de corpos, encontro de mundos

Seu nome e o da aldeia onde nasceu são desconhecidos. O de seus pais, também. Foi aprisionado durante uma razia, pois, desde que o reino do Congo se desfizera, lutas internas de pequenas chefias alimentavam o tráfico de escravos. Pode ter sido embarcado num porto em Luanda ou Benguela. Veio entre as nações monjolo e angico, reconhecidas por suas marcas tribais no rosto. Juntos, enfrentaram o mar, no seu imaginário um lugar de espíritos desconhecidos. Desembarcado em Mangaratiba, no Rio de Janeiro, ele foi examinado: braços e pernas em busca de doenças de pele; depois a cabeça. Coçava? Tinha piolhos ou febre? Aprendeu que o nome que se dava a essas pessoas que inspecionavam corpos e cuidavam dos mais fracos era "prático". Ele trazia uma garrafa de óleo de rícino com o qual esfregava o peito dos negros, para dar vigor e brilho. A boa aparência contava na hora da venda. Os doentes eram removidos para outro local, a fim de não contaminar os sadios.

Ele fez quarentena num barracão para engordar. Um gorro vermelho sinalizava: "recém-chegado". Jovem adulto e recém-batizado, Luiz Monjolo foi vendido para o fazendeiro de café Brás Arruda e arrastado pela Serra do Mar até a fazenda Pouso Seco, no Vale do Paraíba. Não se sabe se outros malungos – como eram chamados os companheiros negros de travessia e sofrimento – foram com ele. Sabe-se que conheceu Mariana Benguela. Falantes da mesma língua, o bantu, compartilhavam heranças e recordações do outro lado do Atlântico. Em 1828, quando ambos tinham 23 anos, foram pais de Antônio. Viviam juntos, trabalhavam juntos e juntos criaram o filho num cômodo da senzala-pavilhão, cópia do local que os abrigou antes do embarque para o Brasil. Ali mantinham um fogo aceso para cultuar os ancestrais e, como disse o historiador Robert Slenes, "cultivar uma flor", em referência à existência de relações de amor e familiares nas senzalas, mesmo dentro do bárbaro sistema de escravidão brasileiro.

A definição de "família" num dicionário de 1813, de autoria de Antônio Moraes e Silva, é: "as pessoas de que se compõe a casa". Na África Central Atlântica, de onde Mariana e Luiz vieram, a definição serviria para descrever a "casa-grande" dirigida por um "grande homem", o "Papai", cercado de esposa, coesposas, filhos casados e solteiros, irmãos menores, parentes pobres, dependentes e um grande número de crianças. Ambos certamente dividiram heranças da terra natal. O culto dos mortos e de deuses seria deles. Apesar de inúmeras dificuldades, pessoas como Luiz e Mariana lutariam para manter sua família – família essa que, em muitos casos, era a porta para a liberdade e uma saída do pesadelo.

Uhámihimelamhi. Vamos deitar-nos. *Guigéroume?* Tu me queres? A linguagem amorosa equivaleria a um pedido de casamento? Manifestaria um desejo de ficar junto? Segundo a especialista em falares africanos Yeda Pessoa de Castro, esse diálogo amoroso em língua mina-jejê revela as práticas amorosas de nossos ancestrais afro-brasileiros. Iluminam gestos e códigos presentes nas relações afetivas.

Outras palavras confirmam que o tempo de amar consolidava as famílias. De origem banto e iorubá, a mais conhecida delas ainda é invocada em nosso vocabulário: *xodó*, que quer dizer namorado, amante, paixão. Mas havia outras que contam do desejo de se estar junto: *nozdo*, amor e desejo; *naborodô*, fazer amor; *enxodozado*, apaixonado; *kandongo e kandonga*, bem-querer, benzinho, amor; *indumba,* mulher sem marido; *binga*, homem chifrudo; *huhádumi*, venha me comer/foder. O etnógrafo e antropólogo Câmara Cascudo acrescenta a esse vocabulário amoroso o verbo *kutenda*: pensar em alguém, sentir saudades.

Sim, quando falamos de famílias, associamos a vida de casal a um encontro de afetos, de afinidades. Mas, durante muito tempo, ignorou-se que afro-brasileiros tivessem a sua. Dizia-se que africanos eram selvagens ou que "escravos não têm família". Viveriam como animais, juntos e misturados. Erradíssimo. Essa barbaridade ajudou a consolidar a imagem de que, nas senzalas, convivia-se em promiscuidade. Corpos sobre corpos. Os senhores abusando, sem descanso, das mulheres. Nossa mestiçagem resultaria de repetidos estupros, repetem alguns. Para piorar, durante muito tempo a História ignorou as relações familiares da gente preta. O olhar de pesquisadores só via a família branca abençoada pela Igreja, unida pelo padre, graças ao casamento formal. Desconhecia, assim, milhares de relações consensuais que envolviam pessoas de todas as cores em todas as partes do Brasil. Eram as "famílias plurais", como sintetizou o historiador Igor Santos.

Mas o que deve ser dito é que as primeiras famílias que jamais existiram vieram precisamente do continente africano. Afinal, ele foi o berço da humanidade ou, como afirmam os paleontólogos, o primeiro espaço favorável ao desenvolvimento de seres humanos. Nossa evolução começou a partir de um pequeno grupo que vivia no leste da África há cerca de 7 milhões de anos. Os ancestrais dos eurasianos só deixaram o continente cerca de 50 mil ou 70 mil anos atrás e, atualmente, todos os não africanos são descendentes dessa dispersão. Foi apenas quando os primeiros agricultores chegaram ao Oriente Médio que sua pele começou a clarear. A história da humanidade começou literalmente a ser escrita num quadro-negro.

Nossos ancestrais já possuíam uma adequada organização social, e a família tinha importância no contexto da comunidade. Em muitas sociedades antigas, as palavras para descrever a família ou o parentesco denotavam os laços de responsabilidade compartilhada. Mais tarde, considerando diversos modos de filiação, que podiam ser tanto matrilineares, patrilineares quanto bilineares, cada indivíduo se via incluído numa extensa teia genealógica: a linhagem. Cada qual fazia parte de um todo que podia remontar a um antepassado distante e comum. Segundo o antropólogo Jean-Pierre Dozon, cada grupo familiar podia ter entre cem e duzentos membros unidos por um ancestral. Tais redes seriam embaraçadas e rompidas pela escravidão. Porém, ao contrário do que se afirmava, longe da terra natal, os africanos nunca deixaram de recriar suas parentelas, adaptando-se às circunstâncias, inventando laços de sangue, fazendo alianças e tornando a família uma unidade de sobrevivência. E, mais tarde, de sucesso.

Como explica o africanólogo Alberto da Costa e Silva, desde o século XVI os escravizados chegaram das Áfricas. Por que no plural? Porque o continente engloba regiões muito distintas sob todos os pontos de vista: histórico, econômico, social. Vindos das Áfricas, homens e mulheres de culturas diferentes deram contribuições diversas para o Brasil quando aqui se misturaram. Angola, Nigéria, Congo, Gabão e Togo, entre outras, contribuíram com seus idiomas, tradições e saberes para a adaptação das gentes à terra.

Escravizados vinham de nações reunidas em clãs, onde a poligamia era corrente e as mulheres viviam submissas aos códigos de conduta de uma sociedade estruturada em rígidos padrões de comportamento e profundas tradições religiosas. Vinham, portanto, de sociedades patriarcais. Nela, o chefe poderoso era aquele que sabia amparar generosamente, reunindo à sua volta todos os membros de uma família numerosa a quem demandava serviços e obrigações. Privilégios e poderes ficavam nas mãos dos homens, cuja importância era definida pelo número de filhos que pudessem engendrar. Cada um poderia ter quantas esposas fosse capaz de sustentar, e cada esposa viveria na única perspectiva de ser mãe. A maternidade era tão valorizada quanto o vínculo entre as pessoas e os espíritos ancestrais. A arte não deixa mentir: inúmeras esculturas de grávidas demonstram que o papel de mãe-esposa era fundamental. Ao possuir várias mulheres sob seu teto, o patriarca era tratado como grande senhor, enquanto as esposas se engalfinhavam para atrair sua atenção e sentimentos.

Porém, no vasto continente africano, não faltaram sociedades matriarcais cuja transmissão de propriedades, nomes de família e títulos provinham da linhagem materna. O termo "mãe" designava não apenas a mãe biológica, mas suas irmãs e as outras esposas. Significava também o irmão da mãe. A ele cabia um lugar central no cotidiano e na educação dos sobrinhos. Ao contrário do mundo europeu, em que, ao se casar, era a mulher que levava um dote ao futuro marido, em algumas regiões das Áfricas era a mulher que recebia uma garantia em forma de bens. Ela era a dona da casa no sentido econômico do termo. Ela dispunha e regulava a distribuição de alimentos para todos, e seu marido sequer podia tocá-los sem seu consentimento. Em suma, ela era poderosa, como demonstrei em meu *Sobreviventes e guerreiras – uma breve história da mulher no Brasil de 1500 a 2000*.

O historiador e antropólogo senegalês Cheikh Anta Diop afirma que em muitas sociedades africanas as mulheres tinham poder político, econômico e religioso. Entre os bantos, da região do Congo, por exemplo, era a mãe que dava identidade étnica e social aos filhos. Ela era a base e a garantia da sociedade. O marido entrava na vida da mulher apenas como pai biológico de seus filhos, mas tinha pouco espaço. Para as grandes etapas da vida dos filhos, a mãe consultava seus irmãos e irmãs. Essa tradição irá se repetir no Brasil nas famílias com chefia feminina.

Muita gente escravizada provinha de importantes nações africanas, cujas capitais eram centros comerciais ativos, pelos quais passavam estrangeiros vindos da Europa e da Ásia. A escravidão não era um assunto desconhecido para eles, e a compra e venda de cativos era negócio rendoso desde bem antes da chegada dos europeus. Além disso, antes de se tornar um ativo e desumano tráfico transatlântico, era comum a escravidão por guerra, crimes cometidos, adultério ou dívidas. Mais branda? Não, pois os cativos eram humilhados e torturados. Além disso, as pessoas eram retiradas dos meios em que viviam, separadas de seus entes queridos, obrigadas a aprender outros idiomas e costumes. Exceção eram os negros nobres, usados para fins militares em que podiam ver destacadas suas qualidades de coragem e iniciativa. Os escravos que trabalhavam para agricultores chamavam o senhor de "pai" e frequentavam sua casa, desfrutando de um padrão de vida muito semelhante ao de seu senhor. Os menos afortunados trabalhavam em fazendas, sob as ordens de um feitor, e o máximo a que podiam aspirar era ter uma porção de terra para trabalhar em proveito próprio. Nas Áfricas ou no Brasil, os escravos se encontravam em posição de subordinação e quase nunca eram tratados como iguais. Lá ou cá, o princípio foi um só, em qualquer época ou lugar: cruel e violento.

Nas primeiras décadas do século XVI começou "o grande tráfico atlântico". A essa altura, os traficantes locais, amparados pelos comerciantes portugueses, tinham suas redes de abastecimento organizadas. Do outro lado do oceano, tanto lusos quanto espanhóis careciam de mão de obra para explorar as novas terras. Não foi difícil encaminhar gente para o Brasil. Em 1587, o senhor de engenho Gabriel Soares de Souza calculava haver entre 4 mil e 5 mil africanos em Pernambuco. Na Bahia, segundo o jesuíta português Fernão Cardim, haveria entre 3 mil e 4 mil.

Como explicou o historiador Roquinaldo Ferreira, o tráfico provocou mudanças nos costumes de ambos os lados do Atlântico. À medida que os poderes locais se fortaleciam, multiplicavam-se as guerras no continente africano, e a introdução de álcool, tecidos e armas gerou um quadro de instabilidade que facilitou mais e mais as escravizações. Depois de atravessarem o Atlântico em "navios negreiros" ou "tumbeiros", os escravizados aprendiam rapidamente a se mover e a se organizar no novo mundo. Todos iguais? Nunca. Eles representavam culturas diferentes que aqui se embaralharam, mas não sem atritos identitários. Todos, porém, trouxeram na bagagem tradições familiares que, mescladas às que encontrariam por aqui, entre indígenas e brancos, resultariam numa cultura miscigenada. Cultura em meio à qual homens e mulheres reproduziam as coisas que tornavam a vida possível e digna de ser vivida. E, ao contrário do que muitos sociólogos afirmavam nos anos 1960, a família foi a base do mundo que construíram para si.

A mestiçagem

Nossas famílias afro-brasileiras começaram a se formar desde cedo. Os portugueses já estavam familiarizados com as africanas, pois, desde o século XV, elas eram enviadas para Portugal. Realizando serviços domésticos e artesanais, essas escravas acabavam se amancebando ou casando com homens brancos. Não poucos senhores as escolhiam para formar família. Escravas a quem protegiam e por cujos filhos zelavam, como demonstrou a historiadora Adriana Reis Alves.

Aqui não foi diferente. Desde o início da colonização, a presença de brancos, negros e índios resultou em mestiçagem. O termo provém do latim *mixticius* e era usado, na Idade Média, para designar o "nascido de raça misturada". A palavra gera confusão, porque recobre uniões biológicas e entrecruzamentos culturais. Mas também confunde por suas repercussões múltiplas: numa sociedade onde o *status* do indivíduo era codificado e os deveres e as obrigações dependiam do lugar que cada qual ocupava, a posição do "mestiço" inspirava desconfiança. Tanto mais que os primeiros mestiços nasceram longe das prescrições da Igreja e das autoridades metropolitanas, como veremos mais à frente. Porém, eram reconhecidos e já constavam nos verbetes dos dicionários portugueses: "Filho nascido de pais de diferentes nações", grafava o jesuíta e dicionarista Raphael Bluteau, em 1728.

A mestiçagem nada teve de harmoniosa e foi sujeita à violência inerente à existência de todo projeto de conquista. Ela foi mais bem-sucedida em algumas regiões do que em outras. Para muitos historiadores, ela foi uma resposta às condições que recém-chegados encontraram no Novo Mundo, que, junto com o trabalho áspero e incansável, se deram as mãos para fazer o Brasil existir.

E a mestiçagem vingou. Mamelucos – nome dado aos filhos de índios com brancos – e mulatos foram o resultado desses primeiros séculos de encontro, simbolizando suas contradições. Em 1711, o jesuíta André João Antonil, em sua obra *Cultura e opulência do Brasil por suas drogas e minas*, assim a resumia: "O Brasil é o inferno dos negros, o purgatório dos brancos e o paraíso dos mulatos". E ainda acrescenta: paraíso de "preguiçosos", "astutos" e "arrogantes", sinônimos para a palavra que, segundo o historiador A. J. R. Russell-Wood, definia a maioria dos nascidos no Brasil. Questão de pele? Não. Na época, nuances de natureza moral e social coloriam as pessoas num jogo de claro e escuro, como ele mesmo diz. Houve até tentativas para exigir que candidatos às câmaras municipais em Minas Gerais fossem casados ou viúvos de mulheres brancas. Não vingou. Ou que filhos mulatos não pudessem herdar de seus pais brancos. Também não foi para a frente. A natureza essencialmente dinâmica e móvel da população colonial atingiu seu apogeu no século XVIII, com o aumento da população livre e negra, explica o mesmo A. J. R. Russell-Wood.

Organização das famílias

Mas como se organizavam as famílias afro-brasileiras? No início da colonização, entre os séculos XVI e XVII, elas estavam sujeitas ao regime de trabalho. Logo, nas áreas agrícolas ou de mineração, relações dentro de um mesmo grupo, numa mesma fazenda, num mesmo engenho, ou com eleitos escolhidos na vizinhança, tornavam as uniões mais fáceis – o que permitiu Luiz encontrar Mariana. Era também mais provável que os parceiros se encontrassem em grandes fazendas do que em pequenas roças, onde as opções eram menores.

Para se escolher um parceiro ou parceira, aproveitavam-se os contatos feitos na lavoura, sobretudo na época de colheita agrícola, ao som dos *vissungos*, cantos de trabalho, e de conversas. Ou nos engenhos à época da moagem da cana, ou ainda nas casas de farinha, quando homens e mulheres se cruzavam em suas tarefas repetitivas. Namoros também podiam começar nos batuques, momentos de lazer realizados à noite em que se dançava, cantava e se contavam histórias. Seu espaço tradicional era o terreiro: o pátio interior ou traseiro das casas. Na roda, ao som dos tambores, evoluía a rainha do momento. Ela media o compasso da música com o corpo, rodava, requebrava com graça. Enquanto isso, casais se escolhiam, trocando olhares.

O calendário das festas do engenho era, contudo, sagrado. O diário de Luísa Margarida Portugal e Barros, condessa de Barral, escrito em seu engenho no Recôncavo Baiano no início do século XIX, revela muito sobre as oportunidades de lazer que brotavam então: "Vieram tirar Reis [...] todas as negras estavam soberbas; eu lhes dei de comer e beber, dançaram até meia-noite, ontem". No dia de Nossa Senhora, os negros não trabalhavam: "Dançamos hoje na casa do mestre dos africanos toda a noite". No "domingo gordo", eles se pintavam de branco e se molhavam, como no Entrudo, uma antiga manifestação carnavalesca. Para sua Páscoa eram distribuídas 40 garrafas de cachaça e três carneiros. "A dança dos cabindas é a mais selvagem. Os nagôs dançam muito engraçado, é o lundu dos mulatos que eu não gosto. Estavam malvestidos. Os africanos soberbos... Não sei como não tivemos dor de cabeça... organizamos um altar e um jantar para amanhã." Para a festa da "botada da cana", eles se faziam "muito bonitos" e havia "lundu e batuque". Sim, havia música, comunicação e tolerância entre os moradores do engenho.

O Brasil tinha os portos coloniais dos mais bem localizados do mundo. As cidades cresciam como espaços de câmbios e escambos e propiciavam um leque de movimentos impensáveis na roça ou nas minas. A autonomia era outra.

O contraste entre o cotidiano acanhado do engenho e do cafezal e o rebuliço do mundo urbano era gritante. Artífices criavam, pequenos e médios comerciantes faziam negócios, prestadores de serviços com qualificações – alfaiates, tanoeiros, carregadores etc. – ganhavam a vida. Nas cidades, sobretudo as litorâneas, os mercados esquentavam o movimento das ruas. Sobrados subiam e abriam tendas rés do chão. Nas fontes de água, a alegria e a gritaria eram constantes. Pelas ruas, vendedores de todo o tipo de coisa se cruzavam. Aí, as possibilidades de encontrar a "cara-metade" eram grandes. Os viajantes e pintores estrangeiros como Jean-Baptiste Debret e Johann Rugendas registraram casais em alegres conversas em suas gravuras. Além das ruas, os "cantos", locais de agrupamentos de escravos à espera de um serviço, e os *zungus*, bodegas com oferta de música, refeições e pousada, eram pontos de confraternização.

Tinha cerimônia de casamento? Sim. Nas grandes propriedades, o acesso aos padres era relativamente garantido. Fora delas, a bênção nupcial era rara e cara. A Igreja católica, por seu lado, incentivava as uniões sacramentadas. De acordo com as Constituições Primeiras do Arcebispado da Bahia, legislação eclesiástica que, após sua publicação, em 1707, vigorou por dois séculos, os escravos tinham o "direito humano e divino" de se casar com outros escravos ou livres. O senhor não podia impedi-los. Logo, dificuldade não era sinônimo de impossibilidade. A Igreja chegou a lembrar que a multiplicação de famílias cativas só poderia ajudar os proprietários. O historiador Stanley Stein confirma que o Brasil foi o país da América do Sul onde escravos mais se casavam.

Em Santana do Parnaíba, São Paulo, por exemplo, até 94% dos casais de escravizados receberam a bênção nupcial. Senhores também podiam se casar com suas próprias escravas. Caso de Garcia Pedroso, forro, com Maria da Costa, sua escrava, em Vila Rica, Minas Gerais, em cerimônia celebrada a 15 de novembro de 1754. Ou de Tomás de Freitas, negro de nação mina, escravo da futura esposa, a negra Ana de Jesus, forra de nação Guiné, em casamento realizado a 9 de janeiro de 1745.

Para dar outro exemplo, no Vale do Paraíba, na mesma fazenda da Barra em que se uniram Luiz e Mariana, o historiador Eduardo Schnoor encontrou, entre outras, as famílias de: Apolinária, casada com João, com o filho Júlio e a filha Bárbara. A de Justiniana, crioula, 35 anos, boa rendeira e engomadeira casada com Felizardo, crioulo. A de Francisco Rebolo, bom derrubador, 45 anos, casado com Ana Benguela, boa doceira e costureira, 32 anos, mais os filhos Prudência, de 9 anos, Lucas, de 3 anos, e Domingos, de 8 meses. A de Francisco, bom mestre de açúcar e padeiro, 40 anos, casado com Rosa Cabinda,

33 anos, e as filhas Vitória, de 10 anos, e Delfina, de 6 anos. João Benguela, 40 anos, com Francisca Benguela, 36 anos, e os filhos Thomázia, de 6 anos, Jorge, de 5 anos, e Antônia, de 8 meses. Todos bem estabelecidos.

Em 1851, em andanças pelo Recôncavo Baiano na companhia de um senhor de engenho, o português José Ferrari deixou um longo romance em forma de versos sobre os casamentos de cativos, a *Engenheida*. A brincadeira poética com ar de epopeia descreve em miúdos a vida cotidiana dos enamorados até o matrimônio. Desde o flerte dos jovens até a preocupação dos pais – e, depois, a queixa dos genitores ao feitor. E do feitor aos senhores, por conta da mudança de comportamento dos enamorados, que "viviam com a cabeça nas nuvens e só pensavam em se encontrar". Trabalho que era bom, nada. Melhor casá-los. Daí os preparativos para a "função" e a distribuição dos convites a toda a redondeza, pois de outros engenhos também podiam vir amigos, companheiros de trabalho, outros noivos para casar e crianças para batizar.

Com rimas, Ferrari relata a variedade da gente do engenho: africanos, crioulos, mulatos, todos juntos preparando a festa. Podiam ser de etnia congo, cabinda, monjolo, angola, rebolo, cassange, benguela. Narra a chegada dos convidados a cavalo ou mula, com as damas escarranchadas na garupa, braço passado na cintura do cavaleiro; o vestuário – chapéus, camisas engomadas, anquinhas, saias em várias cores, rendas, colares e debruns – e, na cintura, pescoço e punhos, talismãs e amuletos. As madrinhas de turbantes e "trajes alvos". A decoração do altar. O padre que perguntava na troca de alianças: "Vosso laço é terno? É verdadeiro? Amai-vos próximos como a vós mesmos". O poema deve ser lido, de barriga cheia, para não ficar com água na boca, na descrição dos comes e bebes: licores, doces de amendoim e milho, pipoca, pão de ló, cuscuz, canjica e bolos. O documento raríssimo foi um achado da professora de literatura Lizir Arcanjo.

Como descrito na *Engenheida*, os senhores mais ricos costumavam casar seus escravos no mesmo dia em que batizavam as crianças nascidas na propriedade. Assim, um padre realizava as duas cerimônias, seguida da dita "função", ao som de batuques, violas e atabaques, lembrança das cerimônias africanas que reuniam ampla parentela. O banquete era à base de inhame e noz de cola, regado a vinho de palma. Havia também quem enviuvasse e casasse com companheiros da mesma senzala.

Quando casar? Nas fazendas, as cerimônias estavam sujeitas às atividades de semeadura e colheita. O calendário agrícola tinha grande influência. Já entre livres e libertos, quem mandava era a religiosidade popular. Havia o chamado "tempo proibido" ou tempo de penitência, quando a Igreja desaconselhava toda manifestação de alegria e qualquer tipo de festividade coletiva. No período do Advento e da Quaresma, época de carpir pecados, os casamentos caíam quase a zero. Evitavam-se alguns dias para celebração das núpcias: sexta-feira, por exemplo, era tida por nefasta desde os tempos medievais. Era dia da Paixão e morte de Cristo, e por isso considerado azarento. Trazia dores.

Famílias estáveis? Perfeitamente. Os historiadores Manolo Florentino e José Roberto Góes comprovaram que no norte fluminense três ou quatro gerações se multiplicavam dentro das fazendas. E mesmo quando havia partilha dos cativos por herança de seus senhores, a tendência era manter as famílias unidas, demonstrando grande equilíbrio nos arranjos. Sete entre dez crianças conviviam com seus pais.

Famílias: tê-las e mantê-las

Os casamentos e uniões dentro da mesma nação de origem, ou seja, da mesma África, confirmam que a consciência étnica era forte. A comprová-la, um diálogo que o naturalista francês Auguste de Saint-Hilaire manteve com um escravo, em 1816. Perguntado se era casado, o negro respondeu:

> Não, mas vou me casar dentro de pouco tempo; quando se fica sempre só, o coração não fica satisfeito. Meu senhor me ofereceu primeiro uma crioula; mas não a quero mais. As crioulas desprezam os negros da costa. Vou me casar com outra mulher que a minha senhora acaba de comprar; essa é da minha terra e fala a minha língua.

Tradições se perpetuavam nos casamentos. Entre os malês na Bahia, por exemplo, depois de tudo combinado, os noivos e seus parentes dirigiam-se no dia aprazado à casa do sacerdote. Todos reunidos, ouviam o sacerdote malê ou *Iemane* perguntar aos nubentes se a união era de livre vontade de ambos. Frente à resposta afirmativa, a noiva vestida de branco, trazendo véu no rosto, trocava alianças, dizendo, "ofereço-vos em nome de Deus!". A seguir, o casal beijava a mão do sacerdote e seguia para um banquete à base de galinhas, peixes e frutas, mas sem bebida alcóolica, conta-nos o antropólogo Manuel Querino.

Ao estudar as famílias de negros na vila do Recife ao final do período colonial, o historiador Gian Carlos de Melo Silva também confirma a permanência de casamentos dentro do mesmo grupo, sobretudo quando se tratava de uniões legalizadas: pardos com pardos, crioulos com crioulos (nome dado aos nascidos no Brasil), pretos com pretos. As uniões mistas, que fizeram o viajante inglês Henry Koster louvar a miscigenação no Nordeste como algo corriqueiro, eram menos correntes e se davam à margem do sistema oficial de casamentos. Apenas um entre cinco casamentos reunia pessoas de nações diferentes. Somente o aumento do tráfico no século XIX acabou por quebrar a endogamia, pois aqui chegavam cada vez mais indivíduos vindos de regiões diversas. As escolhas se multiplicaram.

Os historiadores Florentino e Góes também observaram agudas diferenças de idade entre os cônjuges. Os homens mais velhos, prestigiados na tradição africana, casavam com as moças mais jovens, férteis – como, aliás, se fazia no Golfo do Benim; os cativos jovens acabavam com mulheres com idade bem superior. Quando aumentava a importação de africanos, os crioulos se fechavam entre si. A chegada de novos homens a uma fazenda, por exemplo, era sentida como uma ameaça.

E houve amores. Paixões se acendiam, fazendo que escravos fugissem à noite, escapando das senzalas e pulando cercas para encontrar suas bem-amadas, como revelou a historiadora Silvia Lara. Não faltavam cenas de ciúmes com violência, nem o assassinato de competidores. Tampouco faltavam as invejosas em relação aos amores das mulheres desejadas, nem os feitiços amorosos e banhos para "prender homens" e unir corações. Estudos revelam casos como o da parda solteira Maria Rosa Joaquina, moradora da freguesia mineira de Santa Rita. Ela praticava uma magia que consistia em colocar a imagem de Santo Antônio na água em que se banhara, dizendo palavras mágicas. Em Prados, também em Minas Gerais, a mulata Florência de Sousa Portela foi denunciada "por colocar feitiços na porta da casa de Domingos Rodrigues Dantas para ele não se casar". Pactos demoníacos e "cartas de tocar" com orações, cruzes e palavras "diabólicas" eram usados para facilitar "tratos ilícitos" e relações eróticas, como analisou a historiadora Lisa de Oliveira em relação à segunda metade do século XVIII.

A feitiçaria erótica e amorosa não se restringia às forças "diabólicas" atribuídas pela Igreja à religiosidade popular. Bolsas de mandinga, lavatórios e "beberagens" de ervas, amuletos, talismãs, "mezinhas e rezinhas" cabalísticas, a utilização de símbolos sacros como cruzes, evocações diabólicas, orações e sortilégios com fins amorosos revelam, além de amores, uma cultura mestiça, marcada pela fusão da religiosidade cristã e pagã europeia com elementos indígenas e africanos.

Pós e raízes embrulhados em papeizinhos tinham poderes mágicos quando atirados sobre a pessoa que se desejava conquistar. Mulheres lavavam suas partes íntimas e davam a água para homens beberem, com o intuito de seduzi--los. Substâncias naturais poderosas, como sangue, esperma, urina, cabelos e unhas, eram utilizadas em feitiços amorosos Brasil afora. A escrava Joana, castigada por seus senhores por envenenar uma companheira por causa de ciúmes, administrava água de lavagem das partes íntimas aos pretendentes. Já Marcelina Maria cozinhava um ovo, dormia com ele entre as pernas e o dava de comer ao homem que desejava conquistar. As mulheres eram as mediadoras de saberes que misturavam tradições portuguesas, africanas e indígenas na arte da preservação de amores e intimidade, estudada pela historiadora Laura de Mello e Souza.

Não era nada fácil preservar afetos e garantir a união da família em terra estrangeira. A escravidão era um sistema opressor, e seu efeito sobre a vida de milhares de pessoas foi terrível. Nem por isso cativos desistiram de negociar com seus senhores, de criar alianças entre seus pares e de lutar com todas as forças quando viam seus laços familiares ameaçados. Ai de quem quisesse separá-los. Se ocorria a venda de parentes, reagiam com artimanhas e violência. A historiadora Isabel Reis debruçou-se sobre documentos que revelam reações desesperadas. As fugas eram as mais frequentes: fugas "em família", fuga de casados, de "amásios", de "mulheres pejadas com filhinhos nos braços", de mães com suas "crias". Depois da evasão, não faltaram reencontros dos que mudavam de nome e endereço, vivendo como livres, procurando ocupação, rearranjando-se com novos parceiros que podiam ser também escravos, libertos ou livres. Mas, sobretudo, juntando dinheiro para comprar a liberdade.

Isabel Reis encontrou histórias de atitudes e sentimentos maternos profundamente enraizados. Aliás, na região do Congo, de onde vieram muitas mulheres, a maternidade tinha um prestígio fenomenal. Quanto mais filhos, maior a autoridade da genitora. Tais valores emigraram para o Brasil. E, de longe, as mães foram as maiores protagonistas na defesa de seus familiares, além de responsáveis pela inserção dos filhos no mundo religioso, pela transmissão dos costumes e pela construção dos laços sociais que pudessem ampará-los. Tanto lá como cá, os maridos entravam na vida das mulheres como pais biológicos, apenas para procriar, enquanto as mães eram a base da sociedade.

Ao final do século XVIII, a presença de homens e mulheres libertos (quando a liberdade era concedida por emancipação ou alforria), forros (quando deixavam de ser cativos por meio de recursos próprios) ou livres já era expressiva e correspondia a 40% da população classificada como "parda". Nas grandes cidades, como Rio de Janeiro, Salvador, Recife, São Paulo e Vila Rica (atual Ouro Preto), a despeito dos limites que separavam as vidas de escravos das de livres e libertos, mestiços interagiam com todos, e com a maior liberdade. Encontros e trocas de experiências e culturas envolviam indivíduos de procedências variadíssimas. Com o crescimento das cidades, prestadores de serviços com qualificações ganhavam suas vidas. A atividade mercantil e o crescimento dos portos aumentavam a chance de sucesso de um formigueiro de pequenos artesãos e comerciantes. Como as políticas oficiais de discriminação não eram cumpridas, havia apenas obstáculos a serem ultrapassados – e muitos negros, aproveitando as brechas, se inseriam na sociedade, a qual estava, como disse o historiador Russell-Wood, "o tempo todo efervescendo e o tempo todo evoluindo". Havia mesmo, como diz o historiador, uma superposição entre as funções de escravos e libertos. Os primeiros podiam ocupar posições de responsabilidade em empresas comerciais, como caixas, almoxarifes ou feitores. Os segundos ocupavam postos semelhantes, quer num cargo de supervisão, quer, no caso dos menos afortunados, realizando tarefas que podiam caber a um escravo. Era mesmo uma sociedade fluida e porosa.

Já os escravizados, por meio do trabalho em que realizavam tarefas extras para terceiros passando uma parte do ganho para seu senhor, não perdiam oportunidades de juntar dinheiro para comprar a alforria. "Alforria" é um termo de origem árabe que equivale a libertar-se. Assim, os chamados "negros ou negras de ganho", na condição de escravos ou livres, trabalhavam pela liberdade do cônjuge ou dos filhos. É possível que a presença da Igreja católica em suas vidas inoculasse a valorização da vida familiar. As imagens do trio Maria, José e o menino Jesus eram o exemplo a seguir.

Não faltaram os que, como mostrou Silvia Lara, apelaram diretamente ao rei ou aos governadores para obtenção da alforria, quando os senhores se negavam a dá-la. Eles eram intimados a libertá-los quando o escravo lhes oferecia a quantia pela qual fora comprado. Em caso de recusa, o escravo enviava um recurso à coroa. Maus-tratos também eram motivo para recorrer. Os escravos não só tinham procuradores, como estes também lhes redigiam os documentos necessários e lhes davam apoio jurídico gratuitamente ou mediante pagamento. Houve governadores que não hesitaram em obrigar senhores a conceder a liberdade. Houve outros que tergiversaram em torno de valores. E outros ainda que simplesmente se recusaram a ajudar.

Menos numerosas do que os homens escravizados, as mulheres tinham mais chances de ficar livres. No século XVIII, por exemplo, o número de alforrias femininas surpreendeu: 72% no Rio de Janeiro, 46% em São João del-Rei, 52% em Rio das Velhas e o dobro da dos homens na Bahia. Isso por dois motivos: as mulheres custavam menos do que os homens, e sua liberdade era mais barata. E elas tinham mais capacidade de acumular dinheiro pela diversidade de ocupações como "escravas de ganho" – quitandeiras, lavadeiras, pescadoras, prestadoras de serviço etc., recebendo mais do que deviam pagar aos seus senhores. No início do século XIX, com a urbanização do litoral e o crescimento das capitais, vamos encontrá-las em atividades diversificadas como modistas, fabricantes de flores de penas, tintureiras, cozinheiras, lavadeiras. Enfim, à medida que cresciam as cidades, o mercado de trabalho também se ampliava, favorecendo a compra da própria liberdade.

No caso das escravas domésticas, o contato com a família do dono, o sentimento de filantropia ou mesmo a relação mais íntima com o próprio senhor levava também à alforria dos filhos ilegítimos. Certo Pedro Mendes Monteiro, baiano, solteiro ao morrer, em 1744, concedeu à sua escrava mulata e à filha dela de 2 anos a liberdade. A mãe recebeu um pagamento de 50 mil réis, além de roupa de cama e mesa. A filha, um fundo fiduciário de 400 mil réis, uma bela soma para a época. O capital seria posto a render e os juros anuais, aplicados na manutenção de mãe e filha até que a segunda se casasse, quando a soma total constituiria seu dote, relatou Russell-Wood.

A historiadora Maria Inês Cortês lembra ainda que, afora os afetos que pesavam muito, não se pode deixar de lado a motivação de ordem econômica que levava homens e mulheres a comprar a alforria para os filhos. Livres, com seu trabalho, eles iriam auxiliar na formação de um pecúlio comum, permitindo uma vida melhor para a família. Os historiadores Márcia Amantino e Jonis Freire encontraram, entre outros documentos, o caso de Inácia Soares, forra, mãe de Antônio Carneiro, casado com Luísa, ambos cativos. Os dois foram arrematados por Inácia num leilão da cidade do Rio de Janeiro, em 1761. A nora lhe custou 56 mil réis e foi prontamente paga na hora do arremate. Pelo filho, a mãe pagou 39.680 réis, restando um saldo a pagar. A união fazia a força.

Mas, voltando ao matrimônio, quem eram aquelas mais cortejadas para casar? De longe, as libertas ou livres. Na hora de escolher seu par, era para elas que os homens olhavam. Na pequena Nazaré das Farinhas, no Recôncavo Baiano, estudada pela historiadora Virgínia Barreto, 83,3% das relações conjugais tinham uma delas por cônjuge. A preferência por mulheres livres em uniões mistas deveu-se ao fato de os filhos seguirem a condição das mães. Para evitar que seus filhos se tornassem escravizados, os homens preferiam a união com uma liberta ou forra. Para as mulheres, além da estabilidade familiar, o casamento era um signo de ascensão social em toda a sociedade. Diferenciava as que podiam casar-se das menos preferidas: escravas ou muito pobres.

A historiadora Juliana Farias explica que era normal levar em conta interesses socioeconômicos na escolha do futuro parceiro. Por exemplo, alguns "dotes pessoais", como a "potência de trabalho" atribuída às mulheres, eram bem-vindos e valorizados. Quanto mais habilidades, melhor. A cor mais clara da pele, também, segundo o historiador Marcus J. M. de Carvalho. Sem contar que pais ou outros "parentes de nação", ou seja, membros de grupos étnicos específicos, podiam pressionar amigos e filhos/filhas para arranjarem noivos e noivas dentro de sua própria comunidade.

Ainda não se sistematizaram estudos para avaliar em que medida a escolha da companheira ou companheiro teria influenciado uma nova composição social baseada na mestiçagem. O historiador Herbert Gutman, por exemplo, demonstrou que esta era a regra nas colônias hispânicas. Casar-se com uma mulher mulata livre ou com uma mestiça "melhorava a condição social dos filhos" e também "atenuava o grau de pigmentação, um dos fatores de sucesso" na luta pela mobilidade social. Homens negros escolhiam mulatas para casar e mulatos escolhiam parceiras de origem não africana.

Quando não dava certo, os casais procuravam o divórcio. No Rio de Janeiro, em 1848, Henriqueta Maria da Conceição alegava que "não só cumpria todos os deveres de mulher casada, mas também, por seus trabalhos continuados e tráfico de quitandas, em que já era ocupada antes de seu casamento, ganhava para manter a si e ao réu seu marido, sem dar motivo algum para este a maltratar". Queria a separação, pois seu marido, lembrando-lhe sempre "a lei de branco", metia a mão nos seus ganhos. E ele mesmo explicava o que isso queria dizer: "[A lei] mandava que tudo o que a mulher tivesse, a metade seria do marido – dizendo-lhe, por exemplo: você tem quatro vinténs, dois são do seu marido; você tem um lenço, há de parti-lo ao meio, dando metade a seu marido".

Rufino Maria Balita, o marido, não só se apoderava do dinheiro que Henriqueta ganhava com suas quitandas, como também pegava as joias guardadas na gaveta dela. A comunhão de bens a que se referia a lei era só em proveito próprio. Por considerar um desaforo a mulher "querer governar o marido" e ainda atrever-se a lhe dar broncas, Rufino sempre batia nela. Não foram poucas as negras que desfizeram casamentos realizados por conta de sua "fortuna".

Outro caso estudado por Juliana Farias foi o da forra nagô Lívia Maria da Purificação. Em 1850, quando conheceu o mina Amaro José de Mesquita, ele ainda era escravo do barão de Bonfim, para o qual trabalhava como "comprador e copeiro". Já nessa época, conforme Lívia contou ao juiz, ele queria "viver vida folgada, bem-apessoado e traquejado na arte de seduzir". Assim que a conheceu, ele ficou "deslumbrado" com seus bens: 12 escravas, joias, dinheiro no banco. E tantas fez que entrou nas boas graças da africana. Tão logo começaram o relacionamento, Amaro pediu a Lívia que o "suprisse" com 300 mil réis, quantia que faltava para completar sua alforria. Ela lhe entregou o valor, na "condição de casamento".

Ao saber do "contrato antenupcial" que Lívia Maria pretendia fazer, Amaro se mostrou resistente. O documento estabelecia a união "conforme as leis do país, mas sem comunicação de bens, salvo os havidos depois do casamento e dos rendimentos que tiverem". Ora, o noivo não tinha posses, nem podia vender, alugar ou emprestar nenhuma das 12 escravas da mulher. Pior: ela já tinha filhos, então, se morresse, ele teria que dividir os bens com os demais herdeiros. Resolveu se casar. Mas, ao fim de três meses, Lívia foi ao juízo eclesiástico pedir a separação.

Motivo? O casal não seguia a regra de "fazer pecúlio para a velhice", ajudar a alforria mútua ou aumentar a fortuna do casal, critérios presentes em outros documentos sobre casamentos de afro-brasileiros. Certa Maria Angola e seu marido José Moçambique, por exemplo, acumularam pecúlio consistente. Ela com uma banca no Largo do Paço, onde vendia gêneros de primeira necessidade, e ele como marinheiro. Ao se separarem, em 1835, ela ficou com "uma morada de casas na cidade de Campos, no norte fluminense, três escravas e um conjunto de joias de prata e ouro".

Porém, a "falta de ocupação dos cônjuges" ou a dilapidação dos bens não estavam entre as causas legais para o divórcio eclesiástico. Por isso, muitas mulheres alegavam adultérios, maus-tratos, a falta de cumprimento dos "deveres maritais" e todo o tipo de violência para se separar. Aliás, a apresentação de tais argumentos para obter a separação de corpos foi geral entre mulheres de qualquer cor ou condição.

A formação de famílias por meio de concubinatos e matrimônios variou muito. Nas áreas de mineração, por exemplo, a escassez de mulheres e a instabilidade dos homens, que se deslocavam em busca de ouro, tornavam as relações duradouras raras. Mas em outras regiões as ligações consensuais estáveis se constituíam numa realidade corriqueira. Viver numa família onde faltara a bênção do padre e o casamento na igreja não queria absolutamente dizer viver na precariedade, pois as pessoas "viviam como se casados fossem".

Na São Paulo de meados do século XVIII, por exemplo, a forra conhecida como Mãe Clara vivia com o sargento-mor Francisco da Rocha Abreu há mais de dez anos. Eles coabitavam e "educavam seus filhos como se fossem casados", e Francisco era conhecido pelos vizinhos como "marido de Mãe Clara". Em Curral del Rei, a escrava Ana Angola ia assistir à missa com seu companheiro, o alferes José Pereira da Costa. Até padres se amigavam: em Sabará, a parda Thereza Flores andava de "portas adentro" com o padre José Barreto.

Muitas delas, só no final da vida recorriam a Igreja para casar, pois tinham medo de ir para o inferno. Aí chamavam um sacerdote, pediam a extrema-unção e confessavam seus pecados, inclusive o de ter vivido com alguém "fora do sagrado matrimônio". Foi, por exemplo, o caso do escravo pardo Manuel Gonçalves de Aguiar, que em São Paulo, em 1798, pediu licença ao seu senhor para se casar aos 82 anos, depois de ter vivido quase 50 deles com Florência, que tinha 68. Quando trocou alianças, o casal já tinha netos.

Como tantos casais que encontramos ontem ou hoje, na vida real ou na documentação histórica, o importante era haver consenso entre os companheiros. A divisão de papéis e a partilha de tarefas para a sobrevivência era obrigatória e desejada, embora, por vezes, descumprida. Precária e instável era a situação material dessas famílias. Mas a estima, o respeito e a solidariedade tiveram seu espaço no passado, incentivando a construção de famílias plurais. Plurais e "grandes famílias" como nas Áfricas: com tios, irmãos, pais, mães e malungos. Punição? Pouca. Depois de denunciado ao bispo por vizinhos, o casal ficava proibido de receber os sacramentos ou assistir à missa. Porém, raramente eram expulsos da comunidade.

O mesmo erro em dizer que "escravos não têm família" se repete na crença de que negras eram vítimas de permanentes estupros. Não era sempre assim. Entre escravizadas, as relações sexuais impostas ou escolhidas com seus senhores, e os filhos que delas nasciam, tanto podiam ser "um infortúnio quanto uma estratégia de conquista da liberdade", como bem esclareceu a historiadora Sheila de Castro Faria. O mito de constantes estupros não explica por que tantas concubinas tenham sido alforriadas quando da morte de seu senhor. Alforriadas e favorecidas, protegidas e amparadas financeiramente.

Caso, por exemplo, de certa Luiza Jeje, mãe de seis filhos do capitão Manuel de Oliveira Barroso, morador do engenho Aratu, na freguesia de Paripe, Recôncavo Baiano. Ele quis garantir que seus herdeiros fossem beneficiados. E não só legitimou e nomeou os filhos, deixando-lhes duas fazendas, como alforriou a mãe. Vários estudos nos testamentos da época, como o da historiadora Adriana Reis, comprovam que homens solteiros e casados, livres e libertos, aparecem beneficiando escravas, libertas e livres, pelo reconhecimento da paternidade de seus filhos ou como resultado de relações de afeto, dependência, fidelidade e gratidão.

Claro que deve ter havido estupros, mas as pesquisas comprovam que eles não eram absolutamente uma constante, como mostra o caso de Luiza Jeje. E, segundo Adriana Reis, nem sempre tais relações foram negativas para as mulheres. Donas de suas posses, livres e libertas administraram negócios, governaram escravos, tornando-se verdadeiras pontes no processo de mobilidade social para seus descendentes. Tais situações, como bem demonstrou Eduardo Paiva, serviam como "referências cotidianas para várias outras mulheres, e também homens. E o fato de conseguirem juntar riqueza – grande ou pequena – contribuiu para que elas exercessem papéis de liderança social e religiosa na sociedade".

Não faltaram casamentos entre livres (brancos, negros ou pardos) e escravizados. E eram tantos os mestiços que proibir casamentos inter-raciais teria sido impossível. Os casamentos mistos não colocaram em xeque o sistema escravista, até ajudaram a perpetuá-lo, pois o cônjuge livre deveria acompanhar o parceiro cativo. Era o caso das índias que acompanhavam o cônjuge no cativeiro, um bom negócio para o senhor, que ganhava mão de obra adicional e barata. Tais uniões foram comuns no Nordeste e em São Paulo. Os filhos destes casais eram chamados "servos", e eram livres. A diferente condição jurídica dos cônjuges fez com que muitas mulheres tentassem – e conseguissem – comprar a liberdade de seus maridos. Quando o senhor negava o pedido, elas recorriam aos governadores ou mesmo ao rei de Portugal, que concedia a liberdade como uma "graça" para preservar as famílias.

Muitas famílias subiam a escada social. O meio de origem ficava para trás, apagado pelo mérito, pelas aptidões pessoais, pela personalidade. O capital social, graças às amizades, contatos, troca de favores, era reforçado. Resistência para sua mobilidade? Sim. Mas, como explica o historiador Eduardo Paiva, não era por burlar a lei que pretos, pardos e mulatos eram considerados indesejáveis, pelo contrário. O que incomodava era o fato de ascenderem economicamente e de conquistarem *status* social sem infringir abertamente a legislação e os costumes vigentes.

Habitações e trabalho

Casados perante a igreja ou ajuntados, onde iriam morar? Se livres, num quarto alugado, cômodos em sobrados ou numa "casa de sopapo". Como explica o pesquisador da cultura africana Nei Lopes, essa era uma habitação de inspiração angolana e banta feita de barro. Com varas de madeira na vertical, coberta com fibras, a terra argilosa era atirada contra as paredes "de sopapo". Sopapo vem do ronga *xipapa*, que significa "palma da mão". No Nordeste, casas de palha com tabiques trançados separando os cômodos e portas de taquara eram a regra, segundo a historiadora Ana Sara Cortez. Robert Slenes demonstrou que a ausência de janelas tanto nas casas quanto nas senzalas não significava a opressão do senhor e do regime, mas, sim, transferência de soluções arquitetônicas africanas para o Brasil. Segundo Slenes, as casas da região da África Central eram normalmente baixas, com o teto coberto de palha ou outro material vegetal entrelaçado e não possuíam janelas. Em Minas Gerais, no início do século XIX, encontrando-se próximo a uma área de mineração, o viajante inglês John Mawe avistou "um grupo romântico de casas, semelhantes a um labirinto ou a uma cidade da África". Mahommah Baquaqua, um escravo da África Ocidental enviado ao Brasil, deixou registrado em suas memórias o espanto de ver casas com muitas janelas.

O historiador Renato Venâncio acrescenta que os limites urbanos, praias e margens de rio eram as áreas mais usadas para construção da moradia de libertos e livres pobres. Os casais conseguiam sobreviver razoavelmente. Alugavam um quarto em um cortiço ou casinha nos arredores da cidade e criavam seus filhos. Para não atrapalhar o trabalho dos pais, as crianças eram, muitas vezes, educadas por amigas, padrinhos ou parentes livres. Ou ainda eram enviadas para a roça ou para a cidade, para aprender um ofício. Tal "circulação de crianças" prenunciava hábitos ainda hoje presentes entre mães pobres.

Nas fazendas, os escravos casados recebiam uma cabana para morar, independentes dos demais cativos. Ali tinham privacidade e acesso à terra. Era um espaço só seu, para o sono, a cozinha, o amor e as tarefas em benefício próprio. Entre os anos de 1840 e 1880, com o aumento das plantações de café e o número crescente de escravos, os casados passaram a ocupar as senzalas "pavilhão", edifícios únicos com pequenos recintos ou cubículos separados para os escravos solteiros e os casados. Assim como nas Áfricas, o recinto reproduzia a pequenez do ambiente e a entrada da luz por uma única porta baixa. Tais barracões, segundo o historiador Rafael Marchese, imitavam aqueles da costa africana, concebidos pelos traficantes africanos, desde o século XVI, para confinar os cativos e controlar o risco de revoltas ainda em solo africano. O pavilhão respeitava regras: era erguido em lugar sadio e enxuto, e os cômodos, com pequeno respiradouro, deviam acomodar o casal com seus filhos. As portas se abriam para o terreiro onde os cativos eram contados e controlados pelo feitor. Portas adentro, a liberdade possível. Fora, o trabalho compulsório.

Tal como nas Áfricas, os escravizados tinham o direito de plantar para seu sustento, criar pequenos animais, fazer cestas e outros tipos de artesanato. Nos dias livres, caçavam, pescavam e cuidavam de suas hortas. E eram vistos, por viajantes estrangeiros, vindo ou indo para as cidades vender o excedente do que produziam.

Para os escravizados que trabalhavam em contato com lavradores, as tarefas não eram menores, mas o cotidiano, diferente. Eles viviam em grupos pequenos, lidavam com gente forra, interagiam com roceiros e artesãos que viviam na região. Nas bordas dos engenhos e fazendas, libertos ganhavam a vida como vaqueiros, lenhadores e fornecedores de alimentos. Lavradores livres faziam acordos com o proprietário da fazenda e botavam sua família para trabalhar na roça, agora como assalariados. Segundo o historiador Stuart Schwartz, tantas atividades possibilitaram que, no início do século XVIII, metade da população na Bahia fosse livre e ativa, muitos de seus componentes certamente integrados às plantações de cana como meeiros ou roceiros, condutores de gado, rancheiros etc.

Sem contar os altos salários pagos, nas grandes propriedades, aos fabricantes de caldeirões ou tachos, feitores e caldeireiros, muitos deles ex-escravos, agora na folha de pagamento do antigo senhor. Um mestre de açúcar, por exemplo, valia ouro. Tanto os que sabiam as técnicas de refinar o produto quanto os que conheciam as de mineração eram muito bem remunerados. Houve, também, os que enriqueceram por conta própria e dispensaram o dono, como foi o caso espantoso do crioulo José Rodrigues e do africano José da Silva, senhores de 77 e 60 escravos respectivamente, mineradores na zona do Bairro Vermelho, perto de São João del-Rei, em 1780.

Muito procurados também eram os escravizados que dominavam conhecimentos sobre construção, carpintaria, fabricação de tijolos e cantaria. O mesmo para construtores de caixotes, de barcos, de carros e carroças. Havia, ainda, artesãos ambulantes que percorriam o campo, parando aqui e ali para aceitar encomendas. Chapeleiros, alfaiates e sapateiros eram disputadíssimos. Pintores e músicos também encontravam trabalho temporário. Segundo Russell-Wood, esses indivíduos se constituíram em parte substantiva da população rural que, aliás, cresceu no Sudeste entre 1770 e 1830. Já donos de posses, muitos compraram terras ganhando certa autonomia. A expansão da agricultura, por sua vez, acompanhou o aumento da urbanização, abrindo mercado para produtos agrícolas. Como ele mesmo diz, "houve histórias de sucesso de indivíduos de ascendência africana livres e libertos que, por sua iniciativa, muito trabalho e inteligência, atingiram certo nível de solvência financeira". Logo, o Brasil rural e camponês foi muito mais variado, mais qualificado e mais individualizado do que podia supor a imaginação dos historiadores.

O comércio ocupava também negros e negras que dominavam boa parcela dos ofícios urbanos. Graças à venda de serviços e produtos, sua mobilidade econômica teria começado já no século XVIII. No Rio, houve casos como o do escravo João, que adotou o nome completo de seu senhor, João Antônio do Amaral. Segundo conta o historiador Nireu Cavalcanti, João, depois de economizar e comprar sua alforria, passou a viver de seu ofício de barbeiro e músico timbaleiro. Casado com Catarina do Espírito Santo, original de Benguela, ao morrer declarou possuir seis escravos e "algum ouro lavrado". Além de libertar seus cativos e legar aos parentes seus "instrumentos das músicas", ambos, ele e ela, deixaram esmolas para as irmandades de São Domingos e Santo Antônio da Mouraria da Sé.

Há também o caso do dentista e barbeiro José dos Santos Martins, cujo patrimônio, na abertura do testamento, surpreendeu até sua concubina, a preta mina e forra Gertrudes Corrêa: joias, peças de ouro e de prata, 11 escravos, dos quais cinco eram para "serviços da casa", além dos preciosos aparelhos de sua dupla profissão. Entre os ferros de tirar dentes foram listados: "asaprema, boticão com descarnados, uma quilha, uma pinça". No Serro Frio mineiro, o negro livre Bernardo de Almeida, especialista no retalho de tecidos e roupas, morreu deixando diamantes pesando 5 oitavas e avaliados em 8 mil cruzados, além de dois cavalos.

Chefes de domicílios exerciam ofícios variados. Os provenientes de Luanda, segundo afirmava o jesuíta Antonil, eram pupilos argutos e desejosos de ter profissão. Com esses talentos, valiam mais no momento da compra, mas era investimento garantido. Posteriormente, muitos deles conseguiam se alforriar e se inserir na vida econômica da Colônia. O britânico James Semple Lisle, que viveu um tempo no Rio de Janeiro em 1789, associou o "comércio intenso" que trouxe "fortuna para alguns habitantes locais" e o "ar de abundância da cidade" ao fato de que "muitos deles, depois de alguns anos de trabalho, conseguem comprar sua alforria". O inglês John Luccok, comerciante de Yorkshire que desembarcou no Brasil em 1808, via no grupo "uma nova classe social".

Não se enganou: ao falecer no Rio de Janeiro, em 1812, o forro Antônio Alves Guimarães deixou um monte-mor avaliado em 412 mil réis. Seus bens mais valiosos eram três escravos que somavam 320 mil réis e uma casa avaliada em 70 mil réis. Já Francisco Rocha, escravo alforriado e agregado do vigário André Abreu, em Porto Feliz, São Paulo, herdou de seu senhor terras, engenhos e escravos. Tornou-se "senhor de engenho" na mesma localidade. Já a família Monteiro, estudada pelo historiador Roberto Guedes, também moradora de Porto Feliz nas primeiras décadas do século XIX, enriqueceu graças ao trabalho de carpintaria, no qual agregava parentes labutando lado a lado com escravos. Alguns, como os membros da família Rocha, acabaram embranquecendo graças à mobilidade social. Netos de escravos já não declaravam a cor nos seus testamentos, esquecidos de suas origens. Artífices como José Antônio do Amaral conseguiram juntar fortunas muito acima da linha da pobreza e viveram como negociantes e rentistas. Ao manter relações com vários setores da sociedade, tinham informações e se movimentavam na hierarquia social, sem chegar, porém, perto de posições predominantes, diz Roberto Guedes. Mas há exceções, como veremos mais à frente.

Muitos optavam pelo pequeno comércio, concorrendo com brancos, e por isso enfrentavam problemas. Suas viagens eram vistas com suspeitas pelas autoridades. Suas tabernas e *zungus* eram as primeiras a serem vasculhadas em busca de armas, pólvora e munição. Os impostos eram cobrados com mais vigor dos comerciantes negros. Os mascates eram proibidos em áreas de mineração e punidos fortemente: açoites, multas, três meses de cadeia. Temia-se que fizessem contrabando de ouro e pedras. Apesar dos constrangimentos, o comércio e a agricultura eram os dois campos em que se tinha mais oportunidade de ganhar a vida e prosperar, explica o historiador A. J. R. Russell-Wood.

Pois foram tais "egressos do cativeiro" que construíram estratégias de ascensão social baseadas no trabalho, na estabilidade familiar, na solidariedade de grupo e na aliança com potentados locais, explica Roberto Guedes. Ele ainda esclarece que, enquanto durou o tráfico de escravos, a mobilidade por um lado gerava consenso social e por outro reproduzia a ordem escravista por uma simples razão: a maioria dos forros tinha escravos.

As mulheres se beneficiaram muito desse movimento de ascensão econômica. Sob o manto de concubinatos com seus senhores ou outros homens livres, mas também por sua "agência e trabalho", ou seja, por esforço próprio, as forras fizeram seu espaço na sociedade, adotando inclusive hábitos que as distanciavam da senzala onde tinham nascido. Na casa de Jacinta da Siqueira, forra analfabeta, em Vila do Príncipe, em 1751, o licor e os sucos eram servidos em garrafas e copos de cristal; o chocolate, derretido em chocolateira e acompanhado de pão de ló. Jacinta dormia num catre de jacarandá torneado, coberta com colcha de seda e envolta em lençóis e fronhas de linho. Possuía 27 escravos, quantidade significativa para a época, além de outros dez com que presenteara uma filha. Inúmeros casos como esse são relatados por inventários e testamentos já estudados. Que o diga a mulata pintada por Debret, que você vê entre as imagens deste livro – além de, é claro, Chica da Silva, que abordaremos adiante.

Mães, pais e filhos: pontos e nós

Nas famílias, nada mais aguardado do que a chegada de crianças. A prole era fundamental na cultura dos afrodescendentes. Filhos e família eram sinônimos. O eletrizante momento do parto reunia mulheres numa roda de solidariedade. Mulheres escravizadas, livres, libertas, todas acorriam para "aparar". Aliás, como já vimos, a maternidade era de fundamental importância entre as nações africanas, onde a esterilidade feminina era vista como uma maldição. O prestígio da mulher estava ligado ao número de filhos que pudesse conceber. Tabus alimentares para ter filhos saudáveis e evitar deficiências ou malefícios eram seguidos durante a gestação. No caso das escravas, e somente a partir de meados do século XIX, "tratados domésticos sobre a enfermidade de negros" recomendavam como tratar as "pejadas": nunca lançar mão de práticas cruéis, evitar trabalhos pesados, dar-lhes alimentação reforçada. No momento do parto, introduzir com cuidado azeite na vagina para fazer escorregar a criança, aliviar a sede com água açucarada e flor de laranja, ou limonadas e laranjadas. Para reanimar, mingaus leves e caldos. O médico francês formado em Montpellier e cirurgião das armadas francesas Jean-Marie Imbert, chegado ao Brasil nas primeiras décadas do século, foi um dos primeiros a se preocupar com a gravidez das cativas.

Quando desprovidas de cuidados, as gestantes se entregavam às mãos das comadres ou parteiras da localidade onde moravam ou da senzala, como Imbert observou. Em Angola, por exemplo, eram chamadas *muvalesa*, e enquanto ajudavam a parturiente entoavam cantigas propiciatórias, como observou Câmara Cascudo. Imbert também as ouviu. As tradições permaneceram. Segundo a estudiosa Anaïs Briet, no vasto continente africano tais noções ainda persistem.

O pai era excluído do local do parto, pois a exposição ao sangue poderia torná-lo impotente. Tudo o que entravasse o nascimento era desamarrado: cabelos, roupas. Num gesto simbólico, as parturientes retiravam tudo que as envolvesse, como colares ou braceletes, a fim de evitar que o cordão umbilical desse um nó. Durante o trabalho de parto, deveriam suportar a dor em silêncio, sob pena de serem desonradas. Em algumas nações, uma chorosa corria o risco de apanhar. Considerava-se que a dor favorecia os laços entre mãe e criança e tornava a segunda mais forte. Para avançar o trabalho de parto, a grávida devia andar, pois dessa forma a criança não dormiria durante o processo nem seria preguiçosa ao crescer. Quando havia dificuldades no parto, a parteira usava massagens e preces.

No caso de fracasso de manobras no interior do ventre, chamava-se o *quimbanda*, sacerdote que se comunicaria com os espíritos a fim de que se afastassem, deixando a criança passar do mundo dos mortos ao mundo dos vivos. Para parir, a posição agachada era a mais usada – por índias e brancas, também –, pois surpreendidas, sós, em meio às tarefas diárias, tinham jeito de posicionar a cabeça do feto. O cordão e a placenta seriam tratados com o maior respeito para não ofender os espíritos e proteger a criança, sendo enterrados em lugar especial. Considerado um ancestral que retornava à terra, se o pequenino morresse, raramente provocaria lágrimas de dor. Afinal, teria preferido ficar no mundo dos ancestrais. A tradição foi observada por viajantes estrangeiros que viam passar o enterro de crianças ao som de música e palmas.

Entre mães e filhos estabelecia-se estreita ligação até mesmo econômica. Uns ajudando o sustento dos outros. Nas inúmeras vendas que se espalhavam por pequenas ou grandes aglomerações, não era de estranhar encontrar crianças fazendo serviços. Os mesmos, aliás, que se executavam em toda parte. Com o treinamento completado entre 9 e 12 anos, qualquer menino ou menina participava das tarefas cotidianas de limpar, descascar, cozinhar, lavar, alimentar os animais domésticos, remendar roupas, trabalhar madeira, pastorear, estrumar a plantação, regar a horta, pajear crianças menores da própria casa ou dos vizinhos, levar recados ou carregar mercadoria. Como bem diz um memorialista, era o dia inteiro: "Joãozinho, vai buscar isto; Joãozinho, vai buscar aquilo!". Em Sabará, no ano de 1762, Vitória do Nascimento, forra e mãe solteira, além de possuir crianças escravas, criava uma "enjeitada". Viviam todos de costurar para fora. As relações essenciais eram as de vizinhança, de trabalho, de recreação, de ajuda mútua, de associação religiosa. A vida pública adiantava-se à vida privada, segundo a historiadora Kátia Mattoso.

Alguns pequenos, inclusive, já se iniciavam desde cedo em variados ofícios. Escravinhos ou livres pobres podiam ser aprendizes de sapateiros, costureiras, torneiros, carapinas, jornaleiros. Os meninos podiam entrar, desde cedo, para as milícias. Em São Paulo, em 1798, Maria de Oliveira vivia do soldo dos seus filhos, um deles "tambor de milícia" aos 10 anos. Vários deles exerciam atividades domésticas complementares às realizadas por suas mães. Filhos de doceiras descascavam amendoim, coletavam ovos, colhiam frutas, transportavam feixes de cana na cabeça. Filhos de vendedoras de tabuleiro portavam tripés, oferecendo, aos gritos, biscoitos de goma, sequilhos e broa. Outras crianças vendiam os produtos feitos em casa por suas genitoras, avós ou senhoras: velas de carnaúba, canjica, comida de angu, rendas, flores de papel.

A tradição musical de certas regiões, como Minas Gerais, incentivava a participação de crianças como pequenos músicos e cantores – houve mesmo sopraninos – nas festas religiosas, tão comuns nesses tempos. Conta-nos a historiadora Julita Scarano que donos de escravos recebiam pagamentos por cativos "moleques" que participassem de bandas ou de grupos profissionais. E a música podia ser um ótimo ganha-pão. Em caso extremo, os pequenos mendigavam, como ocorreu com os filhos de certo Antônio da Silveira, em 1753, em Ouro Preto: "Muitas vezes estão a andar as crianças da dita casa em algumas casas, alguma coisa para se comer em casa...", revela um documento.

Na pia batismal uma criança era "forrada como se de ventre livre nascera" ou "para não ter o desgosto de ficar em cativeiro". As explicações variavam, mas muitas crianças ganharam liberdade. Padrinhos pagavam aos donos das mães pela liberdade de seus afilhados. Vista muitas vezes como um "gesto de misericórdia", a alforria de pia beneficiou mais crianças mulatas e pardas do que pretas, diz o historiador Gian Carlo de Melo, que as estudou no Recife. As mães se empenhavam na escolha dos padrinhos. Muitos deles eram pais biológicos que não fugiam da responsabilidade de olhar pelo futuro de seus filhos. Caso do coronel Manoel Simões de Azevedo, que alforriou seu filho com a escrava parda Francisca de Araújo, Antônio Luiz. A relação entre a escrava e seu senhor resultou em bem tanto para mãe quanto para o filho – ambos receberam a alforria. Em liberdade, Francisca se casou com outro.

O coronel Manoel Simões, por sua vez, permaneceu solteiro e não teve filhos legítimos. Assim, em 9 de janeiro de 1739, apareceu diante do Tabelião da Vila de São José, comarca do Rio das Mortes, e declarou que,

> porque não tinha herdeiros legítimos ascendentes [...] e sua vontade era legitimar o dito seu filho por nome Antônio Luiz de Azevedo para que herdasse sua herança como com efeito [...] legitimava e pedia a El Rei Nosso Senhor que lhe fizesse mercê legitimar ao dito Antônio Luiz de Azevedo seu filho para que pudesse herdar sua fazenda e o habilitasse [...] a ser como se de legítimo matrimônio fosse porque assim era a sua última vontade.

Teve sorte Antônio Luiz!

O compadrio era levado a sério. Além dos laços que padrinhos assumiam ao "fazer o ofício de pais, ensinando a doutrina cristã e os bons costumes", o mais importante era ver ampliada a família. Laços, obrigações e deveres passavam a ligar a família dos padrinhos àquela do afilhado. Reforçava-se, assim, a rede de solidariedade e afeto que podia ser acionada dentro e fora do cativeiro, como sublinha Gian Carlo de Melo: rede vertical quando o padrinho era senhor branco ou clérigo; rede horizontal constituída por parentes de nação, por cativos da mesma senzala, por cativos de outras propriedades, por forros, libertos e livres. Enfim, quanto melhor o padrinho, melhores chances de oportunidades e afeto para o afilhado. Que o diga o poeta Silva Alvarenga. Seu padrinho abriu subscrição entre amigos, pagou-lhe a toga e o enviou para Coimbra. Os registros de batismo de localidades como Inhaúma e Jacarepaguá, no estado do Rio de Janeiro, no início do século XIX, revelam que de 5% a 6% de escravos batizados tomavam os nomes de seus padrinhos e madrinhas escravos, numa forma de ampliar suas relações familiares.

Os grandes fazendeiros paulistas comumente esperavam até ter uma "safra" de batismos para serem celebrados: uma maneira de tornar o uso do tempo mais eficiente, mas também de impressionar a escravatura com o clima de festa e romaria à igreja. E, importante: o registro de batismo equivalia ao registro de nascimento expedido pelo cartório civil dos dias atuais, um documento fundamental para qualquer indivíduo naquela sociedade colonial e escravista, mesmo os escravizados. Como vimos, alguns senhores aproveitavam para conceder "alforria de pia" batismal aos seus cativos. O gesto servia também como um ato de benevolência, segundo o historiador Robert Slenes.

Um exemplo de registro de batismo?

> Aos dez dias do mês de maio de mil e oitocentos anos nesta matriz do Sacramento da Vila do Recife o padre Antônio Gonçalves Leitão batizou e pôs os Santos Óleos a Felipa, preta nascida ao primeiro dia do dito mês, filha de Benedita do gentio da Guiné, escrava de Manoel Joaquim Pereira Portugal, branco, solteiro. Foi padrinho Basílio da Costa, morador desta praça.

Melo e Silva observa que a denominação "preto" aparece nesta época, ligada a pessoas escravizadas.

O historiador João Fragoso estudou a "aristocracia das senzalas", ou seja, um segmento que possuía relações com a nobreza da terra e os proprietários influentes, através do parentesco espiritual. Essa fração social, ele explica, tinha autoridade sobre os demais cativos e era classificada como parda. Os homens possuíam ofícios qualificados e compartilhavam com lavradores brancos e forros o privilégio de plantações próprias dentro da propriedade do senhor. A maioria dos membros dessa elite, estudada por ele em Campo Grande, Rio de Janeiro, ao final do século XVIII, era de nascidos na terra. Com as mudanças no mundo agrícola e a chegada de investidores vindos do comércio, o apadrinhamento passou aos pardos, que continuaram ocupando importante papel na vida social local. Senzalas não eram desprovidas de sólidas hierarquias. Como sublinha a historiadora Sheila de Castro Faria, os pardos tiveram maiores possibilidades de se incorporar aos padrões de vida dos livres. Batizavam, casavam e pediam os sacramentos na hora da morte. Netos de forros, por sua vez, caso se casassem com forros, já não recebiam nenhuma referência de cor após seus nomes (como "pardo" ou "crioula"). Voltariam a tê-la se se casassem com escravos. Essa terceira geração, aos olhos dos grupos dominantes, já fazia parte do universo livre e branco.

O precoce trabalho infantil era cadenciado pelo sofrimento. Entre os filhos de cativos – mas também entre os de brancos e mestiços pobres –, pequenas humilhações, castigos físicos e outros agravos marcavam a iniciação compulsória à sobrevivência. Conta-nos a historiadora Maria Lúcia Mott:

> As crianças que ficavam na "casa-grande" eram empregadas no serviço particular do senhor e dos familiares deste. Faziam as vezes de pajem, de moleque de recados ou criada; iam buscar o jornal ou o correio nas vilas e cidades da vizinhança; encilhavam os cavalos; arrumavam o quarto; ajudavam a vestir, desvestir e a banhar as pessoas da casa e os visitantes; engraxavam os sapatos; escovavam as roupas; serviam à mesa, espantavam mosquitos; balançavam a rede; abanavam o fogo; buscavam água no poço; limpavam a cozinha; faziam compras; levavam e traziam recados; carregavam pacotes, lenço, leque, vela, missal, guarda-chuva, guarda-sol etc. Nas fazendas, nos engenhos, nas chácaras e sítios, aos 8 anos, as crianças já eram enviadas às plantações, ou então beneficiavam café, descaroçavam algodão, descascavam e ralavam mandioca, fabricavam cestos e cordas, guiavam carro de boi, pastoreavam o gado. À medida que os meninos escravizados conseguiam se profissionalizar, se valorizavam como cativos crioulos no mercado de trabalho.

As jovens mucamas também tinham a incumbência de cuidar do asseio e da vigilância sobre as sinhazinhas no quarto, observando seu comportamento. "Basta recordarmos o fato de que, durante o dia, a moça ou menina branca estava sempre sob as vistas de pessoa mais velha ou da mucama de confiança", lembra Mott. Em contrapartida, essas escravizadas acabavam se tornando fiéis companheiras e confidentes das sinhazinhas, revezando-se na cozinha, na arrumação, na costura e na preparação de alimentos ou remédios caseiros. Muitas foram alfabetizadas por suas sinhás, como revelam as memórias de Ana Ribeiro de Goes Bitencourt, senhora de engenho no Recôncavo Baiano.

Passada a adolescência, entrava-se na vida adulta e ouvia-se a pergunta associada à fundação de tantas famílias: *Guigéroume?* Tu me queres? Era o relógio da vida seguindo seu ritmo. E, afinal, a família escrava teria disso um "ninho acolhedor", como se perguntou o historiador Isaías Pascoal? Sim e não. Importante saber que, ao contrário do que quiseram muitos sociólogos, ela existiu para escravizados, forros, libertos e livres. Afro-brasileiros de todas as condições vivenciaram o processo dinâmico e tenso do ciclo da vida familiar: juventude, maturidade, velhice. E não bastou encontrar-se, compartilhar um compromisso recíproco, formar casais e ter filhos. Mas, sim, construir a sobrevivência, melhorar de vida, preservar saberes e transmitir valores.

Como bem diz o historiador Eduardo Paiva, na Colônia, os séculos se "africanizaram", e a diversificação urbana e a intensificação das misturas biológicas acompanharam o número de alforrias. Esse processo produziu famílias mistas, remediadas e pobres que atuaram diretamente no fomento das atividades econômicas. Já no século XVII, ex-escravos se tornaram donos de escravos, depois de se libertarem. E a mobilidade social foi precoce. Graças a essa dinamização cultural ocorreram adaptações linguísticas, religiosas e novas formas de organização doméstica. Marcas do passado? Sim. Sobretudo nos documentos de identificação da pessoa, que traziam sempre sua qualidade e condição: "Josefa, preta forra", por exemplo. Com o passar dos anos, se houvesse mobilidade social, a identificação sumia, como comentamos. Se houvesse sucesso na integração à sociedade, a cor se tornava "invisível" para os próprios afro-brasileiros, como explicam as historiadoras Ana Lugão e Hebe Castro.

Os trabalhos de inúmeros especialistas provam que, ao contrário do que se afirmava, a família afro-brasileira de escravos, forros ou livres existiu. Para alguns historiadores, ela foi instituição conservadora que atenuava os efeitos da escravidão e transmitia as tradições africanas relativas ao sagrado, às crenças, às condutas de caráter religioso. Para outros, foi uma forma de se aproximar do mundo dos livres, enfraquecendo laços comunitários. Para outros, ainda, a possibilidade de formar uma consciência que desestabilizaria a escravidão ou uma comunidade de interesses e sentimentos capaz de virar um perigo para seus senhores.

Fundamentalmente, a família e sua mobilidade seriam elementos constituintes da ética de trabalho que marcou a inserção social dos libertos após a abolição, como bem explicou a historiadora Ana Lugão. Como em qualquer lugar ou época, ela foi espaço de estabilidade e esperanças, medos e tensões. Ao olhar uma foto antiga e descobrir que herdamos a forma dos olhos de alguém, ou quando ouvimos de nossos pais que nosso temperamento é igual ao de Fulano, nos damos conta de que existe uma memória familiar que não só é constitutiva da genealogia, mas é fundamental como formadora de indivíduos autônomos. Ao reconhecermos e conhecermos a família afro-brasileira, integramos sua memória à construção social e coletiva que é a História. Instrumento de resistência à falta de liberdade, à pobreza ou ao trabalho compulsório, a família permitiu a milhões de afro-brasileiros inventar novas possibilidades de vida. Oportunidade que não foi perdida e esteve na base do sucesso e poder de muitos, como veremos adiante.

2

Entre tesouros

Joias: nascidas nas Áfricas

A leitora e o leitor hão de se lembrar do casal Rufino Maria Balita e Henriqueta Maria da Conceição, já mencionados. Ele foi acusado de meter a mão na gaveta dela e roubar-lhe as joias. E a pergunta que não quer calar é: afro-brasileiros tinham joias? Sim. É o nosso detestável preconceito que nos faz crer que pretos e pobreza são sinônimos. Pois muitos deles subiram na vida, amealharam riquezas, entesouraram joias e... foram roubados.

A forra Delindra Maria de Pinho, comerciante bem-sucedida em Recife e honradíssima em sua comunidade, foi uma delas. Delindra teve sua bagagem surrupiada numa viagem para um batizado em Olinda. Num baú, entre roupas de seda e objetos, ela levava "12 corais com 12 oitavas de ouro, oito varas de cordas de ouro com 3 oitavas, quatro voltas de contas com 4 oitavas de ouro, uma volta de cordas de ouro de bentinhos com 6 oitavas, um par de brincos de diamantes, um relicário de ouro com 8 oitavas, um cordão do mesmo relicário com 13 oitavas, um rosário de ouro com 17 oitavas, um anel de topázio, um anel de feguinha (*sic*) com 11/3 oitava de ouro, um solitário com 1/2 oitava de ouro". O conteúdo do baú estava avaliado na considerável quantia de 232.340 réis. Só o par de brincos de diamantes valia 28 mil réis, e o relicário e seu cordão valiam juntos 37 mil réis. O caso foi parar na Justiça, e o réu, certo Manoel Félix, justamente condenado.

Uma das mais emblemáticas protagonistas de nossa história, Chica da Silva, cuja história foi reconstituída em obra clássica pela historiadora Júnia Furtado, era ao mesmo tempo uma joia – uma "pérola ou diamante negro" – e uma possuidora de muitas delas. Filha de Maria da Costa, escrava negra, e de Antônio Caetano de Sá, homem branco, Chica nasceu entre 1731 e 1735, no arraial do Milho Verde, distante seis léguas do Tejuco, Vila do Príncipe. Em poucas décadas, virou dona Francisca da Silva Oliveira, vivendo "com a maior ostentação numa grossa casa", "à luz da nobreza" e dona de "copiosa escravatura", rezam os documentos. Sua história de amor com João Fernandes de Oliveira, contratador de diamantes, é conhecida. Ele a comprou como escrava com a intenção de fazê-la sua companheira e, durante os 17 anos de relacionamento, tiveram 13 filhos. João legitimou todos, legando-lhes inteiramente o seu patrimônio.

A casa de Chica, visitada "pelas primeiras pessoas assim do governo como das justiças da terra", ficava na Rua da Ópera, hoje conhecida como Lalau Pires. Diante da sociedade do Tejuco, Chica apresentava-se com todo o luxo. Tanto para comparecer a cerimônias quanto para sair às ruas do arraial, usava todos os sinais exteriores de riqueza, pois, numa sociedade hierarquizada, era assim que as pessoas exibiam a posição que ocupavam. Não importava quantas regulamentações o rei de Portugal baixasse para determinar quais tecidos e adornos cada classe social poderia usar, nenhuma foi atendida. O espetáculo começava, conta-nos Júnia Furtado, quando Chica e outras afro-brasileiras do Tejuco, livres ou libertas, vestidas com pompa e luxo, assentadas em cadeirinhas decoradas com ouro, dirigiam-se para as igrejas com seu séquito de escravos. Não se tratava de privilégio exclusivo de Chica, mas de um comportamento disseminado por toda a região.

Caixas de madeira transbordavam de vestidos, anáguas, capas, sapatos, vestes, fivelas de prata, saias de panos finos e coloridos, pentes. Chapéus de copa alta, brincos de ouro e pedras preciosas e brilhantes, colares e patuás para proteção e leques de plumas brancas compunham seu guarda-roupa, que ainda incluía uma capa dourada ou colorida que conferia ao conjunto um ar imponente. E Chica não era a única. Suas vizinhas negras Rita Vieira Matos, Ana da Encarnação Amorim, Bernardina Maria da Conceição, entre outras, desfilavam nas missas de domingo, para escândalo dos padres, com suas correntes de ouro no pescoço e nos quadris, com imagens de santos penduradas em cordões, laços com brilhantes e brincos com pedras preciosas.

A relação das afro-brasileiras com ouro e joias tem tradição. Da mesma maneira que os vestígios mais antigos da humanidade e o aparecimento das primeiras famílias surgiram no continente africano, lá, também se descobriram as mais antigas joias do mundo. Elas remontam há 150 mil anos na história e confirmam a teoria de que tais bens faziam parte da vida de nossos ancestrais. E eles foram grandes artistas na fabricação de joias para seus reis e sobas, adorados por seus súditos em vestes de ouro e prata e moradores de palácios cujas paredes eram recobertas de esculturas em bronze. Câmara Cascudo descreve a rainha Ginga, soberana de Matamba, vitoriosa depois de guerras, entrando nas cidades conquistadas ao som de *elelenu*, o brado de saudação quimbunda, coberta de fios de latão e prata, miçangas e cauris, com a cabeça endurecida por argila vermelha e branca, dezenas de jarreteiras, ligas maciças, braceletes e colares de placas douradas.

Nas Áfricas, desde sempre a joia foi um meio de personalizar o indivíduo e seu mundo. Era símbolo de identidade e crença orgulhosamente exibido em ritos e cerimônias religiosas. Também tinha função medicinal graças ao poder de proteger quem a portasse, afastando males e conduzindo ao sucesso. Joias tinham valor financeiro, servindo como moeda de troca para quem não tinha cofres, esconderijos ou conta em banco.

Vejamos como tudo começou. Quando, na segunda metade do século XV, as naus portuguesas chegaram ao litoral do continente onde hoje é Gana e começaram a construir o forte de São Jorge da Mina, entraram em contato com os akã. A nação akã tinha em seus quadros ricos comerciantes, assim como mineradores que exploravam o ouro de aluvião, transformado em fina joalheria para os poderosos. Os akã organizaram e expandiram o comércio do metal amarelo com a ajuda de outra nação: os mandiga, muçulmanos que tinham conhecimento da escrita. Os clientes vinham de Mali ou de Gana, impérios vizinhos. Reis patrocinavam artistas e ourives que eram tratados com todo o respeito e estimulados na produção de joias consideradas obras de arte. Ao passar pela região no início do século XIX, o viajante inglês Thomas Bowditch constatou na corte ashanti uma riqueza inacreditável: o ouro recobria tronos e bancos, joias e bordados das roupas da realeza. A região, então, passou a ser conhecida como a Costa do Ouro.

Como explica a museóloga Solange Godoy, a escolha do local para a construção do forte português não foi casual. A região do Cabo das Três Pontas era uma ponte comercial natural entre a África e a Península Ibérica. O objeto de cobiça dos portugueses era o ouro, seguido do marfim e dos escravos. No Golfo da Guiné, a costa possuía ouro facilmente encontrado nos rios que desembocavam no litoral. Dele eram feitos as joias e os adereços dos potentados africanos. Joias que passaram a viajar em naus portuguesas para também serem comercializadas no reino cristão.

Aliás, os comerciantes europeus foram surpreendidos pela quantidade de reinos sofisticados na África Ocidental, onde sobas eram vistos como seres divinos, com poderes absolutos. Seu prestígio se refletia na joalheria, que lhes dava poderes especiais e tinha função simbólica nos cerimoniais. A rara iconografia de época mostra os potentados com colares de bolas de ouro, mais tarde aclimatados ao Brasil.

As joias africanas chegaram a Portugal muito antes da colonização do Brasil. Mais especificamente à região de Viana do Castelo, entreposto a noroeste do país, conta-nos Solange Godoy. Os colares de contas de ouro dos akãs inauguraram uma estética de opulência que vamos encontrar nos inventários e testamentos de forros e livres no Brasil, revelando uma cultura que liga três mundos: o africano, o europeu e o brasileiro. Nesse intercâmbio, o antropólogo Raul Lody lembra ainda o papel de escravos de origem fanti-ashanti, exímios conhecedores da arte de fundir o bronze e trabalhar forjas, importados para Minas Gerais. Seu sofisticado conhecimento técnico era visível na variada joalheria dos séculos XVIII e XIX, mantida até hoje nos adereços de rituais de candomblé.

No período colonial, a ourivesaria foi a atividade que concentrou um grande número de afro-brasileiros. Apesar de Portugal restringir o número de artífices regulamentados, o número de tendas e empregados só aumentava. A demanda era crescente, e sua presença, visível em colos, cabeças, braços e mãos. Ou nas modas femininas, nas galas masculinas e nos arreios dos animais de sela. A joalheria exigia mestres e oficiais que conhecessem moldes e estilos. Senhores preparavam seus escravos para o ofício e os alugavam como ourives. Muitos improvisavam-se joalheiros. Embora quisesse evitar o contrabando de ouro, a coroa tolerava o número de trabalhadores clandestinos. Com tenda ou loja aberta, só brancos. Os outros trabalhavam meio às escondidas.

O historiador Eduardo Paiva explica que é bem possível que tenham existido especialistas na elaboração de joias-amuleto, consumidas em larga escala. Vários desses ourives tinham aprendizes escravos e forros, alguns artesãos eram eles próprios ex-escravos e quase todos iniciados em cultos afro-brasileiros. E conclui: "O trabalho de todos eles possibilitou a injeção de valores culturais, de objetos e de material africanos e afro-brasileiros na ourivesaria colonial, facilitando a apropriação de representações estéticas europeias pela população negra e mestiça". Muitas vezes, um adorno que parecia não ter especial importância para brancos era indicador de autoridade, de poder, de devoção e de proteção para pretos, pardos e mulatos. A pluralidade da fé também nele se aninhava. O importante, como sublinhou a historiadora Maria Beatriz Nizza da Silva, é que o "parecer tinha quase o mesmo peso que o ser na sociedade colonial".

As "Faustíssimas Festas", realizadas em Santo Amaro, no Recôncavo Baiano, por ocasião do casamento da futura rainha d. Maria, em 1760, impressionaram "pelo muito ouro e diamantes que ornavam" as figuras do cortejo que desfilou pela vila. Os próprios ourives apresentaram uma dança dos congos com personagens ricamente ornados, mas quem saiu dançando e exibindo adornos foram os escravos ourives, como informa o historiador Jaelson Bitran Trindade:

> Na tarde do dia 16 saiu o reinado dos congos que se compunha de 80 máscaras com farsas, a seu modo de trajar riquíssimo pelo muito ouro e diamantes com que se ornaram, sobressaindo-se a todos o rei e a rainha. Buscando todo este Estado o Paço do Conselho, foi recebido pelo capitão-mor, juiz e mais camaristas que se achavam nos seus assentos competentes aos seus ofícios e pessoas. Para o rei e a rainha se havia destinado lugar sobre um estrado de três degraus cobertos de preciosos panos, com duas cadeiras carmesins franjadas de ouro, debaixo de um ló verde com florões de ouro e franja do mesmo. Vinha o rei preciosamente vestido com uma rica bordadura de cordões de ouro matizada de luzidas peças de diamantes. Trazia pendente do cinto um formoso lagarto formado dos mesmos cordões, com tal artifício que parecia natural. Na cabeça, coroa de ouro, na mão direita, cetro e na esquerda, o chapéu guarnecido de plumas e dobrões que o faziam ao mesmo tempo rico e vistoso; nos braços e pernas, manilhas de ouro batido; nos sapatos, bordaduras de corões e matizes de luzidos diamantes. A capa que lhe descia pelos ombros era de veludo carmesim agaloada de ouro e formada de tela branca com agradáveis florões. Pelo ornato do rei se podia medir o da rainha, que em nada lhe era inferior. Depois de tomarem o assento destinado, lhe fizeram sala os sobas e mais máscaras da sua guarda, saindo depois a dançar as talheiras e os cucumbis ao som de instrumentos próprios de seu uso e rito.

As joias viajavam também dentro do Brasil. Assim como Pernambuco, a Bahia se transformou em centro exportador de açúcar, fumo e outros produtos e receptor de usos e costumes por meio da gente que chegava das Áfricas.

Durante o século XVIII, boa parcela desse tráfico foi direcionado para as áreas de mineração. Inicialmente, lembrou Eduardo Paiva, o chamariz foi a descoberta do ouro, mas rapidamente passou a ser a economia diversificada que se desenvolveu na capitania de Minas Gerais. Para lá seguiam, sobretudo, africanos trazidos do porto de Ajudá, uma vez que se associava a nação mina ao poder de descobrir ouro. Com eles, viajou a joalheria para uso estético ou religioso.

Do reino Ashanti chegavam as mulheres, cujos saberes na faiscação do ouro e lavagem das pepitas soltas eram inimitáveis. Bem lembra Paiva que boa parte do ouro explorado durante todo o Setecentos nas Gerais e nas capitanias de Goiás, Mato Grosso e da Bahia foi recolhido através de técnicas introduzidas pelos africanos e desconhecidas pelos europeus. Mais além dos conhecimentos sobre a extração do metal, essa população observava um culto intenso a Ogum, senhor do ferro e dos instrumentos de ferro, representados tanto nos balangandãs baianos quanto mineiros. E também à Iemanjá, sua mulher, a quem pertenciam o ouro e a prata.

Outra razão para "bem faiscar o ouro" era a miragem da liberdade. A possibilidade de se alforriar graças ao tesouro escondido no corpo ou nos cabelos era grande. Quem encontrasse diamantes singulares também era premiado. Conta-nos Paiva que o incentivo parecia ser bem aproveitado tanto para o feliz achador quanto para os companheiros que, para comemorar o feito, faziam uma festa nos moldes dos desfiles reais na África. Quem relata é o viajante John Mawe:

> Quando um negro tem a felicidade de achar um diamante que pese uma oitava (17,5 quilates), cingem-lhe a cabeça com uma grinalda de flores e levam-no em procissão ao administrador, que lhe dá a liberdade e uma indenização ao seu senhor. Ganha também roupas novas e permissão para trabalhar por conta própria.

Libertavam-se homens que, por sua vez, compravam homens para procurar ouro: o africano Alexandre Correia, além de possuir uma lavra, tinha dez escravos, além de ferramentas de mineração. Manoel da Costa, também ex-escravo, explorava 11 africanos trabalhando na mineração. Em Pitangui, em 1777, o casal Maria Machado Pereira e Sebastião Veloso Vila Nova, ambos forros, provenientes da Costa da Mina, faiscando e fazendo trabalhar seus seis escravos na lavoura, amealharam considerável fortuna: propriedades, ouro, créditos. Quitéria Alves da Fonseca tinha seis cativos que faiscavam ouro. Alforriá-los posteriormente também foi prática entre forros enriquecidos na mineração, como estudou Eduardo Paiva.

Expressões em língua mina-jejê, falada em Ouro Preto no século XVIII, coletadas pela filóloga Yeda Pessoa de Castro, revelam que afrodescendentes conversavam bastante sobre o metal amarelo: *name Aquhê*, dê-me ouro; *Name Aquhê carê*, dê-me 1 oitava de ouro; *Nhá Aquhécatom name*, empreste-me 3 oitavas de ouro. Ou ainda *Name Ayo Dim, Beré siê na nanhe aquhê*, dê-me logo a bocet..., senão jamais te darei ouro. Na Bahia, em banto nomeavam-se joias da seguinte maneira: argola para designar qualquer brinco de orelha; balangandã para penduricalhos; *barangã* para bracelete; *xorá*, amuleto contra mau-olhado.

De onde vinham os recursos para comprar ouro? Em Minas Gerais, por exemplo, o meio urbano e a diversidade de atividades fizeram aparecer uma classe de mulheres trabalhadoras, como explicou a historiadora Cláudia Moll, sendo a maioria vinda da costa da África. Traziam consigo a tradição do comércio. Como demonstrei em meu livro *Sobreviventes e guerreiras*, estudos recentes demonstram que, logo abaixo dos homens brancos, as mulheres forras tinham as condições mais favoráveis de reunir fortuna na Colônia. Elas formaram a elite econômica do comércio de retalho, que ia da venda de peixe seco a produtos agrícolas, de pérolas a henê para os cabelos, de panos coloridos a comida pronta. Eram ricas e, por meio de seus bens, equilibravam as relações de poder. Algumas, como a comerciante baiana Rosa Correia, tiveram tanto sucesso em Sabará que importavam seus produtos diretamente de Portugal, como qualquer branco.

A incursão no mundo masculino dos negócios exigia algumas características cultivadas nas Áfricas: além do investimento pessoal no trabalho, a generosidade de coração, a riqueza de alma e a solidariedade étnica garantiam a notoriedade. O sucesso não veio por acaso. Desde sempre, as ahissi, do Benin ao Togo, e as bana-bana, do Senegal a Gambia, entre outras, já eram renomadas por mercadejar em seus povoados ou nas grandes capitais, como conta a antropóloga Giselle Simard. Foram atrizes fundamentais do comércio interno do continente.

Os missionários estrangeiros foram os primeiros a observar a atividade econômica das mulheres na África. Dois deles, os irmãos Richard e John Lander, registraram, em 1833: "Uma centena de mulheres do rei de Katanga chegaram carregadas de vestes reais e roupas tradicionais que trocaram por sal e objetos europeus". Entre os iorubá, os mina e os ewe, a educação das meninas consitia em prepará-las para ganhar a vida e ter atividades econômicas autônomas. Entre os mina, representantes de uma cultura patriarcal e viril, a atividade econômica das esposas e sua liberdade em dispor de seus bens era lei. Mais: elas tinham que contribuir para as despesas do casal. Tais tradições atravessaram o Atlântico e impregnaram o comércio das afrodescendentes nas cidades brasileiras, alimentando, também, a sua independência. E não só elas sustentavam suas casas, mas, ao contrário do que se acreditou por muito tempo, seus conhecimentos as permitiram enriquecer, alforriar-se e integrar-se à sociedade. Ruas e mercados eram governados por elas.

O mesmo espírito empreendedor foi observado nas regiões mineradoras. Mulheres mineravam ou vendiam gêneros alimentícios para os moradores. Em outras áreas do Brasil, sobretudo nas cidades litorâneas, atuavam como comerciantes, quitandeiras, tecelãs, fiandeiras, sapateiras, faiscadoras de ouro e prostitutas – e, nas áreas rurais, na agricultura e pecuária. Foram fundamentais para o abastecimento alimentício de parcela da população no período colonial e imperial do Brasil. E, ao contrário do que se dizia, de que todas elas viveram em extrema pobreza após se libertarem, algumas construíram seu patrimônio, acumularam pecúlio, compraram casas, móveis, animais, escravos, roupas finas e joias, muitas joias. Eram vitrines vivas. E tudo, como faziam questão de dizer, "por seu trabalho e esforço" ou "por sua indústria e trabalho". Se tais protagonistas viveram numa época e lugar onde sua posição era ambígua e incerta, e a distinção entre livres e escravos era nebulosa ou ignorada, as joias permitiam ler a mobilidade social de cada uma.

Nascida na Costa da Mina, Rosa de Mello Costa era uma próspera ex-escrava, solteira e sem filhos. Ao falecer, em 1760, deixou seus bens sob a proteção da Venerável Ordem Terceira de São Francisco de Assis, irmandade de brancos frequentada pelas pessoas mais ilustres de São João del-Rei. Seu patrimônio, composto por casas, joias, escravos, roupas de luxo, fora deixado para os afiliados da dita irmandade. Maria do Rosário, forra, solteira, moradora da Vila de São João del-Rei, morreu no ano de 1779. Também natural da Costa da Mina, no momento de seu falecimento, os bens mais preciosos que possuía eram umas continhas, uns brincos e um anel, tudo de ouro. Quando foi feito o inventário de seu patrimônio, seu monte-mor era de apenas 14.225 réis. Pequeno se comparado com o de sua conterrânea, mas, ainda assim, era seu.

Além de amealhar bens, as mulheres faziam questão de exibi-los para marcar sua posição social. Lembra bem a historiadora Júnia Furtado que andar pelas ruas de Minas Gerais era "um ato estudado com o propósito de impressionar os passantes e informar o prestígio que se desfrutava". Joias e roupas eram demarcadores sociais: separavam pobres e ricos só pelo olhar. E afastavam as forras e livres do estigma da escravidão.

Os funcionários da coroa portuguesa que chegavam às Minas indignavam-se ao verem as forras mineiras entrarem "na casa de Deus com vestidos ricos e pomposos e totalmente alheios e impróprios à sua condição". Pudera: as igrejas eram o palco da vida social. Sob o teto pintado da nave principal espalhavam-se autoridades, ricos e pobres. Gente de todas as cores. Na igreja se conversava, se namorava, se exibia a última moda. A Igreja católica também reagia, os bispos enviando cartas ao rei pedindo que as forras fossem proibidas de usar tecidos finos, como as sedas, e de "portar ouro", pois o luxo incitava ao pecado. Incapazes de entender a lógica de acumulação destas mulheres, os padres inferiam que por trás dela houvesse apenas prostituição. Ledo engano, como mostram trabalhos recentes sobre estas insuspeitas "donas de bens".

A crioula Inês Fernandes Neves, estudada pela historiadora Júnia Furtado, tinha sapatos adornados com fivelas de prata, várias gargantilhas de ouro, cordão com imagem de Nossa Senhora da Conceição, brincos de diamantes e laço com que se enfeitava. Segundo Furtado, as mulheres ostentavam peças de ouro e prata, símbolos exteriores de riqueza, no colo, na cintura e no cabelo. Elas enrolavam cordões de ouro na cintura, nos quais dependuravam contas de ouro, pedras e balangandãs. Em testamentos, eram comuns os laços com brilhantes, cordões e pequenos oratórios de ouro, brincos de pedras e imagens de santos em ouro. Bernardina da Conceição listou entre seus pertences uma imagem de ouro de Nossa Senhora da Conceição, dois cordões de ouro, dois brincos e um laço de diamantes, enquanto Josefa da Costa tinha quase a mesma coisa, além de botões de ouro. Para a filha Rita Quitéria, a famosa Chica da Silva deixou, entre outras joias, uma medalha de ouro com crisólitos. As cerimônias públicas, sobretudo as missas e festas religiosas, eram oportunidades ímpares para tornar pública a posição que cada uma ocupava na sociedade. E ninguém as desperdiçava!

Regiões do Brasil colonial que tiveram acelerado crescimento econômico propiciaram a forros e seus descendentes espaços de mobilidade social. E, na leitura de seus inventários e testamentos, a riqueza na forma de joias e o acúmulo de ouro comprovava a mudança de *status*. Tais tesouros aparecem com frequência em inventários de negras livres e libertas falecidas e eram cobiçados não só pelo seu apelo decorativo como também por serem um investimento que podia ser penhorado em épocas difíceis e recuperado no futuro. Mais para a frente, tais posses podiam ser deixadas para os membros da família, parentes ou como esmolas para as irmandades. Como bem lembra Eduardo Paiva, esses objetos atenuavam a humilhação de pessoas livres serem confundidas com escravas, de terem que apresentar suas cartas de alforria para comprovarem a liberdade ou de sofrerem com as proibições legais destinadas aos não brancos, como a proibição do uso de tecidos caros e artigos finos. O ouro brilhava e representava a riqueza de seus portadores. Exibia seus ganhos. Por meio de cores nas roupas, tecidos finos e joias vistosas que mesclavam significados religiosos e econômicos, o grupo ascendente interiorizava e reproduzia o comportamento de brancos ricos.

Luxo e pecúlio

A vaidade ostentatória das chamadas "Vênus de ébano" escandalizava moralistas: o jesuíta Antonil denunciava, já em 1711, os "excessivos gastos em cordões, argolas e outros brincos, dos quais se veem hoje carregadas as mulatas de mal viver e as negras, muito mais que as senhoras". Pois elas pouco se incomodavam com as leis ou portarias reais que limitavam o luxo de signos de riqueza ou com a opinião de moralistas. Isso acontecia não só em Minas e na Bahia, mas também em Pernambuco. A forra Monica Gomes Correa, em seu testamento datado de 1739, declarava possuir, entre outras joias, "uma corrente de braço de São Bento feita de ouro, uma cruz de diamantes e outra de rubis, dois pares de brincos de diamantes, sendo um deles com pendente de aljôfar [pérola miúda] e um cordão de ouro de peso de 15 oitavas". Afinal, circular pela cidade era um ato estudado, sempre com o propósito de impressionar os passantes e informar sobre o prestígio de que se desfrutava.

Abusando de brilhos, Monica tinha, entre outras peças do guarda-roupa, "seis saias finíssimas, uma delas com renda de prata, outra de veludo negro com galão de ouro e um chapéu fino bordado de prata". A africana da Costa da Mina Joana da Silva Machado, cujo testamento foi aberto em 1754, tinha negócios espalhados pelas capitanias da Bahia, do Rio de Janeiro e de várias regiões de Minas. O ouro lavrado que possuía era distribuído em três voltas de corais engranzados, quatro cordões, vários botões, imagens de Nossa Senhora, Menino Jesus, cadeados com aljôfares e diamantes, uma cruz de filigrana, entre outros objetos propiciatórios.

Estar bem-vestida, portar enfeites e joias era uma preocupação normal entre aquelas que se queriam belas. E até os anúncios de jornal, notificando a fuga de escravos, deixavam clara essa preocupação. A descrição da cor das mulheres ia de "preta" à "alva ou fula da pele". Cinzas de palmeira e arruda para "espantar feitiço" eram comuns nos cabelos, que podiam ser encarapinhados, crespos, lisos, anelados, cacheados, acaboclados, avermelhados e até louros, "agaforinhados com pentes de marrafa dos lados" ou alisados com óleo de coco. Na cabeça, eram cuidadosamente arranjados birotes, tranças, coques. Os dentes, quase sempre inteiros e alvos, podiam ser "limados" ou "aparados". Os olhos podiam ser "na flor do rosto", grandes, castanhos ou "tristonhos". Podiam, ainda, piscar "por faceirice". Por outro lado, o trabalho deixava marcas e deformações nas mãos, pés e pernas, e os vestígios de chicote pelo corpo não eram escamoteados: "nas nádegas marcas de castigo recente" ou "relho nas costas".

Anúncios de venda de escravos diziam "ter boa figura", ser "uma flor do pecado", ser "alta e seca", "bem-feita de corpo" ou simplesmente robusta. Ter "peitos em pé", "peitos escorridos e pequenos", "nariz afilado e pequeno", "pés e mãos pequenas" era sinal de formosura que podia impressionar o comprador. O peito feminino era também o lugar de sinais de nação ou marcas. A negra rebolo que, em 1840, desapareceu da casa de seus senhores, informa-nos Gilberto Freyre, trajava "vestido azul com flores amarelas", ostentava "argolas de ouro pequenas nas orelhas" e levava no peito esquerdo a marca MR.

Vistosos panos da costa, turbantes e rodilhas, xales amarrados à cabeça, saias rendadas, camisas abertas de renda e bico, cambrais e chinelinhas vestiam muitas delas. Uma poesia do etnógrafo Mello Moraes Filho descreve o belo conjunto: camisa bordada, fina tão alva arrendada, torso de cassa à cabeça, corais engrazados nos pulsos, saias de rendas finas, brincos de pedrarias, correntinha de prata. Ao chegar a Salvador vinda de Paris, em setembro de 1837, a condessa de Barral registrou em seu diário sobre a passagem de uma procissão: "As mulatas, maravilhosamente vestidas, algumas com meias de seda" – artigo raro, importado e caríssimo.

A historiadora Mary Karasch lembra que a aparência das escravas era a indicação da posição social de seus senhores. Algumas africanas eram obrigadas a usar roupas europeias, enquanto outras estavam livres para se vestir à africana, mais confortável para os trópicos. Antes da chegada da família real portuguesa, o estilo, segundo a autora, era mais "provinciano" e menos influenciado pela moda francesa. Mas, depois, vestidos com cintura alta, no estilo império, inundaram o mercado. Réplicas perfeitas de suas senhoras? Nem sempre. As mulheres misturavam o vestido francês com penteado africano ou turbante, embora outras imitassem os penteados europeus de suas senhoras, como se pode ver na gravura de Jean-Baptiste Debret, "Casamento de negros pertencentes a uma família rica". Na imagem, as noivas trajam branco bordado, última moda na corte napoleônica, calçam delicadas *mules* com meias brancas e portam joias e leques.

Outras negras também usavam branco, mas por razão distinta: eram vendedoras de pão de ló ou de frutas, obrigadas a usar essa cor para serem facilmente identificadas. Com turbantes elegantes e envoltas em xales coloridos, muitas carregavam seus bebês às costas.

Os retratos de Debret, prossegue Mary Karasch, mostram que a maneira das crioulas e mulatas se distinguirem das escravas africanas era usar mantilha ou véu longo. No início do século XIX, a mantilha, combinada com longos cabelos negros, era moda entre mulheres de elite e suas escravas. Mas, em 1825, somente crioulas, mulatas e senhoras idosas usavam a mantilha. Uma forma, talvez, de se identificarem como "brasileiras". As elegantes, brancas ou negras, tinham abandonado a moda colonial. Quando os estilos mudaram de novo do clássico império para as saias amplas e de cintura estreita, brancas de elite e suas escravas adotaram-nos. Enquanto as escravas pobres simplesmente baixavam a cintura e encompridavam as saias de seus modestos vestidos, as negras ricas rivalizavam com as moradoras do interior e mesmo com suas ex-senhoras, como se vê na beldade anônima capturada pelas lentes de Alberto Henschel. A moda, aliás, foi adotada por rainhas e imperatrizes nas congadas e festas do Divino Espírito Santo, como se observa nas fotos de Arsênio da Silva, de 1865.

Nas fotos de Rodolpho Lindemann, tiradas na Bahia, saltam aos olhos as joias magníficas vestindo colos e braços negros, hoje nas vitrines do Museu Costa Pinto. São as chamadas "joias de crioula": brincos delicados, pingentes ou grandes argolas, colares de contas de um ou vários fios, com uma grande cruz ou amuleto pendendo deles. Nos pulsos, braceletes enormes e nos tornozelos, pulseiras. Anéis decoravam todos os dedos. Pedras e contas coloridas enfeitavam cintos e colares na frente e atrás. Amuletos como figas, estrelas de seis pontas, corações, crescentes, chaves e pombos misturavam-se a escapulários com retratos de Nossas Senhoras e santos de devoção. Tudo em ouro, prata ou cobre, dependendo da situação financeira da mulher que as portasse.

Para as mulheres forras, além de adorno, as joias eram um verdadeiro investimento de capital. Quando necessário para tomar empréstimos, as joias eram empenhadas, como fez a forra Bárbara Gomes de Abreu e Lima, que, após garantir sua liberdade ainda em Sergipe d'El Rei, foi para Minas Gerais, instalando-se na comarca do Rio das Velhas. Em 1735, foram registrados em cartório seus legados testamentais. Não apenas objetos de uso pessoal foram listados, mas também objetos referentes à sua cultura, já que entre os itens estavam alguns tidos como mágicos, como os componentes de uma penca de balangandãs, muito comuns entre as escravas e forras na Bahia, porém muito pouco utilizados nas Minas Gerais. Entre outros se encontravam:

> (...) seis cordões pesando 101 oitavas, um se acha empenhado na mão de Thereza de Jesus, mulher de Antônio Alves por 20 oitavas e três na mão de José Ferreira Brasão, donde se acham dois cordões emendados que fazem um, 40 oitavas, um cordão com uma águia, um pente, uma estrela, uma argola solta, um coração, tudo em ouro, também empenhado na mão de José Ferreira Brazão, um cordão de ouro, um feitio de menino Jesus de ouro pesando 5 oitavas, umas argolinhas de ouro pesando 4 oitavas, uma senhora de feitio de Nossa Senhora da Conceição pesando 3,5 oitavas, uns brincos de aljôfar e uns botões de ouro, umas argolinhas de ouro pequenas, uma bola de âmbar, uma volta de corais engranzados em ouro, um coral grande com uma figa pendurada, tudo em ouro, quatro colheres de prata e uma faca com cabo de prata, duas memórias de embraçadeiras, dois pares de botões de anáguas abertos no buril, tudo empenhado na mão de Manoel de Magalhães por 7 oitavas, o que meus testamenteiros desempenharão. Item tenho empenhado mais um cordão de ouro com peso que se achar na mão de José Rodrigues de Souza por 20 oitavas que meus testamenteiros desempenharão.

Até o século XVIII, o gosto das joias era tipicamente português, com detalhes em granulado e filigrana. Os artigos eram vendidos em tendas ou lojas instaladas em ruas predeterminadas, para o controle da atividade. Muitos misturavam ouro com metais menos nobres. Na virada para o Oitocentos, a proibição de ter afro-brasileiros trabalhando com ourivesaria instaurou um mercado paralelo. E, com ele, a influência de elementos nacionais, como frutos e flores, na decoração.

Segundo observaram os pesquisadores Laura Cunha e Thomas Milz:

> As joias podiam ser luxuosas ou de confecção simples, desde que fossem volumosas e brilhantes, não importando a liga metálica, geralmente com baixo teor de ouro e as partes ocas. O importante para as crioulas

e africanas era o exagero barroco, vislumbrado em composições de vários correntões e pulseiras cobrindo todo o colo e braços, ofuscando a visão de quem observasse com o brilho de tanto ouro.

Mas quais joias eram as mais comuns? Os brincos tinham o significado simbólico de proteger a cabeça, próximos aos orifícios mais expostos aos espíritos malignos. Segundo Solange Godoy, são semelhantes aos portugueses conhecidos como "de chapola" ou "parolos" e aos usados na Martinica. Havia também os de argola, guarnecidos com diversos materiais, como turquesa, coral, cornalina e tartaruga. Os colares, podendo ser feitos de coral ou de ouro, eram correntões de bolas lisas ou confeitadas, de alianças ou de elos simples e filigranados, com ou sem enfeite de pendurar, como crucifixos e relicários.

Na Bahia eram excepcionalmente longos e, em toda a parte, traziam cruzes, rosetas ou flores, imagens do Espírito Santo, Nossas Senhoras da Conceição, custódia, corações e amuletos como romãs, moedas e presas de animais. Eles diminuíam as distâncias entre a negra rica e a branca. As voltas que lhe envolviam o pescoço e lhe caíam pelos ombros se constituíam em um manto protetor. Os colares eram o testemunho da possibilidade de vida plena, vivida enquanto mulher livre, e estandarte de sua importância social não apenas para a sociedade branca, mas também para negros livres e escravos de sua convivência. Em resumo: eram sinais de sucesso.

As pulseiras, por sua vez, podiam ser "de copo", ou seja, cilíndricas, ou "de placas ligadas". Traziam motivos decorativos de flores, frutos ou figuras humanas tratadas como camafeus. Nos camafeus, damas da corte ou pajens de chapéu emplumado ou até a efígie de d. Pedro II menino. Em metal dourado, decoradas com motivos geométricos entre as mulheres provenientes do Congo, as *malungas* apontavam a condição hierárquica de sua possuidora dentro do grupo tribal. Abotoaduras em ouro cinzelado eram usadas na manga da bata ou da camisa. Redondas, com decoração de granulados de ouro e pedras, eram feitas aos pares. Elegantes pentes em tartaruga finalizados em travessas com motivos florais coroavam a cabeça. Os anéis tinham decoração esmerada, lembrando, muitas vezes, a talha barroca que se via nas igrejas.

Os balangandãs, joias-amuleto, sempre possuíram forte caráter religioso por ser um meio pelo qual as escravizadas declaravam sua religião oficial, mesmo que só aparentemente. Essa peça foi primeiramente vista nas negras de ganho, em praças públicas de Salvador, no século XIX. Seu uso se deu, principalmente, entre as mulheres vendedoras – que as ostentavam como protetores do lucro – e também com as crioulas em dias de festas da Igreja católica. As pencas eram usadas na cintura, "área de forte significado ritual religioso por ser zona que marca fertilidade", conta-nos Raul Lody. E muitas delas eram usadas próximas do baixo ventre, algumas chegavam mesmo a tocá-lo. A joia recebeu esse nome – balangandã, barangandã, *belenguendén* ou *berenguendén* – em referência ao barulho dos berloques pendurados.

Lody ainda sublinha que nem todas as peças que compunham a penca eram de origem africana ou afro-brasileira. Alguns objetos, como os santos e símbolos do catolicismo, foram absorvidos e relidos, o que gerou um forte sincretismo aliado aos signos referentes à África, seu imaginário, orixás e superstições, adquirindo novos valores simbólicos. Os mais usados foram a pomba do Espírito Santo, de asas abertas, lembrando a cruz; a própria cruz de Cristo ou o galo, também representando a vigilância que São Pedro, ao arrenegar Jesus, não teve.

Quanto ao simbolismo das peças, São Jorge ou Oxoce, santo guerreiro e caçador, é representado pela lua, pela espada, pelo cão, pelo veado. São Jerônimo ou Xangô, pelo burro, pelo carneiro, pelo caju, pelo abacaxi e pelo milho. Santo Antônio ou Ogum, pela faca, pelo porco. São Lázaro ou Omolu é representado pelo cão ou pela fidelidade, e, às vezes, também pelo porco. São Cosme e São Damião são representados pela moringa d'água. Santo Isidoro ou Omolu moço, pelo boi. São Bartolomeu, no culto "caboclo", pelo sol. Sant'Ana ou a mãe-mestra da Virgem Maria, Nanã, tem por símbolo a palmatória. Nossa Senhora da Conceição ou Oxum fica com as uvas. A ferradura é o signo da felicidade; o coração, da paixão, se tem chamas, paixão ardente; as mãos dadas, da amizade; a romã é a humanidade, explica Lody.

A figa, isolada ou nos balangandãs, muitas vezes interpretada como um elemento africano e de apologia aos orixás, já estava presente até mesmo nas pinturas renascentistas italianas da Virgem segurando o Menino Jesus. O sincretismo da cultura europeia com a cultura africana e a brasileira evidenciava-se nas joias.

Os cilindros de prata ocos que aparecem com muita frequência nos balangandãs eram associados aos trabalhadores escravos urbanos, como representação de liberdade e alforria paga. Os carregadores negros ficavam nas esquinas mais movimentadas à espera de serviço, "trocando língua", ou seja, conversando, e fazendo pequenos artefatos de uso doméstico para vender. Esses pontos tinham o nome de canto. Ali, um "capitão do canto" se encarregava de guardar num gomo de bambu, ou seja, no cilindro, o dinheiro recebido por seus serviços. Um dia, o cativo encontraria a quantia justa para a compra da liberdade.

Estudada pelo antropólogo Luiz Mott, Maria do Ó entrou para a história pátria através de um único documento: seu testamento, registrado no livro de óbitos da freguesia do Inficionado, Bispado de Mariana, ano de 1754, onde escreveu:

> Declaro que sou natural da Costa da Mina, da nação courá, que não tenho pai, nem mãe, nem herdeiros ascendentes ou descendentes por serem lá defuntos na minha terra. Declaro que sou forra liberta, que dei a meu senhor 256 oitavas de ouro, o meu valor, como consta da minha carta de liberdade que se passou no Cartório de Vila Rica.

Joias eram signos de liberdade para si e para os familiares e também, por meio das irmandades, uma forma de colaboração para fundos mútuos de alforria. Eram também signo de resistência, pois, frente ao olhar dos brancos, que tentavam lhes proibir de portar tecidos finos, metais e pedras preciosas, valorizavam a aparência de quem, por seu trabalho e indústria, como Maria do Ó, foram protagonistas da História. Porém, lembra Júnia Furtado, eram formas de imitar o comportamento, a maneira de vestir-se e de adornar-se das senhoras de elite portuguesa, distanciando-as cada vez mais do mundo da senzala onde nasceram. Enfim, joias eram linguagem que brancos, mestiços e negros liam e entendiam de diferentes maneiras. As joias escolhidas pelas negras se opunham às utilizadas pelas mulheres brancas, que geralmente preferiam peças importadas da Europa, decoradas com diamantes, pérolas e outras gemas.

O viajante e artista francês Jean-Baptiste Debret pintou cenas atrozes de castigos de escravos e de porões de navios negreiros. Mas pintou também dezenas de pranchas onde as mulheres aparecem portando suas joias. Ao retratá-las, mostrou-as com seus belos penteados e pescoços cobertos por colares de ouro. As "de ganho", como a vendedora de pão de ló ou de arruda, ou forras comerciantes, traziam à cintura pencas de balangandãs.

Aliás, a joalheria foi uma atividade em expansão no Brasil no início do século XIX. A transferência da corte portuguesa para o Brasil, em 1808, atraiu gente de todas as nacionalidades para o novo centro do Império. Não foram poucos os joalheiros e ourives, famosos pela criatividade artística, a se instalarem no Rio de Janeiro, em Minas Gerais, na Bahia e em Pernambuco e se destacarem não apenas fazendo adornos, mas também peças de toucador, caixas de rapé e pó de arroz, baixelas e objetos de mesa. A reprodução da efígie de d. João ou d. Pedro I seria moda nos mais diversos adereços.

Mais tarde, na esteira da popularização das fotografias, nomes como Alberto Henschel, Lindemann, Firmino & Lins e Marc Ferrez revelaram a elegância no trajar e no portar joias das afro-brasileiras. Um exemplo? A sra. Antônia Herculano, alforriada e casada com sr. Herculano, mulato. Como descreveu a historiadora da arte Renata Bittencourt, é possível que tenha sido "uma escrava de afazeres domésticos já habituada às roupas e aos modos no padrão das senhoras, e familiarizada aos hábitos característicos do universo branco no vestir e adornar-se". Em sua fotografia, vemos uma mulher jovem, que não demonstra inibição diante da câmera.

Ainda segundo Renata Bittencourt,

> O rosto bonito e compenetrado, a postura altiva, o cabelo impecavelmente preso, os belos brincos e pingente, tudo denota elegância. A mão pousa sobre a pesada cadeira de madeira, elemento cenográfico único. A gola branca destaca o rosto, assim como uma faixa chama a atenção para a cintura, marcada pelo corpete. O leque anuncia o gesto delicado do abanar-se, exemplo significativo dos modos femininos de distinção. Um oval desenha de modo difuso os contornos da imagem, dando acabamento ao retrato que a sra. Antônia exibirá para familiares e pessoas de seu relacionamento.

A historiadora descreve um *carte-de-visite*, ou seja, cartões com os quais se enviavam curtas mensagens, moda durante a segunda metade do século XIX.

Signo religioso para afastar mau-olhado, as joias na forma de amuletos propiciatórios também serviram para histórias de amor, como romanticamente narrou o comerciante francês e dono de uma fábrica de fósforos Charles Expilly no livro *Mulheres e costumes do Brasil*: uma escrava chamada Manuela se apaixonou pelo estrangeiro Fruchot. Para enfeitiçá-lo, ela colocou em seu colar figas e medalhas de santos, ficando à espera do amado. Quando o viu, "inclinou para o chão a extremidade das figas de madeira e as pontas de cornalina [...]. Segundo suas ideias supersticiosas, a negra mina estabelecia assim entre ambos uma corrente de simpatia que forçaria o senhor a se aproximar". Deu certo? Sim, ele comprou-lhe a liberdade. "Ela o faz feliz. Ele fez bem", concluiu Expilly.

Fábulas à parte, como muito bem diz Sheila de Castro Faria, há muitos estudos sobre como se obtinha alforrias e ainda pouco sobre a vida de ex--cativos depois de livres. Alguns historiadores erroneamente insistem que todos os afro-brasileiros foram lançados na pobreza e precariedade. Mas novas análises revelam que, desde o século XVIII, casais poupavam e ganhavam suas vidas com largueza, tendo a mobilidade social como projeto. Como mostrou a historiadora Kátia Mattoso, na Bahia do século XIX, com uma carta de alforria, os afro-brasileiros mostravam-se inteiramente capazes de integrar-se a certos grupos sociais que tinham poder de mando. E tal dinâmica se dava graças ao talento individual e à capacidade de enriquecer, acumulando, entre outros bens, ouro e joias.

Entre anjos e reis

No céu

Se a vida podia ser um inferno – e ela de fato foi para milhares de afro-brasileiros –, havia um lugar no céu para eles. Tanto no sentido próprio quanto no figurado. Pois quem adentrasse a porta da igreja de São Francisco de Assis da Penitência, em Ouro Preto, seria arrebatado ao firmamento, como o foi o profeta Elias numa carruagem de fogo ao teto da nave. E lá chegando se prostraria aos pés da belíssima Madona mulata, vestida de azul e ouro, para ter seus pecados perdoados. Seu colo modelado pelas curvas do barroco, entre volutas e espirais de nuvens, encantava os fiéis.

No pincel do sargento e depois alferes mestre Manuel da Costa Ataíde, a sensual Nossa Senhora da Conceição, reclinada numa poltrona de nuvens, está cercada de anjinhos pardos e mulatos a tocar cânticos e hosanas. Os doutores da igreja, com seus báculos e mitras, igualmente mestiços, parecem participar da alegria da cena rococó. Um São Jerônimo pardo acode ao chamado da trombeta celestial. Na barra de madeira recortada imitando azulejos portugueses, anjos mulatos exibem símbolos religiosos como o crânio, a coroa de espinhos, o rosário, a cruz e os livros sagrados. Num medalhão, vestidos em róseo, azul e vermelho, outros anjinhos morenos brincam com um branco. Outros tantos seres angelicais enfeitam o forro da igreja de Santo Antônio, em Ouro Branco, ou o da São Miguel e Almas, em Ouro Preto. Na igreja de Santa Efigênia, também em Ouro Preto, um "papa negro", criação do pintor, zela pelos fiéis. Longe de exprimir a intensidade dramática da dor e do sofrimento típicas do catolicismo, as imagens de mestre Ataíde convidam a cantar a alegria celestial.

A Madona foi inspirada em Maria do Carmo Raimunda Silva, negra forra, companheira de mestre Ataíde e mãe de seus quatro filhos naturais. Os mesmos que inspirariam as crianças-anjo em pose travessa, conta-nos a museóloga Lélia Coelho Frota. Na casa do artista, guardavam-se os instrumentos tão bem retratados no céu: um fagote, um piano-forte, uma rabeca fina com caixa, uma violeta ou viola pequena, todos em seu inventário. As partituras que os anjos parecem ler com atenção tinham a ver com o florescimento musical da escola de compositores que revelou o também forro José Joaquim Emerico Lobo de Mesquita, filho de um português e da escrava Joaquina Emerenciana e um dos maiores compositores de nossa história musical. Mestre Ataíde ensinava o ofício de pintura a seus escravos e contava com a ajuda deles em suas empreitadas. Em 1804, eram eles Pedro Angola, Manuel e Ambrósio. Em 1816, seus cativos eram Pedro Angola, Maria Crioula e Victorino Crioulo.

O famoso escultor Antônio Francisco Lisboa, cercado de mitos e conhecido como Aleijadinho, também possuía escravos em sua equipe de trabalho. Nascido na década de 1730, em Vila Rica, filho ilegítimo do mestre carpinteiro e arquiteto português Manuel Francisco Lisboa e de sua escrava Isabel, recebeu do pai ensinamentos de desenho, arquitetura e escultura. Reza a tradição que, na mocidade, foi famoso por suas proezas sexuais, pelo amor à bebida e pelas festas loucas. Aos 40 e poucos anos foi acometido por uma doença, provavelmente lepra, que resultou em atrofia muscular e paralisia parcial das mãos. Seu escravo Maurício amarrava formões e martelos em seus pulsos para que pudesse trabalhar.

Alguns de seus escravos ficaram encarregados da execução de peças inteiras, sobretudo no conjunto de Congonhas do Campo, no qual 64 estátuas dos Passos da Paixão foram criadas em três anos e meio, durante o estágio avançado da doença que roía dedos e mãos do mestre. Somente as imagens de Cristo e São Pedro no Passo da Prisão podem ser consideradas de sua autoria, explica a historiadora da arte Adalgisa Arantes Campos. A doença agravou-se e Aleijadinho fechou os olhos em 1814.

A importância do trabalho em equipe era fundamental para os artistas, pois só deixando tarefas nas mãos dos escravos, passando encomendas para amigos ou contratando pessoas capacitadas, eles podiam se comprometer com outra empreitada. Apenas com essa astúcia os mais conhecidos artífices conseguiam trabalhar em dois lugares ao mesmo tempo e dobrar seus rendimentos. O próprio Mestre Ataíde, por exemplo, deixava o pintor José Joaquim do Couto junto com seu filho Francisco, um aprendiz e seus próprios escravos adornando a capela da Ordem Terceira de Nossa Senhora do Carmo, em Vila Rica, enquanto se ocupava em outro lugar. Não faltavam encomendas.

Nos altares das igrejas, santos negros, quase alados graças às vestes que parecem voar, zelavam por seus devotos. No lugar da imobilidade, o gesto de acolhimento: braços abertos. Abrigados em grandes nichos entalhados em estilo barroco, cobertos de douramentos, abafados em mantos dourados com folhas de ouro, abençoavam seus fiéis com imponência. A abundância de roupas aumentava sua força. Resplendores de prata, coroas cravejadas de pedras, rosários em ouro ou prata e outros ricos adornos iluminavam seus rostos. As roupas policromadas remetiam aos bordados preciosos que os recobriam. Nas mãos, cruzes, castelos em chamas, palmas ou livros. Aos pés de Santo Elesbão, um judeu infiel esmagado. Tais santos contavam suas histórias feitas de sofrimento e resistência. Sem nunca sucumbir à dor, nela encontraram o princípio de sua força. Não seria essa a mensagem: lutar, resistir?

Tais imagens eram replicadas em "porta-paz", ou seja, relicários de uso pessoal em prata, ou nos famosos "nós de pinho", imagens pequenas com fortes características da arte africana esculpidas por escravos do Vale do Paraíba.

Santos negros também estavam presentes nos oratórios privados que, segundo Luiz Mott, tiveram destaque e mereceram a disseminação de uma indústria de oratórios nas Minas Gerais e no Nordeste. Dentro de casa, o convívio com o reino dos Céus era desejado, e cada um montava a sua corte celeste privativa. No interior dos oratórios, eram guardados os santos de devoção pessoal, amuletos e objetos religiosos tidos como relíquias. A palha benta do Domingo de Ramos era uma delas. Juntos e misturados, eles permitiam uma cosmogonia religiosa múltipla que nem sempre seguia as normas permitidas pela ortodoxia católica.

Através de olhos que podiam ser pintados ou feitos de pequenas pedras preciosas, santos vigiavam a casa e os pecados que dentro dela pudessem ser cometidos. Quase humanizados, eram vestidos e adornados pelos fiéis. Imagens do Menino Jesus, sentado no colo de Santo Antônio de Categeró, por exemplo, ganhavam roupinha de renda. Nossa Senhora, mantos bordados pelas devotas. São Benedito, túnica pespontada a ouro e prata. Tornavam-se tão íntimos de seus donos que, em 1754, a escrava Luísa, no Maranhão, tinha o costume de, antes de dormir, separar o Cristo Crucificado da imagem da Virgem Maria dizendo, brincalhona, que "assim procedia para que Jesus não beijasse a Nossa Senhora e não tivessem filhos".

Nas chamadas "salas de milagres", também é fácil encontrar marcas de piedade. Ali eram acolhidos os objetos que comemoravam uma graça alcançada após uma promessa. Cultuavam-se santos de devoção para que estes intercedessem na resolução de problemas do cotidiano, transformados, como bem diz Mott, em tábuas de salvação nos momentos dramáticos, como durante doenças. Retratados em ex-votos – pequenas tábuas de madeira pintada que contam a história de um milagre –, os devotos apareciam deitados em catres, em redes ou esteiras. Um texto revela as trocas que se estabeleciam entre o devoto e seu oráculo. Cobertos com mantas bordadas ou coloridas, repousando sobre almofadas, a fisionomia contraída e sofredora, um pano à cabeça, uma perna enfaixada, um braço quebrado, manifestavam o pedido urgente de socorro.

E a legenda perpetuava o agradecimento pelo "milagre" da cura, esclarecendo logo abaixo: "Milagre que fez São Benedito ao inocente Manoel, escravo de Salvador de Souza, estando muito mal de um acidente pelo espaço de cinco dias e, intercedendo ao santo, logo tornou em boa saúde". Manoel devia ser muito estimado por seu senhor, para que esse mandasse fazer um ex-voto. Ou "Milagre que fez o glorioso São Benedito a Feliciano José da Silva, gritando muito alto de febre". A mãe com os filhinhos nos braços tem longa legenda ilegível, mas não há dúvida de que se tratou de um milagre feito para a criança. O historiador José Pessoa debruçou-se sobre a coleção egressa das igrejas históricas de Santa Luzia, Nossa Senhora da Conceição e do convento de São Bernardino de Siena, em Angra dos Reis, Rio de Janeiro, revelando a beleza de tais peças, mas também o símbolo da fé em São Benedito.

Mas quem foi ele? Benedito, "o negro" ou "o mouro", nasceu em Messina, na Sicília, em 1524, era filho de etíopes, ex-escravos de poderosas famílias locais que receberam nomes cristãos. Foi pastor de ovelhas, depois lavrador e mais tarde eremita, quando ingressou no convento de Palermo, onde, trabalhando como cozinheiro, distinguiu-se por suas virtudes cristãs. Em 1578, apesar de analfabeto, se tornou superior da comunidade religiosa e mestre de noviços. Segundo Nei Lopes, a especial devoção a São Benedito tem suas origens em Luanda, Angola, onde, na igreja do Rosário, sua imagem era venerada bem antes de sua canonização, em 1807. O culto apoiava-se na crença de que o santo era filho de uma angolana da região de Quissama.

Outro santo negro importante foi Santo Elesbão, originalmente Caleb, cuja vida transcorreu no século VI. Abdicou do trono dedicando-se à vida monástica, morrendo em 563. Elesbão foi rei da Abissínia e conquistou o Iêmen em 525, derrotando judeus e árabes que chacinavam cristãos. O relato de sua vida segue a mesma trajetória de Santa Efigênia. Natural da Etiópia, ele foi o 47º neto da rainha de Sabá e do rei Salomão, imperador no século VI que mais tarde se tornou cristão. "Foi creditada a Elesbão a extensão do reino cristão da Etiópia até o lado oposto do Mar Vermelho, impondo-se aos árabes e aos judeus do Iêmen", explica o historiador Anderson Oliveira. No Rio de Janeiro, localiza-se na Rua da Alfândega uma igreja erguida em seu louvor e à Santa Efigênia, protetora do lar e da casa, construída por escravos em 1754. Ela abrigou uma irmandade e foi importante centro de eventos da comunidade africana desde a época colonial, como informa Nei Lopes.

Para figurar nos altares e comandar festas e procissões, os santos sofreram um processo de sincretismo, ou seja, uma combinação de elementos da cultura religiosa africana com os daquela que lhes era imposta pelo colonizador. Um exemplo está nas feições de São Elesbão, que na época, segundo a Igreja, tinha que ser pintado ou esculpido da seguinte forma: "preto na cor do rosto e das mãos, que são as partes do corpo que lhe divisam nuas; cabelo revolto, à semelhança daquele com que se ornam as cabeças dos homens de sua cor; as feições parecidas às dos europeus, nariz afilado, forma gentil, idade de varão, cercilho de religioso, coroa de sacerdote, hábito de carmelita", explica Oliveira.

Santos com cabelos encarapinhados eram considerados membros da família de afro-brasileiros, como observou em conversa com um cativo velho o viajante norte-americano Daniel Kidder, em 1836. Ao ver passar a procissão, ele ouviu: "Lá vem meu parente!".

Mas, na época, entre todos os santos, qual deles ganhou mais rapidamente os corações e mentes? Santa Efigênia (ou Ifigênia). Segundo Oliveira, nas culturas africanas, como já visto, a figura feminina tem um papel importantíssimo, o que explica a maior adoração e o sucesso do culto: "O patronato da santa, neste aspecto, refletia não só o simbolismo da mãe protetora e consoladora, mas também a ideia do parentesco ancestral que se reconstituía nas recordações da figura feminina transmissora de valores e igualmente protetora presente em diversas sociedades africanas".

Efigênia e Efrônio eram filhos de Egiptus e Eufenisa, reis de Noba, ou Núbia, um pequeno reino da Etiópia que vivia mergulhado no paganismo. O nome Efigênia, do grego, significa "nascida forte". Reza a lenda que ela foi convertida pelo apóstolo Mateus, enviado para evangelizar a região. Acusada por sacerdotes pagãos de difundir erros, foi condenada a morrer num "incêndio sagrado", a fim de aplacar a ira dos deuses locais. Quando as chamas subiram, Efigênia ergueu a voz, invocando o nome de Jesus. Do céu, veio, então, um anjo, que arrancou Efigênia das mãos inimigas e tornou-a invisível, aparecendo em outro lugar. Após esse milagre de libertação, Efigênia multiplicou seus esforços e o zelo pela conversão do palácio e de toda a Núbia. Ela é sempre representada com um castelo em chamas na mão, pois impediu, por um milagre, que se incendiasse o claustro onde morava. Efigênia manteve-se virgem, abdicou de sua riqueza e construiu um convento, onde viveu até a morte.

Histórias como essa foram difundidas pelos frades carmelitas no século XVIII como forma de catequização dos escravos e libertos da Colônia. A Ordem do Carmo envolveu-se profundamente com esse projeto, respaldada pelo livro *Os dois atlantes de Etiópia. Santo Elesbão, imperador XLVII da Abissínia, advogado dos perigos do mar & Santa Efigênia, princesa da Núbia, advogada dos incêndios dos edifícios,* escrito por Frei José Pereira de Santana e publicado em 1735. A narrativa atendeu a essa finalidade ao apresentar Santo Elesbão "como advogado das boas viagens" e protetor contra os perigos do mar, e Santa Efigênia como "advogada dos incêndios" e protetora contra os perigos do fogo. Ambos atributos densos de simbolismo, tanto para a cultura portuguesa como para a africana. Na segunda, o fogo era considerado elo eficiente na cadeia dos ritos religiosos. Não há culto mais amplo nem mais antigo, afirmam antropólogos.

Também adorada pelos afro-brasileiros, Nossa Senhora do Rosário foi apresentada aos cativos pelos padres dominicanos ainda nas Áfricas. Para algumas nações, a semelhança do rosário da Virgem com o *opelê-ifá*, instrumento de adivinhação dos sacerdotes, favoreceu a aceitação dessa figura mística, principalmente por parte dos bantos, explica a historiadora Marina de Mello e Souza. A identificação favoreceu o sucesso da evangelização idealizada pelo rei d. João I, favorecendo as investidas das tropas portuguesas a partir do reino do Congo, na direção de outros reinos.

Graças à Nossa Senhora nasceram as poderosas Irmandades dos Homens Pretos, fundadas assim que eles chegaram ao reino como cativos ou em missão comercial ou diplomática. Recentemente, os historiadores descobriram que houve um precoce "catolicismo africano". Não só porque, desde 1489, o *mani*, ou rei, e os chefes locais do reino do Congo decidiram abraçar a religião dos portugueses, enviando-lhes uma embaixada encarregada de aprender a língua e a religião. Mas também porque muitos escravizados foram atraídos pelos rituais e modos de vida cristãos, desejando vivenciar essa nova realidade de forma plena. Ao chegar a Portugal, eles fundavam associações mais ou menos secretas, cada qual com seu próprio "rei".

Mantinham com isso suas tradições e seus costumes misturados às práticas católicas, de onde resultariam festas como o reisado – quando festejavam o Dia de Reis com a presença de um rei congo. Impossibilitados de manter suas próprias celebrações religiosas, começaram por entrar nas agremiações católicas, ao mesmo tempo guardando algo de seu. Nas confrarias do Rosário conservaram-se reis e rainhas negros, líderes, chefes de aldeias e de cidades no seu continente de origem que continuavam a exercer liderança à frente de comunidades, recebendo obediência e reverência por parte de seus comandados.

Nos templos

Na vida terrena, o século XVIII multiplicou cidades pequenas e grandes. Os portos recebiam e exportavam mercadorias: açúcar, tabaco, arroz, algodão e, mais tarde, café, além do ouro descoberto desde o século anterior. Abriram-se caminhos e estradas e agilizaram-se as comunicações, as tropas de mulas levavam produtos agrícolas e traziam secos e molhados. A corrente de imigrantes, tanto portugueses quanto escravizados, vindos para as lavras de ouro engrossou o número de habitantes. O som dos sinos marcava as horas, anunciava nascimentos e mortes, avisava de incêndios ou do início das festas religiosas.

As residências ganhavam segundos pisos, ruas, fontes de água e as praças, templos. Suas torres se erguiam em toda a parte, encarregadas de valorizar o espaço urbano. Por dentro, eram como caixas de joias. Tudo resplandecia. Sons de cantos e as cores dos murais pintados se encarregavam de elevar o espírito dos devotos. Muitas igrejas, aliás, foram erguidas em louvor a um santo ou como forma de pagamento de uma promessa. Esse foi o caso da Nossa Senhora da Purificação, ao lado do córrego dos Quatro Vinténs, em Vila Rica (atual Ouro Preto), onde a africana Jacinta encontrou ouro e se alforriou.

O catolicismo ofereceu seus templos para o convívio entre anjos, santos, reis e rainhas negros. Mas não apenas. Da África migraram para cá signos religiosos, os quais se imiscuíam, sem cerimônias, nas pinturas e talhas, como as que vemos dentro da igreja de Santa Efigênia, em Ouro Preto, estudadas pela historiadora Nancy Nery da Conceição. Bastava saber "ler" os elementos de matriz africana em meio à rocalha barroca: pênis, vaginas, ifás, tartarugas, búzios, o véu de Iansã, chifres de cabra e carneiro, o xaxará de Omulu, entre outros indícios de um alfabeto místico iorubano. Longe dos anjos assexuados, os signos africanos enchiam a igreja de sensualidade, misturados à graça andrógina de seres alados.

E quem teria pintado a alegoria da África na figura de um poderoso rei negro aos pés de São Francisco de Assis no teto da igreja de Nossa Senhora da Misericórdia, em Sergipe? Foi um dos anônimos pintores cujos trabalhos nos deslumbram, mas que desconhecemos. Muitos deles eram escravos, simples aprendizes misturados a oficiais alforriados ou libertos, que ganhavam como "jornaleiros", ou seja, pelo dia de trabalho ou "jornal". O salário que recebiam era o mesmo de um trabalhador branco. O que ultrapassasse o jornal – quantia obrigatória – do senhor ficava para o escravo.

Escravos também podiam ser cedidos por seus donos para trabalhar por devoção a Nossa Senhora do Carmo ou qualquer outro santo. Ao falecer, mestres de obras brancos deixavam em seus inventários uma lista de nomes de escravos com observações do tipo: "vale muito", "tem luzes de pedreiro" ou "*é bom oficial de enxó e trabalha em tudo*". Como explica o historiador Jaelson Bitran Trindade, muitos senhores agradecidos deixavam seus colaboradores semilibertos, ou seja, em parte alforriados, mas tendo que adquirir a outra parte de sua liberdade. E afirma: "O número de oficiais mulatos parece ter sido sempre superior nos ofícios ligados às artes e à arquitetura durante todo o século XVIII. E foi quase absoluto a partir da segunda metade dele. Isso tanto nos grandes centros quanto nas pequenas vilas do Brasil colônia". O que explica o prestígio e a mobilidade social do grupo em certas regiões.

Os mestres tinham que passar por provas difíceis "nas obras principais e dificultosas". O pior é que, por lei, tinham que ser livres, e nem todos o eram. Mas a lei tinha brechas, e a necessidade de especialistas fez brotar parcerias com brancos licenciados. Surgiram ateliês. Apesar das dificuldades impostas, afro-brasileiros participaram em grande escala nas artes e ofícios coloniais, tornando-se "mestres de ofícios", que contavam com uma grande maioria de aprendizes e oficiais escravos.

Como há tempos já dizia o historiador José Antônio Gonsalves de Mello, temos muitos trabalhos sobre a escravidão e poucos sobre a história de trabalhadores livres. Sabe-se, porém, que as cidades ofereciam aos artistas afro--brasileiros, sobretudo pintores, entalhadores e músicos, oportunidades de ascensão. Mas não só. Mobilidade espacial também, pois alguns cruzaram o oceano. Não de volta à terra de seus pais, a África, mas à Europa, onde foram estudar como qualquer branco. Histórias de protagonismo relatam sua escalada, redefinindo a imagem errada que temos do Brasil Colônia: um lugar sem oportunidades para os descendentes de africanos.

Manuel da Cunha, filho de escravo e escravo ele próprio, dono de invejável atividade e conhecimento, foi o protagonista de uma delas. Nascido no Rio de Janeiro em 1737, protegido e alforriado pelo negociante José Dias da Cruz, foi para Portugal estudar pintura. Ao regressar de Lisboa, dedicou-se à pintura religiosa e ao retratismo e mantinha em sua casa, na Rua de São Pedro, um curso de pintura que chegou a contar com 12 alunos. Sua morte, em 27 de abril de 1809, está assinalada nos livros da Ordem Terceira da Irmandade da Boa Morte, em cuja igreja, a Candelária, foi enterrado com o hábito de Santo Antônio e cercado de todo o prestígio.

Outro vencedor foi Manuel Dias de Oliveira. Nascido em Santana do Macacu, no Rio de Janeiro, em 1763, muito jovem foi vendido para um senhor da capital, onde praticava ourivesaria. Impressionado com tanto talento, seu senhor o enviou para estudar no Porto, em Portugal. Morrendo seu benfeitor, se transferiu para Lisboa e se matriculou na Real Casa Pia, que funcionava no Castelo de São Jorge. Seu sucesso era tão grande que foi escolhido para, juntamente com o já célebre Domingos António de Sequeira, cursar a Academia de São Lucas, em Roma. Lá, se tornou assistente de Pompeo Batoni, retratista da nobreza e precursor do neoclassicismo na pintura. Quando Napoleão invadiu os estados pontifícios, Manuel refugiou-se em Gênova, de onde retornou a Portugal depois de uma ausência de dez anos. Em 1800, ao retornar ao Brasil, foi nomeado professor régio de Desenho e Figura, curso criado no Rio de Janeiro, e realizou inúmeros trabalhos. Em Portugal, Manuel era conhecido como "o Brasiliense". Aqui, se tornou "o Romano".

Outro personagem a cruzar o oceano foi o baiano José Teófilo de Jesus, pardo e forro, nascido em Salvador e falecido na mesma cidade em 1847, aos 90 anos. Artesão de molduras para o conhecido pintor José Joaquim da Rocha, foi por ele premiado com uma viagem a Portugal para aperfeiçoar suas habilidades artísticas. Um empréstimo de 150 mil réis contraído junto à Santa Casa bancou sua estadia. Ele permaneceu em Lisboa, onde cursou a Escola de Belas Artes. Em 1801, de volta ao Brasil, passou a trabalhar para as Ordens Terceiras, além de se dedicar a douramentos de talhas e altares. Fez inúmeros tetos ilusionísticos, além de quadros de cavalete. Casou-se, em 1808, com Vicência Rosa de Jesus, forra natural da Costa da Mina. É considerado o maior pintor a operar na Bahia na primeira metade do século XIX.

Joaquim Pinto de Oliveira, o Tebas, pedreiro em São Paulo, era escravo de Bento de Oliveira Lima, mestre pedreiro bastante conceituado entre Santos e São Paulo. Seu senhor mudou-se para São Paulo, onde morreu repentinamente enquanto, com Tebas a seu lado, fazia o frontispício da Sé. Em 1776, Tebas alcançou a sua alforria, pagando com seu trabalho, e passou a atuar como mestre. Tinha 36 anos e, junto com Cunha, são os únicos casos de artistas proeminentes que se desenvolveram ainda na condição de escravos, conta-nos Jaelson Bitran Trindade. Livre, passou a ser conhecido como "mestre-pedreiro Joaquim Tebas de Oliveira". Trabalhou durante 30 anos na sua cidade e no final da vida era prestigiado como renomado profissional. Era inclusive chamado para peritagem e julgamentos de obras importantes. Passou de cativo a mestre e senhor respeitado.

Leandro Joaquim, pintor e arquiteto, descrito como "pardo, baixo e gordo", foi autor de diversas pinturas executadas na igreja de São Sebastião do Morro do Castelo, de painéis ovais com vistas do Rio de Janeiro e foi cenógrafo do teatro do empresário Manuel Luís, depois Teatro Régio, no Rio de Janeiro, além de colaborador do famoso Mestre Valentim. Embranquecido na tela, Leandro Joaquim era mulato, e pouco se sabe de seus pais.

Mestre Valentim, filho de um "fidalgote português, contratador de diamantes" e da escrava Joana, uma africana da nação Sabaru, foi levado em companhia dos pais a Portugal, em 1748, onde se dedicou a estudar artes. Quando seu pai morreu, regressou para o Brasil com a mãe, antes de ter concluído os estudos artísticos. Na capital, foi auxiliar, a partir de 1780, do entalhador Luiz da Fonseca Rosa, decorando a igreja da Ordem Terceira do Carmo até 1800. D. Luiz de Vasconcelos e Sousa, então vice-rei do Brasil, observando o tamanho talento artístico do moço, o chamou para trabalhar. Foi quando ele realizou o Chafariz das Marrecas, o Passeio Público do Rio de Janeiro e o Chafariz da Pirâmide, na atual Praça XV de Novembro. Executou vários altares e obras de talha para importantes igrejas cariocas, além de projetar a reconstrução do Recolhimento de Nossa Senhora do Parto, destruído por um incêndio. Tão religioso quanto mulherengo, Mestre Valentim nunca se casou, mas mandava rezar missa todo domingo para Nossa Senhora da Piedade, na igreja do Bom Jesus, e era membro da Irmandade do Rosário. Deixou uma filha natural, Joana, com Josefa Maria da Conceição.

Fama na música

A presença destes artistas não estava apenas nas paredes ou nos altares. Enchia os ares. Músicos foram legião. O historiador Daniel Precioso, que os estudou nas cidades do ouro, encontrou uma elite parda que misturava cargos nas milícias, presença nas irmandades religiosas e domínio de instrumentos musicais. Foi além, e revelou que esse grupo possuía uma "identidade sociorreligiosa parda", marcada pela ligação com irmandades e tropas militares. Essas instituições funcionavam como redes de contato, trabalho e, sempre, prestígio. Ofereciam, como se vê através dos testamentos de músicos, os primeiros degraus de uma escalada social e econômica.

Chamou-lhe a atenção o testamento do alferes Bernardo dos Santos, flautista da tropa auxiliar dos pardos, filho legítimo de Narciza Maria da

Conceição, crioula forra. Bernardo nunca foi casado e não teve filhos. Quando fechou os olhos em Vila Rica, em 1772, entre os bens deixados pelo alferes destacavam-se casacas, fardas, chapéu e calções, vestes próprias do ambiente miliciano. Também uma rara "gibata de alferes" e um "espadim de prata lavrado". Bernardo era vaidoso, pois possuía ainda uma "cabeleira em bom uso" e uma "camisa de Bretanha". Esse suntuoso guarda-roupa revela o quanto a indumentária marcava os lugares sociais. Além desses pertences, excluídos os bens domésticos de sua casa na Rua de São José, em Ouro Preto, Bernardo possuía uma "flauta transversa com dois canudos", avaliada em 4.800 réis, instrumento com que ganhava a vida – já que não recebia soldo como militar. Irmão da Confraria de São José de Vila Rica, lá ocupou cargos administrativos, tendo sido eleito escrivão em 1770 e mesário em 1771.

Outro músico pardo e irmão da mesma confraria foi o cabo Francisco Gomes da Rocha, "timbaleiro da tropa de linha" do regimento dos pardos de Vila Rica. Era filho de Maria da Costa Souza e de "pai incógnito". Solteiro, ao morrer deixou a dois sobrinhos uma chácara situada no Morro da Água Limpa, em Vila Rica. Segundo seu testamento, todos os seus pertences deveriam ser entregues "com toda a música e papeleira e assim mais um rabecão grande com sua caixa, uma viola sem caixa e uma flauta a Isidoro Pinto Rezende". A "papeleira" a que se refere era, provavelmente, um conjunto de partituras de músicas de sua autoria e cópias das de outros compositores. Como aponta Daniel Precioso, na descrição de bens de seu inventário consta, ainda, uma "folha de fagote", avaliada em 900 réis, e, em seu testamento, um "rabecão pequeno", que foi comprado pelo capitão Manoel Antônio Moreira por 18 mil réis.

Francisco também era regente, "representando" óperas e tocando em novenas, juntamente com um grupo de instrumentistas formado por soldados do regimento de milícia dos pardos. Assim como nas artes plásticas, o trabalho em equipe também era fundamental na música, e era uma equipe que transitava entre o ambiente da confraria e das milícias. Além das rendas com os serviços musicais, Francisco lucrou com os "jornais" de um escravo especializado, José Angola, oficial de carapina.

Assim como outros músicos e regentes, Francisco participou da administração da Confraria de São José, tendo ocupado o cargo de escrivão, em 1775, e de mesário, entre 1770 e 1806. Sua teia de relações se estendia também às irmandades da Senhora da Boa Morte, de São Francisco de Paula e do Senhor do Bom Jesus de Matozinhos de Congonhas do Campo, das quais foi igualmente confrade. Faleceu em 1808.

O último músico da amostragem de Daniel Precioso foi Francisco Leite Esquerdo, filho de Paloma Maria da Conceição e de Isidoro Leite. Na ocasião do recenseamento de 1804, sua profissão aparece como "trombeta do Regimento de Linha" e "clarim das tropas pagas de Minas Gerais", além de ter também atuado no Senado da Câmara como cantor, em 1787.

Francisco Leite foi casado com Maximiana Gonçalves Torres e com ela teve cinco filhas e três filhos. Em seu testamento, deserdou as filhas Francisca e Isabel "pelos grandes desgostos que sempre deram e paixões até chegarem a sair fora da [sua] companhia para o mundo", instituindo os demais filhos como seus universais herdeiros. Como diz Precioso, "a fuga desautorizada das duas filhas mencionadas com homens de qualidade inferior pode ter ocasionado a deserção de ambas, pois, no momento da redação do inventário, elas encontravam-se casadas". A verdade é que os pardos, "conscientes da luta que empreendiam para se distinguirem socialmente, procuraram dotar suas filhas e arranjar matrimônios vantajosos para sua linhagem familiar, visando uma melhor 'fama pública'".

Proprietário de três escravos, possuía ainda duas roças e uma morada de casas na freguesia de Santo Antônio da Itatiaia. Em Vila Rica, era dono de duas minas de extração de ouro (uma delas em sociedade com seu vizinho, o latoeiro Estevão Rodrigues Barbosa) e duas moradas de casas no Caminho das Lages. Além da mineração, a hipoteca de escravos por meio da já mencionada cobrança de "jornais" e o aluguel de casas consistiam em outras fontes de renda. A soma bruta de seus bens chegou a mais de um conto de réis; mais precisamente, 1.336.289 réis.

Francisco Leite também ingressou como irmão de São José, em 1780. Foi eleito mesário em 1785 e em 1798, além de juiz em 1797. Faleceu em 1809, "sendo sua alma sufragada e seu corpo enterrado em uma cova pertencente à Confraria de São José na Matriz de Antônio Dias".

Segundo o mesmo historiador, é sabido que o grupo destes que eram chamados de "leais vassalos" era composto por homens pardos que exerciam "as artes da música", festejando "as aclamações dos senhores reis e senhoras rainhas e nascimentos dos senhores príncipes Infantes, todos que fazem as músicas nas igrejas e folguedos públicos com aquele asseio e alegria que permitem as ditas funções".

Os músicos ou "leais vassalos" estudados por Daniel Precioso eram pardos livres, filhos de reputados homens brancos. Desempenhavam atividades musicais profissionais, possuíam patente militar e administravam a confraria de seu grupo étnico. Entre outros artistas, e apesar dos entraves, conseguiram alcançar fama pública, arrecadar pecúlio e poupar em ouro ou réis. Para eles, o elevador social funcionou.

Já o talento de Luiz Álvares Pinto o levou além-mar. O musicista e contemporâneo José Mazza destacou seu alto grau de instrução, além das excepcionais habilidades musicais:

> Luiz Álvares Pinto, natural de Pernambuco, homem pardo, excelente poeta português e latino, muito inteligente na língua francesa e italiana; acompanhava muito bem rabecão, viola, rabeca. Veio a Lisboa aprender contraponto com o célebre Henrique da Silva; tem composto infinitas obras com muito acerto, principalmente eclesiásticas; compôs ultimamente umas exéquias à morte do senhor rei d. José o I a quatro coros, e ainda em composições profanas tem escrito com muito acerto.

Segundo o historiador Paulo Castagna, conforme citado em trabalho de Fernando Prestes de Souza e Priscila de Lima, Álvares Pinto foi o compositor nordestino mais conhecido do período colonial. Parte de sua instrução se deu em Portugal, onde se estabeleceu de 1740 a 1760, atuando, inclusive, na corte do rei d. José I. No reino, estabeleceu um importante contato com Martinho de Melo e Castro, então ministro da Marinha e Ultramar, tornando-se professor de música de suas filhas. Em 1761, já de volta a Recife, conquistou o cargo de mestre régio de instrução primária, ensinando música. Ao longo das décadas de 1760 e 1770 somaram-se outras funções, como a de escrivão da irmandade de Nossa Senhora do Livramento e capitão de um dos terços auxiliares do Recife. Música, armas e irmandades se afinavam muito bem.

O elevador social funcionou também para o padre José Maurício Nunes Garcia, um dos maiores compositores da América colonial no que diz respeito à quantidade de composições, à qualidade estética e à definição de uma linguagem própria, explica o regente e historiador da música Ricardo Bernardes. Nascido em 1767, filho de Apolinário Nunes Garcia, branco, e de Victória Maria da Cruz, de ascendentes da Guiné, teve sua formação musical com Salvador José de Almeida e Faria, "o pardo", amigo da família e natural de Vila Rica. Desde os 12 anos já era professor de música e, em 1783, aos 16 anos, compôs sua primeira obra, *Tota Pulchra es Maria*. Foi ordenado padre em 1792 e, em 1798, designado para assumir a função de mestre de capela da Sé do Rio de Janeiro, que então funcionava na igreja da Imperial Irmandade de Nossa Senhora do Rosário e São Benedito dos Homens Pretos.

Com a chegada da família real portuguesa ao Rio de Janeiro, em 1808, o objetivo de d. João era montar na cidade uma capela musical nos moldes daquela que havia em Lisboa. Designou então José Maurício para dirigir as atividades da recém-criada instituição, formada por músicos já atuantes na cidade e alguns vindos com a corte. Numa demonstração de apreço e admiração por seus talentos musicais, d. João concedeu-lhe o Hábito da Ordem de Cristo, em 1809. A grande obra do período de José Maurício à frente da Real Capela é a Missa de Nossa Senhora da Conceição para 8 de dezembro de 1810. Segundo o pesquisador Ricardo Bernardes, é, sem dúvida, "a obra mais complexa e grandiloquente das que havia composto até então e uma das mais sofisticadas de toda a sua carreira". José Maurício tinha, então, 43 anos.

> Era um momento cheio de esperanças e alegrias para o compositor – por passar a trabalhar à frente de um grupo através do qual poderia mostrar todas as suas potencialidades como músico e artista –, mas também de sofrimentos causados pelo preconceito, por sua condição de brasileiro, mulato, e por ter tido uma formação musical, em muitos aspectos, autodidata.

Em 1811, chega ao país Marcos Portugal, o mais afamado compositor português de sua época, o que encerrou o período de Nunes Garcia como diretor e compositor da Real Capela. Ele morreu em 1830, na mais extrema miséria.

Nas ruas

Se por um lado a Igreja católica procurava controlar e impor valores aos afro--brasileiros, por outro ela promoveu um inestimável espaço para sua vida social. Tanto no campo quanto nas cidades, o cotidiano da Colônia girava em torno das igrejas, capelas e oratórios, assim como das festas do calendário religioso. Em torno desses espaços e ocasiões, as ordens religiosas promoviam novenas, procissões e festas para os santos padroeiros, e em todos esses festejos as irmandades tinham lugar de destaque.

Associações de leigos que se reuniam para promover o culto a um santo, as irmandades se agrupavam por vizinhança, classe, profissão, "nações", cor etc. Podiam ser de brancos, pretos, crioulos, pardos ou mulatos. Havia algumas exclusivas de cada grupo e outras que congregavam diferentes nações. Para além do fervor religioso e das festas, elas eram fundamentais como organizações de auxílio mútuo, muito atuantes no momento de juntar dinheiro para alforrias e do acompanhamento nas doenças e na morte dos irmãos. Funerais era assunto sério. A irmandade canalizava assim os interesses dos diversos grupos, defendendo as necessidades dos seus membros. Os irmãos recebiam não só assistência espiritual como também material. Para ser membro de uma irmandade, ou seja, "irmão ou irmã", a pessoa tinha que ter uma conduta moralmente aceitável, cumprir seus deveres para com a Igreja e contribuir financeiramente para sustentá-la. Pagar para entrar, era de lei.

Data de 1552 o surgimento das primeiras irmandades conhecidas na América portuguesa. Estavam sob a invocação de Nossa Senhora do Rosário e foram erigidas na capitania de Pernambuco. Entre nós, em matéria de práticas religiosas, ambivalência não significava incompatibilidade. Era possível acreditar em Nossa Senhora do Rosário e, ao mesmo tempo, em divindades do panteão africano, sabendo que elas mantinham suas respectivas identidades. O sociólogo Roger Bastide explica que senhores estimulavam os cativos a cultuar Nossa Senhora do Rosário. O convento de Olinda, que tinha em sua propriedade uma centena de escravos, consentia em deixá-los celebrar sua padroeira.

Sendo agremiações compostas por "gente de cor", a essas confrarias se somaram as de São Benedito, São Elesbão e Santa Efigênia, igualmente evocados, explica o historiador Caio Boschi. No Brasil colonial, a devoção aos santos pretos se apresentou como explícita estratégia de catequese, sobretudo no século XVIII, quando chegaram milhares de africanos para trabalhar nas minas de ouro e nas plantações de café, que começava a ser plantado. Funcionou? Sim. Eles foram convertidos, mas também aproveitaram o espaço religioso para viver suas crenças e tradições, trazidas das diferentes regiões do continente africano, para cuidar uns dos outros e criar um fundo para esmolas, doenças e enterros. E para se divertir também!

Pois era importante o "bem festejar" do santo. Os irmãos se entendiam para nomear um comitê, encarregado de fornecer as velas, de preparar os fogos de artifício; designavam um ecônomo para controlar as despesas e cotizavam-se a fim de recolher os fundos necessários. Se um branco aparecia, era somente para vigiar, de medo que tudo terminasse em disputas e contendas. Afinal, santos só no altar.

Cerca de um mês antes da data marcada, arautos saíam mascarados às ruas para anunciar o acontecimento. Os preparativos eram levados a sério. Com uma licença do poder municipal, os irmãos saíam às ruas para recolher "esmolas", ou seja, contribuições. O toque dos tambores e o som de cantigas africanas atraíam doadores. Muitas vezes passeava-se com a própria imagem do santo para incentivar donativos, como se vê nas gravuras dos viajantes estrangeiros. Muitas procissões saíam com carros alegóricos, músicos e bailarinos que compungidos ou alegres faziam suas preces ou um carnaval de fé. E tudo convergia para a festa: a decoração das ruas e das igrejas, as opas vermelhas dos irmãos, o brilho dos tocheiros, das luminárias e dos fogos que acendiam à noite. No dia, as festas começavam pelo repique de sinos ecoando pelas ruas da cidade. Os irmãos se dirigiam às capelas de suas irmandades dançando e tocando seus tambores. Em volta do mastro e diante da bandeira do santo de devoção, giravam e lhe davam vivas. Nas cidades, as festas podiam durar dias. Algumas ultrapassavam semanas.

Festas começavam sempre com missa solene, a presença dos irmãos e a igreja cheia. Finda a celebração, um cortejo saía em procissão pelas ruas, levando os santos homenageados, a cruz, a bandeira com as insígnias da irmandade, os estandartes. Os símbolos representavam a comunidade. Os irmãos iam vestidos com roupas próprias para o dia. Tais procissões demarcavam o que o historiador Flávio Gomes chamou de "cidade negra" dentro da cidade branca. Em São Paulo, por exemplo, a procissão enchia as transversais da praça onde se encontra até hoje a igreja de Nossa Senhora do Rosário dos Homens Pretos. Barraquinhas coloridas, coretos e cantorias animavam o folguedo. No céu, foguetes iluminavam a noite.

Segundo Flávio Gomes, em algumas comemorações, como as do Senhor do Bonfim, em Salvador, ou do Divino Espírito Santo, no Rio de Janeiro, nas primeiras décadas do século XIX, a música que enchia os ares vinha da voz de músicos barbeiros, ou seja, africanos libertos que trabalhavam como barbeiros e dentistas. Na celebração do Senhor do Bonfim, crioulos e africanos percorriam as ruas com seus burros carregando barris de água para a lavagem da escadaria do templo.

As festas rapidamente revelavam seu lado africano quando mostravam cucumbis de rostos pintados, ou seja, cortejos para apresentar jovens recém-circuncisados ao rei do Congo. Eles entoavam canções africanas e tocavam ganzás, tambores, berimbaus de arco, corda e cabaça. As cheganças também traziam crioulos vestidos de marujos simulando a tripulação de uma nau de guerra, que apresentavam a luta de cristão contra mouros, os últimos convertidos ao cristianismo, depois da dança. O final da festa tinha sempre comida e bebida em abundância, o que fazia as autoridades reclamarem das "orgias desordenadas". Por vezes, os excessos como bebedeiras, brigas e danças profanas levaram a Igreja a repreender as irmandades responsáveis.

Se tudo funcionou bem durante o período colonial, no Império passou a ter quem torcesse o nariz para tais demonstrações, consideradas pela imprensa "ridículo espetáculo". Afinal, o Brasil queria se civilizar, se europeizar, e tais festas pareciam grosseiras. Lembravam demais a África. Independentemente das críticas, seus sons de tambores e alegria enchiam as ruas. E elas aproveitavam para levar a público reinvindicações das irmandades, como liberdade para se administrar sem o controle de brancos, igualdade de privilégios com as irmandades brancas, entre outras. Se brancos eram aceitos, seu campo de atuação era limitado.

As irmandades eram administradas por um juiz, um escrivão e o tesoureiro – os cargos principais –, junto com outros membros eleitos que também incluíam mulheres. Sim, havia escrivãs, portanto, letradas. Todos cuidavam da organização de festas, da coleta de esmolas e da administração de cultos e capelas. Muitas das capelas eram decoradas, como já vimos, por artistas afro-brasileiros. Quando não havia dinheiro para adquirir um terreno e erguer uma capela própria, ocupavam-se os altares laterais das igrejas existentes. O arranjo nem sempre dava certo, gerando picuinhas e tensões. Lembra a historiadora Larissa Viana que os conflitos nasciam pelas mais diversas razões: pequenos furtos, escolha do repertório musical, uma imagem quebrada, disputa por sepulturas ou contabilidade falsificada. O financiamento das irmandades e confrarias religiosas era conseguido através das cotas de inscrição, anuidades e esmolas deixadas em testamento pelos seus membros. Crimes e vícios eram punidos com expulsão.

Esse controle servia para garantir que o orçamento contemplasse as despesas com as missas e os enterros, e que o dinheiro não fosse todo gasto em festividades – o que muitas vezes acontecia. As festas eram cruciais para as irmandades, e os irmãos se dedicavam a elas com afinco. As decorações, a música, os cantares, a escolha dos percursos e dos patronos, tudo era cuidadosamente elaborado para que fosse sempre melhor do que as outras. A competição era a alma da festa. As irmandades negras foram as responsáveis pela maioria das festas de santos ocorridas em mais de 350 anos de nosso passado.

Fácil realizá-las? Não. Como já mencionado, havia a preocupação das autoridades com "desordens", "indecências"; os batuques de tambores eram proibidos pela Igreja, que considerava o ritmo lascivo; havia medo de revoltas durante os festejos, enfim, a lista era longa. Outro grupo, que incluía senhores de escravos e religiosos, achava que a festa seria um momento de descanso na dura rotina de trabalho. Até um remédio contra o espírito de rebeldia. Em suma: "um folguedo honesto". Sua realização era, portanto, uma vitória.

Conflitos entre irmandades? Sim. E a razão eram as diferenças étnicas. Irmandades só de africanos não aceitavam crioulos nascidos no Brasil. Pardos não aceitavam negros. Num estudo comparativo, a historiadora Patrícia Mulvey mostrou que as associações de crioulos eram as mais ortodoxas e refratárias, impedindo nações africanas de pertencer aos seus quadros. Tolerante, a de Santa Efigênia era composta por irmãos negros, pardos e mulatos. A política de admissão à irmandade variava de uma região para a outra, e às vezes até de uma paróquia para a outra, embora compartilhassem o mesmo santo patrono. Mas havia aquelas que aceitavam todos, inclusive brancos. Mas o grande concorrente era a festa de brancos. Frei Agostinho de Santa Maria, autor de um livro sobre as imagens milagrosas de Nossa Senhora, em 1721, descreveu nos seguintes termos as festas da irmandade de Nossa Senhora dos Pretos: "Fazem os pretos a sua festa com muita grandeza; porque em nada se querem mostrar inferiores aos mais, e ainda aos brancos".

Nessas circunstâncias, um dos eventos mais significativos era a coroação de reis e rainhas de irmandades de africanos e seus descendentes, acontecimentos que reviviam a cristianização do reino do Congo no final do século XV. Eles existiam nas mais diferentes partes do Brasil colonial, ainda que guardando características das regiões em que cresciam. Nascida no período colonial, a congada foi uma das mais importantes dessas festas de devoção, tendo durado até o final do Império. Ela começava com a eleição de um casal de soberanos e de uma corte festiva entre os irmãos da irmandade de Nossa Senhora do Rosário. Depois de eleitos e coroados pelo sacerdote na igreja, rei e rainha saíam à rua, suntuosamente vestidos, realizando desfiles, cantos e danças dramáticas. Nas festas, as irmandades procuravam exibir o seu poder e alcançar ou reforçar o seu prestígio.

A coroação do rei congo, como demonstrou a historiadora Marina de Mello e Souza, era uma dessas festas onde a mestiçagem entre Brasil e Áfricas ficava visível. O Congo era o símbolo de um grande reino, de uma unidade política respeitada pelos vizinhos e pelo rei de Portugal. A fama de sua grandeza se espraiou e era contada nos navios negreiros aos cativos que não vinham de lá. O *mani* congo cristão, d. Afonso I, aceitou a religião dos portugueses, e o contato de seus vassalos com o catolicismo era forte. Essa história estava muito presente no universo mental dos habitantes da África Ocidental.

No momento da festa, celebrava-se o símbolo da grandeza passada do reino do Congo. Trajes e atitudes serviam para dar aos reis singular importância, acentuada pelo fato de ocuparem lugar privilegiado junto ao altar-mor. Os reis negros se vestiam à maneira dos reis brancos, até exagerando no uso de joias e tecidos caros. Porém dançavam suas danças próprias, cantavam suas canções de nação, tocavam seus tambores. Aproveitavam para reproduzir suas hierarquias tribais, com príncipes e princesas, pajens, camareiros e camareiras, os chamados *mafucas*. A presença da bandeira da procissão remetia ao fato de que o *mani* congo assumiu a bandeira de Cristo como um *nkisi*, ou seja, um objeto mágico que o protegia nas guerras. A coroa, cópia da europeia, substituía o chapéu ou gorro tribal, o *mpu*, de formas variadas e tecido finíssimo. O cetro real remetia aos *minkisi*, bastões de mando que incorporavam qualidades da entidade divina representada. No seu interior, ele trazia ervas, conchas, água do mar consagrados no altar durante cerimônias. Todos esses símbolos representavam o poder e a majestade real.

Em Pernambuco, por exemplo, como mostrou o historiador Luiz Geraldo Silva, a Irmandade do Rosário dos Homens Pretos da Vila de Santo Antônio do Recife exigia, em estatuto, que rei e rainha eleitos fossem livres e de nação angola. Eles indicariam "governadores" nas demais nações, ou seja, nos demais grupos étnicos, estendendo seu poder para uma grande comunidade. Caberia ao rei do Congo respeitar, reconhecer e estimar cada governador assim como os demais cargos inferiores como vice-reis, mestres de campo, capitães mandantes, provedores, juízes de fora, generais e outras patentes escolhidas pelos monarcas. Organizava-se um verdadeiro corpo hierárquico banto ligado às profissões ou ofícios urbanos que se estendia como uma teia por toda a cidade. No alto, comandando a todos, "o rei congo".

Já no Rio de Janeiro, na Irmandade de Santo Elesbão e Santa Efigênia, estudada pela historiadora Marisa Soares, o aumento de irmãos obrigou a multiplicar os cargos e títulos para atender os diferentes grupos vindos da Costa da Mina: moçambiques, saburus, makis, agolins, ainos. A solução foi instituir sete reis, cada um com sua corte e seus "parentes de nação". Como no restante da sociedade, a presença das mulheres negras era fortíssima. Dentro das confrarias, elas ocupavam cargos de direção, participavam da mesa administrativa, exercendo principalmente a função de "rainhas", juízas, escrivãs irmãs de mesa ou mordomas, que eram responsáveis pela organização das festas. Em algumas localidades de Minas Gerais e do Rio Grande do Sul, elas encarnavam a "rainha Nginga". Mas como não havia uniformidade nem nas cerimônias, nem nas irmandades, a personagem da rainha vitoriosa na luta contra os portugueses nem sempre esteve presente.

Encontro de culturas? Sim. E é a voz do antropólogo Luís Antônio Simas que conta uma "curiosidade":

Reza a tradição que, em certa feita, uma imagem de Nossa Senhora do Rosário apareceu no mar. Os negros começaram a bater tambores e cantar, pedindo proteção contra os inimigos. A imagem, trazida pelo vaivém das ondas, finalmente chegou à praia e começou a caminhar. Os cortejos de moçambiques representam esta história e reproduzem o resgate da santa entre as ondas. Os congadeiros, conhecidos como Filhos do Rosário, se encontram então com os participantes dos moçambiques e passam a caminhar com a imagem de Nossa Senhora, bailando, cantando e celebrando a fé.

É muito importante lembrar o papel da música nessas ocasiões. Fala o musicólogo Flávio Silva: "É possível que, antes de serem transportados para o Brasil, os futuros escravos já conhecessem músicas e instrumentos europeus praticados pelos lusos. Aqui chegados, os escravizados logo conviveram com essas práticas e foram nelas iniciados". Passaram a exercer, inclusive, funções musicais eruditas e semieruditas. Para dar um exemplo, o viajante francês Pyrard de Laval nos conta que, em inícios do século XVII, um senhor de engenho do Recôncavo possuía uma orquestra formada por 30 escravos negros. Detalhe: o regente da orquestra era um francês nascido em terras provençais. Mas a banda de música em dia de festa de santos negros tinha também o som de pandeiros, chocalhos, canzás e marimbas, como viram e ouviram os naturalistas bávaros Spix e Martius, em 1818, em Minas Gerais.

Flávio Silva sublinha que os instrumentos de corda eram sobretudo africanos: pluriarcos, violinos, berimbaus, mas também guitarras. Eles também introduziram xilofones, chocalhos, reco-recos e algumas percussões. De 150 registros feitos por viajantes em que aparecem afro-brasileiros, os sopros eram europeus: clarinetas, trompetes, cornetas e mesmo flautas. Só o pintor holandês Franz Post pintou 26 atabaques. A cuíca, essa espécie de voz dos ancestrais, assim como a zanza, inventada pelos animistas e equivocadamente chamada de marimba, acompanhavam os músicos nos momentos de expressão individual, podendo ser tocadas junto a outros instrumentos e acompanhadas de canto. Já o berimbau aparece associado ao canto, nunca à capoeira, que era jogada sem instrumentos ou com palmas e tambor no chão, tocado com as mãos.

Por meio das festas, os afro-brasileiros podiam manter vivas as suas tradições de origem, ainda que adaptadas à religião cristã. Por meio de templos, santos e reis puderam conviver, sentindo-se parte de um todo. De uma família.

Como artistas – pintores, escultores ou músicos – ganharam prestígio, liberdade e dinheiro. Um cortejo de Santas Marias mulatas e santos negros comprovam sua independência artística. Foram artífices e artistas. Mais do que vice-reis, governadores e dignitários da Igreja, foram eles que construíram o Brasil. Se foram ignorados por serem poucas as provas escritas ou materiais de suas trajetórias pessoais, o resultado se vê na arte brasileira, que, como bem diz o historiador da arte Carlos Lemos, não existiria sem os homens negros, seus sonhos e universos artísticos.

Graças às irmandades, criaram estruturas de poder, conceberam estratégias de alianças, estabeleceram regras de sociabilidade, abriram canais de negociação e ativaram formas de resistência. Por tudo isso, promoveram outras formas de parentela; afinal, a irmandade era uma associação destinada a prestar solidariedade familiar. Mas também inventaram hierarquias onde havia quem mandava e quem obedecia. Dessas experiências compartilhadas construíram um patrimônio consensual, presente entre nós na música, nas artes, nas festas, onde o seu protagonismo, até hoje, é indiscutível.

Nos campos de batalha

Contra os holandeses

Muitos de nós acreditamos que o Brasil foi um país sem guerras. Sem batalhas. Sem sangue derramado nas trincheiras. Errado. Tivemos conflitos importantes não só com estrangeiros, como os flamengos, holandeses, os habitantes das províncias do Rio da Prata e os paraguaios, mas também lutas internas contra povos indígenas, quilombolas e bandos de salteadores que atacavam viajantes, autoridades, populações. Em confrontos, muitos deixaram seus corpos em pedaços, lutaram apenas com a coragem e poucas armas, serviram como bucha de canhão. Alguns, porém, encontraram a glória, e também o esquecimento. Tornaram-se um exército de sombras.

Um exemplo clássico ocorreu durante o século XVII, entre 1630 e 1654. Todos se lembram da invasão holandesa ao Brasil, dos tempos do elegante príncipe Maurício de Nassau, administrador da Companhia das Índias Ocidentais em Recife. Ou do episódio do maravilhoso boi voador, quando Nassau conseguiu engambelar a população na inauguração da ponte que ligava o bairro de Boa Vista à cidade, fazendo voar um couro recheado de palha. Graças a Nassau, o Nordeste conheceu a tolerância religiosa, conviveu com uma assembleia representativa e um comércio livre, com as ciências naturais, a tecnologia, a arquitetura civil e a arte. Passados 24 anos da invasão holandesa, seguiu-se a expulsão dos invasores. Para os flamengos serem mandados embora, a participação de Henrique Dias foi fundamental. Quem foi ele?

Negro liberto, com o título de governador dos crioulos, negros e mulatos — que lhe foi confirmado por carta patente do conde da Torre, de 4 de setembro de 1639 –, Dias foi mestre de campo e agraciado por d. João IV cavaleiro da Ordem de Cristo, ordem religiosa e militar prestigiadíssima e herdeira da Ordem do Templo. Não se sabe se teria nascido em Pernambuco ou Angola. Ele já devia ser conhecido como líder militar, pois, quando do início da guerra, ofereceu-se como voluntário para lutar, recrutando um grande número de africanos nos engenhos ocupados pelos holandeses.

Mas de onde saiu essa brava gente? Havia a tradição de lutar em bandos, maneira de conquistar prestígio junto aos grupos senhoriais, informa o historiador Vitor Izecksohn. O serviço militar era uma maneira de conquistar prestígio e reconhecimento também junto à coroa portuguesa. A disciplina do grupo era mantida pela lealdade pessoal e pelo testemunho de colegas e vizinhos. E uma das características desses bandos eram os laços de amizade e compadrio que uniam seus membros e que, como já vimos, foi constante entre homens negros em outras circunstâncias.

A reunião das companhias auxiliares de infantaria de pardos e libertos recebia a designação de terço. A comandar o terço, estava o mestre de campo, que podia ser branco, pardo ou, mais raramente, preto liberto. Justamente como mestre de campo, Dias comandou o chamado Terço dos Homens Pretos e Mulatos do Exército Patriota nas duas batalhas de Guararapes. Suas tropas de infantaria eram também chamadas de Henriques ou milícias negras, e sua estrutura foi inspirada nas "guerras pretas" que tinham ocorrido na África Central Atlântica durante o século XVI, para a captura de escravos. Ao lado de índios flecheiros comandados por Felipe Camarão e de soldados portugueses e mercenários espanhóis, o Terço ou Regimento dos Homens Pretos integrava a força mestiça que expulsou os inimigos. Venceram uma guerra de guerrilheiros da terra contra guerreiros da Europa. De homens que conheciam a arte da guerra nas Áfricas contra a ciência abstrata de batalhas nos campos europeus. Seus membros foram libertos e pagos, e os senhores que os haviam cedido para lutar com Dias, indenizados. Sobre seus homens, Dias mesmo os descreveu em carta:

> De quatro nações se compõe este regimento: minas, ardas, angolas e crioulos; estes são tão malcriados que não temem nem devem; os minas, tão bravos que, aonde não podem chegar com o braço, chegam com o nome; os ardas, tão fogosos que tudo querem cortar de um só golpe; os angolas, tão robustos que nenhum trabalho os cansa.

Na tradição europeia, os holandeses combatiam em formações maciças protegidos pelos piqueiros e couraças. Formavam-se em três linhas: vanguarda, batalha e retaguarda. Dias, por sua vez, liderou uma guerra defensiva altamente dinâmica. Preferiu combater em pequenos grupos separados e, de preferência, com arma branca, avançando, recuando, armando ciladas, aproveitando-se ao máximo da surpresa e do terreno do qual ele e seus homens eram profundos conhecedores. Aliás, o uso de armas de fogo era privilégio para poucos. O mais comum era o emprego de espadas, facas, zarabatanas, arcos e flechas, machados e enxadas. A transformação de instrumentos de trabalho em armas era comum.

Lembra o historiador Pedro Puntoni que "capitães" como Dias estavam no comando de um punhado de homens que eram destacados para controlar uma determinada região. Com uns 30 ou 40, vários deles índios "frecheiros", isto é, hábeis com arcos, tais guerrilhas atormentavam o inimigo, desbaratando-lhes os postos e comunicações. Tal exército tornava-se invisível nos matos, onde eram também imbatíveis. E não se tratava apenas de fazer a guerra, mas de sustentar quem a fazia, protegendo o abastecimento de alimentos.

Evaldo Cabral de Mello acrescenta que eram milícias compostas por homens velozes e audazes, os quais não tinham medo de espetar os pés, furar-se em espinhos e atravessar rios a nado. Eram também sorrateiros e exímios rastreadores, além de prestarem outros serviços durante as batalhas, servindo como transportadores de suprimentos, espiões e vigilantes.

Henrique Dias – ou "o Boca Negra", como era conhecido – participou de muitos combates, distinguindo-se por bravura em Igaraçu, onde foi ferido duas vezes. Foi um dos militares a reconquistar Goiana, no extremo norte de Recife, e, em Porto Calvo, Alagoas, em 1637, teve a mão esquerda estraçalhada por um tiro de arcabuz – e mandou amputá-la sem abandonar o combate, decidindo a vitória nessa ocasião. Estabeleceu-se numa estância nos limites de Recife e da cidade Maurícia – nome que tinha então uma parte de Recife – para ficar mais perto dos flamengos, e muitos combates resumiram-se a uma troca de insultos e desafios. Todas as vezes que foi atacado, rechaçou os inimigos.

O governador dos crioulos, negros e mulatos venceu duas vezes: nos campos de batalha e na vida pessoal. Em março de 1656, viajou a Lisboa para "pedir satisfação de seus serviços feitos nas guerras do Brasil", além de uma pensão e a transferência das comendas que recebera das Ordens Militares para os futuros genros, desde que fossem considerados homens de "qualidades e serviços". Isso pois tinha quatro filhas e queria casá-las muito bem, o que, sem dote, não era possível. Dias recebeu oficialmente a patente de mestre de campo e abriu mão de receber pessoalmente as duas condecorações das Ordens Militares que ganhou. Após o deferimento das solicitações, ele pediu ajuda de custo para retornar a Pernambuco, o que também foi deferido pela rainha regente, d. Luiza de Gusmão. Em uma terceira petição, requereu a manutenção do Terço dos Henriques, o que, após muita discussão, foi concedido, mas apenas enquanto o próprio Dias estivesse vivo. No retorno ao Brasil, sua embarcação foi atacada por piratas flamengos, mas ele sobreviveu para ver suas filhas casadas. Fechou os olhos em 1662 e, sem tostão, foi enterrado no Convento de Santo Antônio, em local desconhecido. O Terço, porém, sobreviveu a seu fundador e permaneceu em atividade, como parte das tropas regulares de Pernambuco, até o século XIX.

Outro protagonista de destaque foi Antônio Gonçalves Caldeira, mestre de campo que substituiu Henrique Dias no Terço dos Homens Pretos e que foi agraciado com o Hábito da Ordem de Santiago, apesar de seus antepassados serem escravos – o que, em tese, o desqualificaria para a honraria. O fato foi totalmente ignorado, pois Caldeira era admirado o bastante para que a coroa lhe concedesse o título nobilitante sem maiores resistências. Tinha tanto prestígio que, certa vez, preso acusado do assassinato de um capitão da tropa, ao passar na frente do mosteiro de São Bento, em Olinda, os monges saíram em massa à rua para confrontar seus carcereiros. A confusão foi grande e os frades espancaram os soldados que o traziam. Na arruaça, Caldeira conseguiu se armar de espada e atacar os militares, mas, acuados, esses revidaram e o mataram. Os laços entre os religiosos de Olinda e o mestre de campo eram tão sólidos que absolviam até crimes de sangue, como demonstrou a pesquisa da historiadora Kalina Vanderlei Silva.

O mulato João Fernandes Vieira também tem uma vida de sucessos para contar. Segundo o historiador Joaquim Veríssimo Serrão, ele nasceu ao redor de 1610 na Ilha da Madeira. Era mulato e pobre, mas livre. Muito jovem, emigrou para Pernambuco, onde exerceu pequenos ofícios, trabalhou num açougue e como feitor de escravos. Apresentou-se como voluntário no primeiro momento da guerra contra os holandeses, lutando até a rendição dos portugueses, em 1630. Ambicioso e inteligente, enriqueceu graças a doações que recebeu de seu patrão, Affonso Serrão, e, mais tarde, pela amizade com um conselheiro político e senhor de engenho holandês de quem foi criado, feitor e finalmente procurador. Em 1639, Vieira já era conhecido quando foi elevado a escabino, ou seja, membro da Câmara Municipal de Recife. Pouco depois já tinha cinco engenhos, exerceu o cargo de vereador da cidade Maurícia e conquistou o cargo de contratador de dízimos de pau-brasil e açúcar. Casou-se com certa Maria César, descendente de Jerônimo de Albuquerque, graças a quem entrou para a aristocracia rural.

Mas Maurício de Nassau voltou para a Holanda, e Vieira trocou de lado. Em 1644, exercendo a função de mestre de campo, comandou o mais poderoso terço do Exército Patriota nas duas batalhas de Guararapes, em 1648 e 1649, lutando ao lado de Henrique Dias na Batalha de Casa Forte.

Por seus feitos, foi aclamado chefe supremo da revolução e governador da Guerra da Liberdade e da Restauração de Pernambuco. Sua carreira não parou aí. Com a paz, Vieira recuperou os seus bens e, entre outros cargos, foi nomeado governador e capitão geral da Capitania da Paraíba, entre 1655 e 1657, e mais tarde capitão general de Angola, de 1658 a 1661. Exerceu também o cargo de superintendente das Fortificações do Nordeste do Brasil, de 1661 a 1681. Dono de mais de mil escravos, possuía 16 engenhos. Vieira encomendou ao frei Rafael de Jesus um livro para contar seus feitos. Nasceu assim *Castrioto Lusitano*, no qual o autor o compara a um príncipe albanês que lutou contra os turcos para salvar seu reino. Ele morreu a 10 de janeiro de 1668, em Olinda, e foi enterrado na igreja do Convento de Olinda.

Outros oficiais negros seguiram o mesmo caminho, tendo sido agraciados com mercês e honrarias, como explicou a historiadora Hebe Mattos. Um deles, que lutou ao lado de Dias, foi Manuel Madeira. Ele esteve na Primeira Batalha dos Guararapes e no cerco do Recife, e foi ferido várias vezes. Destacou-se num episódio digno de cinema: enviado para aprisionar flamengos que falassem português, chegou pela manhã com um soldado amarrado às costas, graças ao qual os planos inimigos foram descobertos.

Ou ainda Fernão de Souza, angolano, merecedor do Hábito de Avis, que "[...] sendo nestas ocasiões encarregado das vigias dos pontos de maior risco, em descobrir campo, picar o inimigo, fazer emboscadas, tomar flamengos por língoas, trabalhar nas trincheiras, obrou em tudo como devia". Foram muitos os heróis negros dessa guerra, e a cor não foi impedimento para premiações e honrarias. Mas, como bem mostrou Mattos, com a intensificação do tráfico de escravos no Brasil, a situação mudou e as recompensas foram diminuindo. Desde o início do século XVIII, não houve mais notícias da concessão de mercês reais de hábitos ou comendas das Ordens Militares a africanos ou oficiais negros, fossem eles africanos ou membros das tropas coloniais.

O "governador da gente preta", como era chamado no tempo dos conflitos o negro Henrique Dias, consagrado herói da restauração, foi usado à direita e à esquerda, seja como símbolo de harmonia e acomodação entre as raças no Brasil, seja como exemplo da bravura e dedicação de um homem negro na sociedade da época, pois havia sido capitão do mato e se envolvido também no combate a inúmeros quilombos. Um dos maiores historiadores do tempo dos flamengos, José Antônio Gonsalves de Mello, sem cair em julgamento anacrônico, coisa que certamente não lhe cabia fazer, alertava: "embora já se tenha lamentado que o governador dos negros se tivesse prestado a servir de capitão do campo para a recaptura dos de sua cor, deve-se compreender o caso não com os sentimentos de nossos dias, mas do ponto de vista do século XVII, de uma sociedade escravocrata". Henrique Dias faleceu em 1662.

Mobilidade social militar

Desde sempre, militares afro-brasileiros se inseriram na sociedade colonial por meio de competências que lhes garantiram mobilidade social. Não se pode negar a experiência militar já existente entre africanos escravizados, comprovada nas guerras contra holandeses. Tais homens traziam consigo um profundo conhecimento sobre lutas, armas e armadilhas para o inimigo. E, depois de provar suas qualidades no Nordeste, fizeram o mesmo no Sudeste, sublinha o historiador Francis Cotta. Segundo ele, nas Minas Gerais do século XVIII, eles estariam militarmente agrupados em quatro espécies de milícias: as companhias auxiliares de infantaria, as companhias de ordenanças de pé, os corpos de pedestres e os corpos de homens do mato.

Quanto à sua eficiência, institucionalizadas a partir dos primeiros anos do Setecentos, tais milícias eram vistas de maneiras distintas pelas autoridades portuguesas. As companhias auxiliares de infantaria de pretos libertos poderiam atuar tanto na destruição de quilombos e repressão aos índios quanto na defesa das fronteiras marítimas e terrestres, em auxílio às tropas regulares da capitania de Minas Gerais ou de outras capitanias. Já ao final da década, o ministro Martinho de Melo e Castro elogiava os corpos de negros que, marchando, abrindo caminhos e picadas inexistentes nas serras e sertões, navegando rios com muitas cachoeiras perigosas, depois de suportarem e padecerem com admirável constância os maiores trabalhos, fomes e fadigas, chegavam aos quilombos e os destruíam. Diversos governadores reproduziam o discurso de que "esta qualidade de gente é a mais útil, pela facilidade que tem de entrar nos matos". Em 1776, por exemplo, as milícias negras foram reforçadas em função dos conflitos com os espanhóis no sul das possessões portuguesas na América. As autoridades oscilavam entre receio e necessidade.

Por um lado, seu valor militar não podia ser negado. Por outro, existia o medo dos brancos de que companhias formadas por homens negros com tantas competências acabassem passando de aliadas a inimigas.

Cotta explica que, após o emprego das companhias de pretos libertos em campanhas militares, seguiram-se as lutas para esmagar os quilombos. Palmares foi o primeiro, arrasado em 1663 pelo capitão preto Gonçalo Rebelo e seus 200 soldados. Em Minas Gerais, entre 1710 e 1798, foram destruídos cerca de 160 núcleos quilombolas. O discurso oficial sobre as tropas de pretos sofreu, então, uma mudança significativa. O sucesso se impôs. Antes submetidos a oficiais brancos, doravante as tropas passaram ao comando de mestres de campos, sargentos-mores e demais oficiais pardos.

Depois da destruição do Quilombo do Córrego Grande, a necessidade venceu o receio. No último quartel do século XVIII, a correspondência dos capitães generais destacava a técnica específica de combate dos corpos militares formados por negros, pardos e índios. Em suas ações, utilizavam as emboscadas; caíam de surpresa sobre os inimigos; exploravam a seu favor os acidentes topográficos; conheciam as matas, as montanhas e os rios; sabiam tirar da natureza seu alimento. Enfim, utilizavam as táticas de guerrilha já comprovadas no Nordeste e agora aplicadas no Sudeste. Além dos caminhos abertos nas matas, os integrantes destas milícias abririam, pouco a pouco, picadas em outros planos.

Nas Minas Gerais, derreteram as antigas prescrições de que os oficiais deveriam ter "sangue limpo", avós de linhagem pura e pele branca. Nascia uma aristocracia fardada com homens negros e de procedência étnica e social variada. Mulatos e negros conquistaram os postos de oficiais, apesar da indignada censura dos brancos. Se não havia uma política sistemática de discriminação por lei ou regulamentos contra libertos, havia pressões sociais que criavam, na prática, ações discriminativas. A crítica voltava-se para as patentes que os afidalgavam, levando o mulato e o negro livre a se elevarem, verticalmente, com galão de homens livres e enobrecidos. Eles tendiam a reproduzir o universo dos homens brancos. Isso incomodava. Causavam desconfiança não só porque podiam se rebelar a qualquer momento, mas porque claramente se inseriam nos serviços régios buscando honras e privilégios que seus postos lhes concediam: promoções pelos bons serviços prestados ou pela vacância de um posto superior; consolidação de laços de parentesco e das redes de amizades dentro de seus terços e poder sobre seus comandados. Porém, com habilidade, eles preferiram se inserir na sociedade a lutar contra ela. Muitos mestres de campo eram homens que já tinham reconhecimento social por seu envolvimento com as artes. O poeta "alto, afamado e de cor parda" Manuel Inácio da Silva Alvarenga, formado em Coimbra para orgulho do pai, um pequeno lavrador tocador de rabeca, foi um deles. Daí a incorporá-los foi um passo.

O conde de Valadares, empenhado em prestigiar gente da terra, ao organizar regimentos com oficiais pretos e mulatos desprestigiou a aristocracia. Sim, nos tempos coloniais havia sargentos-mores e capitães-mores mulatos. Tais postos os embranqueciam automaticamente aos olhos da sociedade, pois tinham atingido a posição de comando por qualidade ou circunstância excepcional. Havia também a possibilidade de os terem herdado de padrinho rico, pois era muito comum que pessoas influentes, por amizade, parentesco e fidelidade ao serviço, indicassem conhecidos para postos de comando. Quando, em Recife, o senhor de engenho inglês Henry Koster perguntou se um certo capitão-mor era mulato, em vez de lhe responderem que sim, perguntaram-lhe se "era possível um capitão-mor ser mulato".

Entre os que preferiam se inserir na sociedade, houve o caso do poderoso capitão pardo Francisco Alexandrino, promovido a mestre de campo do Terço de Vila Rica, estudado por Francis Cotta. Conhecido pelas contínuas expedições de entrar nos matos contra os "negros fugidos", era visto como "homem de morigerados costumes, louvável conduta, capacidade e outras circunstâncias que o fazem merecedor desta atenção". Não receberia soldo, mas gozaria de "todas as honras, graças e isenções do posto". Ele tinha sob seu comando 23 companhias de pardos e sete de pretos libertos, o que representaria cerca de 1.800 homens. O poder adquirido por protagonistas como Alexandrino era considerável. Os próprios governadores, ao emitirem suas cartas-circulares, enviavam-nas aos capitães-mores, coronéis e mestres de campo, demonstrando o respeito devido aos colegas. A patente militar era mais uma forma de reconhecimento e prestígio.

Os terços se distinguiam sempre pela denominação de "pardos" ou "pretos libertos", remetendo aos tempos de escravidão que se desejava apagar. Os furos na rede de controle ajudavam a impulsionar os protagonistas para cima na pirâmide social. Como bem demonstrou Cotta, o mestre de campo Joaquim Pereira da Silva, por exemplo, pardo, 48 anos, era solteiro e tinha 24 escravos e dois agregados forros. Em outubro de 1776, pediu confirmação no exercício do posto de capitão da Ordenança de Pé dos Homens Pardos Libertos do distrito de Córregos e Capela de Padre Gaspar, termo da Vila de São José. Anos depois, em junho de 1782, fez novo requerimento solicitando confirmação do posto de mestre de campo no Terço de Infantaria Auxiliar dos Homens Pardos Libertos, do termo da Vila de São José do Rio das Mortes. Tornou-se, assim, um oficial da mais alta patente.

Para confirmar a mobilidade social, os homens se casavam apenas com mulheres de igual condição. A valorização da família era imprescindível. Os casamentos perante um padre, na igreja, conferiam prestígio e inserção social. Segundo Cotta, os oficiais negros, por questões estratégicas ou por convicção religiosa, iam nessa direção. Isso porque o Estado Português, por processos em que se examinavam as origens dos nubentes, normalmente não permitia o casamento oficial, sacramentado, entre indivíduos de condições desiguais. Livres com escravas não podia. Era conhecida a posição do marquês de Lavradio, que rebaixava de posto quem se casasse com uma escrava.

Dos cinco capitães negros do rol de São José, quatro eram casados e todos possuíam escravos. O capitão José Gomes da Costa, 37 anos, era crioulo, casado com a crioula Leonarda Maria de Jesus, de 19 anos, possuía três escravos e um agregado forro. Hilário Álvares Batista, capitão crioulo, tinha 45 anos, era casado com Inácia de Oliveira, 31 anos, crioula, tinha cinco filhos e oito escravos. O capitão Silvestre Pereira Grilo, 50 anos, era crioulo, casado com Inácia Gonçalves da Cruz, 34 anos, crioula; tinham cinco filhos e um escravo. O capitão Lucas Dias, 57 anos, crioulo, casado com Pulcheria Maria, 42 anos, crioula, tinha nove filhos e um coartado (um escravo em transição para a liberdade). Por fim, o capitão Antônio da Costa Santeiro, o único solteiro, possuía três escravos. "Apesar de hierárquico, o mundo colonial abria brechas por meio das quais os indivíduos poderiam melhorar as condições adversas em que nasceram", afirma Cotta. Tais brechas, segundo Eduardo Paiva, contribuíam para manter a estabilidade da sociedade, permitindo ainda a ascensão, quando não social, pelo menos econômica da camada de libertos.

As oficialidades negras dos Terços de Pardos e de Henriques das capitanias da Bahia e de Pernambuco de meados do século XVIII são exemplos efetivos de grupos de afro-brasileiros portadores de condição radicalmente diferenciada da de seus pais e avós africanos e crioulos, cativos ou libertos. Grupo extremamente numeroso, influente, que, além de exercer cargos no Exército, estava ligado à pequena lavoura, aos "ofícios mecânicos", e era altamente comprometido com a escravidão, pois, como visto, muitos eram pequenos proprietários de cativos. Caso, por exemplo, de Felipe Néri de Vasconcellos, mestre de música e tenente do Regimento de Artilharia de Pernambuco, "voluntário da pátria" na guerra contra o Paraguai, onde perdeu a vida. Ou Mestre

Ataíde, responsável pelas belíssimas pinturas das igrejas mineiras. Eles se protegiam no mesmo grupo fechado, onde todos se davam as mãos.

Tais homens ainda detinham a capacidade de interferir em decisões, agendas e programas, pois dominavam o letramento e a escrita. Através de petições produzidas por eles ou por seus procuradores demandavam posições pessoais ou corporativas, solicitavam recompensas por serviços prestados, denunciavam quebras às regras de promoção a cargos de oficiais, ou simplesmente demandavam direito de portar armas, fardas, insígnias ou receber cartas patentes – símbolos de distinção e de ascensão na sociedade de sua respectiva capitania.

As irmandades religiosas e as milícias eram também espaços de representação e de reconhecimento social. Juntas, ambas se fortaleciam, como demonstrou Mariza Soares ao estudar a irmandade de Santo Elesbão e Santa Efigênia no Rio de Janeiro, cujos mais importantes membros ostentavam com brio suas patentes militares. Eram eles: Inácio Gonçalves do Monte, Gonçalo Cordeiro e João Luís de Figueiredo, reconhecidos como capitães, alferes, sargentos, entre outros títulos honrosos. Por serem oficiais, representantes da lei e da boa ordem, eles consolidavam, por sua vez, o prestígio da irmandade. E, por serem "irmãos em armas", reforçavam laços nas milícias. Ainda tinha os integrados aos "ofícios mecânicos", que se amparavam.

Tais homens eram fiéis à monarquia e também à Igreja. Os Terços de Homens Pretos foram verdadeiros catalisadores das aspirações de afro-brasileiros e crioulos que buscavam se distinguir e se afastar ao máximo do conjunto da escravaria e da condição de ex-escravos. Para quem alcançava a liberdade, o estigma do cativeiro se tornava uma mancha a apagar. Eles marcavam sua diferença circulando pelas ruas em belos uniformes brancos debruados de vermelho, coletes coloridos, penacho preto ao chapéu bicorne e botas curtas da mesma cor. Portavam espadins e bengalas, de acordo com o cargo. Às vezes exibiam seus instrumentos musicais às costas.

Por isso, integrar um terço de auxiliares e, principalmente, conquistar uma patente do oficialato revelou-se uma importante estratégia de ascensão social e reafirmação da liberdade. Que o diga certo Thomé Galvão que, após receber sua patente do oficialato e proferir o juramento, deixou de ser mais um crioulo entre tantos outros na cidade do Rio de Janeiro. Gabava-se: agora era "capitão e fiel vassalo".

O mesmo aconteceu com Ignácio Gonçalves do Monte, rei mahi. Já proeminente entre os seus, ao obter a patente de capitão, certamente tornou-se ainda mais influente e reconhecido no interior do seu grupo, os mina-mahi.

92   À procura deles

E adquiriu maior projeção social junto às demais pessoas com quem interagia pelas ruas da cidade. Ou ainda Thomé Galvão e tantos outros, que, ao tomarem em mãos suas patentes do oficialato, diferenciaram-se definitivamente do conjunto da escravaria. Eram homens de armas e deveriam ser reconhecidos, assim como suas ordens, "por escrito e de palavra". Deveriam ser obedecidos por seus "subalternos e soldados". Além disso, a exposição pública da carta patente era uma realidade sonhada e conferia poder ao seu possuidor. A expressão "faço saber a quem essa minha carta patente virem" tornava legítimas as ordens nela contidas. E prostravam-se os subordinados.

O caso de Miguel de Souza de Andrade, autoidentificado como "de nação Congo", é emblemático. Ele percorreu um longo caminho para reconstruir sua vida após chegar ao Brasil. Lançando mão de uma série de estratégias, convivendo e estabelecendo relações cotidianas com africanos, escravos e forros de diferentes procedências, chegou à velhice, com seus "80 anos, pouco mais ou menos", tendo alcançado o honroso título de "capitão-mandante das companhias de homens pretos". Os africanos, no entanto, não foram os únicos agentes sociais com quem construiu relações. Ao longo dos anos, Souza de Andrade manteve-se próximo de negociantes e de homens agraciados com patentes militares. Como símbolo de ascensão e de negação da antiga condição social, tornou-se proprietário de escravos, sendo "senhor e possuidor" de crioulos, pardos e africanos.

Contra a coroa portuguesa

A migração da família real portuguesa para o Brasil, em 1808, teve forte repercussão entre os militares. Durante sua permanência no país, d. João VI incentivou o aumento das escolas régias – equivalentes, hoje, ao segundo grau – e das cadeiras de artes e ofícios. Como príncipe regente, fundou os primeiros estabelecimentos de ensino médico e, no Rio de Janeiro, ampliou a Academia Militar, transformada em Academia Real Militar. Na Bahia e no Maranhão, solidificaram-se Escolas de Artilharia e Fortificação. Bibliotecas e tipografias entraram em atividade, sendo a Imprensa Régia, na capital, responsável pela impressão de livros, folhetos e periódicos, e, como veremos à frente, o letramento atingiu também as pessoas negras.

D. João revisou a estrutura militar de defesa, aumentou o número de regimentos de mulatos, valorizou os que tinham conhecimentos superiores para ocupar cargos de oficiais, só se negando a dar armas nas mãos de escravos. A vinda da família real para o Brasil representou um marco para os Henriques da cidade do Rio de Janeiro. Desde meados do século XVIII, eles eram proibidos de ocupar os maiores postos do oficialato, o caso de Henrique Dias sendo uma exceção. Doravante, os homens forros passariam a receber as maiores patentes. Vamos vê-los, como viu a viajante inglesa Maria Graham, beijando a mão da imperatriz Leopoldina nas recepções do Palácio de São Cristóvão.

Milícias brancas, pardas e negras inicialmente protagonizaram o esforço reformista da monarquia lusitana para envolver os diversos componentes da população livre na defesa do território. Em 1815, foi criado o Reino Unido de Portugal, Brasil e Algarves, prenunciando o fim da condição colonial. O Brasil, contudo, continuava mal unificado internamente. A corte carioca mantinha um controle rígido sobre as capitanias, sobrecarregando-as com encargos fiscais e monopólios. Os colonos reagiam ao governo do Rio de Janeiro e acumulavam-se críticas aos novos governantes. Depois do fim das guerras napoleônicas, a queda do preço do açúcar e do algodão só multiplicou as tensões. O aumento de impostos para custear a intervenção militar que valeu a incorporação do Uruguai ao Brasil, como Província Cisplatina, acendeu o rastilho de pólvora que resultou no processo de Independência.

Em 1821, a Revolução Liberal do Porto, movimento voltado para a convocação de uma assembleia constituinte, exigia o retorno imediato de d. João a Portugal. Não tendo sido extinta a dualidade de poder, ele voltou ao reino e deixou como regente seu filho, d. Pedro. Eis que a pressão metropolitana se voltou contra o regente: a 21 de setembro de 1821, um decreto determinava seu retorno imediato. D. Pedro resistiu e, em 9 de janeiro de 1822, tornou pública sua determinação de permanecer no Brasil.

No mesmo mês, a metrópole nivelou o Rio de Janeiro à condição das demais províncias. O regente revidou e expulsou as tropas lusitanas do Rio de Janeiro. As duas cortes disputavam o poder até que, em setembro de 1822, d. Pedro rompeu com a pátria-mãe, sagrando-se imperador a 12 de outubro do mesmo ano. Controvérsias sobre a data e o famoso "grito" não faltam. Nenhum jornal de época faz qualquer menção ao 7 de setembro. O "grito" só começa a ganhar força a partir de 1826, com a publicação do testemunho do padre Belchior Pinheiro Ferreira, incluindo a data no calendário das festividades da Independência.

Chegaram mudanças. Os soldados agora defendiam uma monarquia constitucional. Regulamentos novos tiraram as últimas barreiras de segregação nas fileiras, que, aliás, nunca foram respeitadas. Afro-brasileiros dominavam as tropas. Escravos, porém, não podiam ser recrutados, exceto quando libertos. Nessas fileiras, a disciplina podia se resumir "num constante processo de negociação dos soldados com seus superiores sobre a natureza do serviço militar", segundo o historiador Hendrik Kraay. Ou seja, negociava-se para evitar conflitos.

O movimento constitucionalista brasileiro acentuou os turbilhões. D. Pedro apoiava o movimento com ressalvas do tipo: "A constituição deve ser digna do meu poder". Ora, não causou estranhamento que as elites se dividissem. Apoiar as cortes portuguesas significava se submeter a um governo liberal, ao passo que o imperador tinha princípios absolutistas. Além disso, as tropas estacionadas nas diversas províncias também estavam divididas. Resultado? No Norte e Nordeste, registraram-se movimentos pró-Lisboa. Do Pará ao Maranhão e do Piauí ao Ceará, conflitos armados se estenderam de 1822 a 1823. Na Bahia, as lutas pipocaram por um ano. Os grupos constitucionalistas queriam criar um similar nacional das cortes portuguesas. Apoiados pelas elites do Rio de Janeiro, Minas Gerais e São Paulo, conseguiram fazer ouvir "o grito do Ipiranga" que, sem seu apoio, não passaria de mais um berro do autoritário imperador.

Proclamada a Independência, houve rejeição à decisão imperial e resistência dos portugueses aqui radicados, especialmente no Maranhão e na Bahia. Durante a chamada "guerra da independência da Bahia", entre 1822 e 1823, abriram-se novas alternativas para o oficialato negro das milícias. Quem apoiou o imperador d. Pedro I foi recompensado com reconhecimento e *status*, explica o historiador Hendrik Kraay. Os oficiais se alinharam às forças pró-independência, atitude que lhes valeu inserção social e política, dando visibilidade à sua liderança. Eles foram considerados um pilar do recém-fundado Império do Brasil e aderiram não só ao novo regime como à manutenção da escravidão.

Ao agirem dessa forma, explica Kraay, foram recompensados pelo imperador, que reforçou suas posições com melhores salários, influência e carreiras. Protagonistas como o capitão Joaquim de Santana Neves, que esteve no centro do conflito da independência na Bahia, famoso por ter "quebrado pessoalmente o braço de um oficial português", tiveram sua liderança ampliada entre livres e libertos. A guerra dilatou o leque de oportunidade para membros da milícia.

E os escravos? Não que eles não tivessem lutado pela independência. Segundo Kraay, pela absoluta falta de homens livres, houve alistamento de escravos em 1822 e 1823, numa espécie de recurso improvisado pelo general Labatut, comandante das tropas patriotas na Bahia. Os confiscados dos portugueses que se encontravam fora do Brasil foram alistados no Batalhão de Libertos Constitucionais e Independentes do Imperador. Esse alistamento significava uma distante promessa de liberdade. Outros escravos se encontravam a serviço da causa patriota sob ordens dos seus senhores. Por exemplo, o dono de duas armações baleeiras no Recôncavo Baiano mandou seus 60 escravos para trabalhar na construção de fortificações e no carregamento de víveres para as linhas patriotas.

Kraay explica ainda que a decisão do governo imperial de ratificar o alistamento de escravos, considerando-os livres, esposava o interesse dos senhores baianos. Devolvê-los à escravidão teria sido ainda mais imprudente do que recrutá-los. Assim, muitos senhores acabaram aceitando a compensação e abriram mão do seu direito de propriedade. Aqueles que se negaram a libertar seus escravos-soldados receberam inúmeros requerimentos, solicitando a prometida liberdade. Em pelo menos dois casos, ministros ordenaram que as autoridades provinciais tentassem convencer os donos relutantes a aceitar a justa recompensa e a libertar seus escravos; um desses escravos, Manoel Rufino Gomes, já era sargento.

Nem sempre era fácil obter compensação. Como lembra Kraay, o deputado e escritor José Lino Coutinho, que se dizia abolicionista, "aproveitou-se de uma visita ao Rio de Janeiro no início de 1825 para provar seu domínio sobre os soldados Francisco Anastácio e João Gualberto, irmãos, alfabetizados, pelos quais aceitou 600 mil e 160 mil réis, valor inferior à avaliação".

Kraay conta vários casos acontecidos. Geminiano Lázaro, que lutou com as forças patrióticas, teve a má ideia de voltar à casa de sua senhora pouco depois da reocupação de Salvador. Infelizmente, ele fez isso antes que chegasse a Salvador a notícia da libertação dos escravos-soldados. De alguma maneira, "acabou servindo no batalhão miliciano de negros em 1829, quando autoridades militares resolveram que sua dona fosse recompensada". Antônio Ribeiro, companheiro de Geminiano, desertou do Exército antes que sua condição escrava fosse liquidada. Ao voltar a Salvador, foi alistado na milícia negra. Ali foi encontrado por seu dono, e autoridades militares julgaram que perdera seu direito à liberdade por causa da deserção. Devolveram-no a seu senhor.

Nem sempre era fácil resolver as reivindicações dos senhores e dos escravos-soldados. Um angolano foragido, Caetano Pereira, "alistou-se voluntariamente no dia 9 de junho de 1823, mas não no Batalhão de Libertos. Deu baixa no dia 7 de agosto e logo enfrentou um dono enfurecido que tentava vendê-lo para fora da província". Sabendo da decisão do governo imperial de libertar escravos-soldados, Caetano procurou seu antigo comandante, que aceitou alistá-lo novamente em 6 de outubro. Funcionava a solidariedade dos "irmãos em armas".

Se, por um lado, os senhores minimizavam os serviços prestados por escravos, negando sua condição de soldados e lutando por sua "propriedade", por outro, os escravos que serviram na guerra valeram-se dos seus serviços para reivindicar respeito por parte das autoridades. O africano Domingos Sodré, por exemplo, apesar de não ter sido liberto depois da guerra, considerava-se veterano da independência. Alforriado pelo dono em 1836, foi preso em 1862 por práticas de candomblé em sua casa. Ao ser preso, vestiu-se orgulhosamente com a farda dos veteranos da independência, para desgosto do subdelegado, que lembrou ao chefe de polícia que Sodré fora escravo durante a guerra. Gozava, portanto, de uma situação de respeito. Como conclui Kraay: os "pardos, cabras e crioulos" que "não falavam em mais nada do que em liberdade" reconheciam que as medidas de Labatut foram inovações importantes. Por isso tantos escravos fugiram para os acampamentos patriotas, vendo na luta pela liberdade de Portugal a sua própria liberdade.

As oportunidades trazidas pela independência trouxeram também momentos em que o feitiço virou contra o feiticeiro. Foi o caso ocorrido em Pernambuco, onde o clima de guerra civil imperava na província desde a aclamação do imperador. As desigualdades regionais, ainda não resolvidas, as disputas políticas e as tensões sociais e raciais, opondo negros e pardos, libertos ou escravos, eram latentes. Nesse episódio destacou-se Pedro da Silva Pedroso, cuja história pode ser considerada uma expressão das tensões raciais daquele momento, explica a historiadora Kelly Azevedo de Lima. Diretamente incentivado por José Bonifácio, ministro de d. Pedro I, Pedroso passou a promover tumultos nas ruas e liderou uma agitação que tinha por objetivo depor a junta de governo de Pernambuco, que fazia críticas ao governo central e às atitudes centralizadoras do imperador.

Pedroso, que ficara conhecido como o capitão dos pardos, sendo promovido a tenente-coronel, tomou posse como governador das armas em Pernambuco. Desde então, "uma multidão de negros e pobres seguia sua liderança carismática. Passaram a ser os senhores das ruas, assustando a população branca com ameaças, ataques e conflitos violentos". Instigada por Pedroso, a "tropa de cor" tornou-se "agressivamente vindicativa queixando-se que seus oficiais eram preteridos nas promoções em favor dos 'caiados', alusão irônica à condição mestiça de muitos destes brancos oficiais". Pedroso promoveu pardos e pretos, mudando também o comando dos corpos.

Além disso, quisera executar soldados sem processo, passando por cima da autoridade do governo civil. Referindo-se a Pedroso, um anônimo criticava:

> O procônsul ora se fazia mulato, ora preto, procurando alistar-se em suas confrarias, banqueteando-os e dando-lhes toda a ousadia, soltando das prisões alguns sentenciados, outros, sem lhes formar culpas, mandava abrir devassas, despedia carcereiros, criava outros, numa palavra era um ditador romano no meio destes e de outros desvarios em que toda a gentalha e a maior parte de pretos e pardos, principalmente fardados, olhavam para um branco como objeto desprezível, apelidando-os caiados e republicanos etc., e outros dichotes.

Como conta Kelly de Azevedo Lima, em 31 de dezembro de 1822, Pedroso colocou na prisão 180 portugueses, "dando foros de veracidade ao boato de que planejava tomar o poder a 6 de março, aniversário de Dezessete", ou seja, da Revolução Pernambucana de 1817, de caráter separatista e republicano. A junta de governo liberou os presos, mas não demitiu Pedroso.

> Nesse dia, aos gritos de "morram os marinheiros e os caiados", tropa e populaça puseram Recife e Olinda em pânico. A agitação assumia feitio insurrecional, provocando os temores de uma revolução racial. A situação tornou-se insustentável, e a possibilidade de um conflito de maior proporção era latente. A Câmara de Recife, que atuava como mediadora, convocou para uma reunião a junta que havia sido deposta junto com Pedroso. Neste encontro, o tenente-coronel dos pardos recuou da posição ofensiva e aceitou entrar em acordo. A junta voltou ao poder, e, traindo o acordo feito, a Câmara prendeu Pedroso e o embarcou para a corte.

Enquanto isso, na capital, d. Pedro convocou a primeira assembleia legislativa em 1823. E, em 1824, a Constituição outorgada pelo imperador aboliu as restrições baseadas na ideia de um "defeito" contido no sangue, muitas vezes manifesto na aparência física e capaz de manchar, por várias gerações, os descendentes de escravos ou aqueles pertencentes à chamada "raça de mulato". Segundo o documento, todos os homens livres nascidos ou naturalizados brasileiros passavam a gozar da mais plena igualdade perante a lei. Por isso, as únicas diferenças que doravante os separariam seriam aquelas decorrentes de seus próprios "talentos e virtudes". Instaurava-se legitimamente a meritocracia que levaria inúmeros homens ao poder. A origem familiar e a cor não pesariam mais tanto na reprodução das desigualdades – ao menos no papel.

Após a abdicação de d. Pedro I, em 1831, o governo foi exercido por regentes eleitos entre os membros do Congresso, uma vez que o sucessor, Pedro de Alcântara, futuro d. Pedro II, ainda tinha 5 anos de idade. Nesse período, eclodiram revoltas que provocaram forte reação. Os regentes desmobilizaram parcialmente o Exército e criaram uma nova instituição: a Guarda Nacional. Baseada na sua congênere francesa, a Guarda era organizada em localidades e tinha como função a ordem interna e o auxílio ao exército de linha. Lembra Vitor Izecksohn que sua competência era muito discutível. A instituição não tinha capacidade militar para grande mobilização e era complicado retirar seus integrantes das localidades de origem para cumprir funções para as quais não estavam treinados. Houve momentos em que se recusaram a lutar. Em Minas Gerais, um comandante de legião não encontrou quem quisesse enfrentar o Exército Farroupilha, por exemplo: "Tive o desprazer de não conseguir êxito nos meus esforços", queixava-se. O resultado foi que o Exército cresceu, lenta, mas constantemente com homens pretos.

Contra a Regência

Durante a Regência, o arquipélago a que chamavam de Império do Brasil explodiu. O federalismo incentivava reações ao centralismo desejado pelos liberais. No contexto das chamadas "revoltas regenciais", os afro-brasileiros integrados ao Exército puderam dar inúmeras provas de "talentos e virtudes". E foi numa delas que vimos surgir um protagonista ímpar. Para que seu sucesso se revelasse possível, foi preciso que o destino desse as mãos à vontade e ao talento e que o contexto histórico ajudasse. Seu nome? José Mariano de Mattos.

O contexto foi a Revolução Farroupilha (1835-1845), a maior e mais longa revolta do período. Os "farrapos", como eram denominados os rebeldes, reivindicavam maior autonomia política e econômica para o Sul do país. Na raiz do conflito estava o descontentamento dos poderosos estancieiros gaúchos com a política de impostos do governo central. Tendências políticas diferentes – republicanas ou monarquistas, federalistas ou centralistas – conviviam no interior do movimento. A tendência majoritária da rebelião, liderada por Bento Gonçalves, militar e rico fazendeiro, era a favor de um governo federativo e republicano, enquanto a minoria posicionava-se em prol de uma monarquia descentralizada.

A rebelião expandiu-se e culminou, em 1838, com a proclamação da República Rio-Grandense, ou República de Piratini, tendo Bento Gonçalves como primeiro presidente. Um ano depois, o movimento chegou à cidade de

Laguna, em Santa Catarina, onde foi proclamada a República Juliana, que durou pouco. Depois de vários anos de combate, os rebeldes foram derrotados em 1845 pelas tropas do governo.

Tal como aconteceu no Rio de Janeiro ou na Bahia, também no Rio Grande do Sul a inserção de negros, pardos e mulatos na luta ofereceu possibilidades de mobilidade social e destaque. O carioca José Mariano de Mattos foi certamente um dos "grandes" nomes. Ligado às forças imperiais, foi transferido para a região Sul, onde começou a entrar em contato com os problemas e insatisfações locais.

Militar distinto, o carioca por vezes divergia das opiniões de seus companheiros de luta, mas sua habilidade nas batalhas era considerada fundamental. Segundo documentos de época, ele "valia por um bom par de legiões", sendo a "alma da rebelião". Além de guerreiro, defendia o projeto revolucionário da abolição do cativeiro. Apontado por jornais do período como "um dos que mais trabalharam na revolução", Mattos esteve diretamente envolvido com os caminhos que o movimento percorreu. Mattos era ainda membro venerável da maçonaria em Porto Alegre, ou seja, de um dos grupos da elite política e da inteligência regional. Tanto no Brasil como no Rio Grande do Sul, à semelhança de outras partes do mundo, as lojas maçônicas eram o espaço de sociabilidade privilegiado, sobretudo, para as elites político-econômicas e intelectuais.

Mas quem era e de onde veio Mattos? Segundo a historiadora Letícia Rosa Marques, ele nasceu no Rio de Janeiro, em 1801. Filho de José Mariano de Mattos e Ana Flavia de Mattos, ao ingressar na Academia Real Militar, a 3 de março de 1819, encontrou a possibilidade de se inserir em melhores postos. Praça em 2 de agosto de 1822, já havia sido promovido a 2º tenente por decreto de 24 de fevereiro de 1823, e, em 12 de outubro de 1823, a 1º tenente. Depois de prestar juramento à Constituição do Império e ser designado para algumas regiões a serviço, Mattos teve uma breve passagem pela Província de São Pedro do Sul, retornando em 7 de abril de 1829. Após esse período, foi promovido a major em 17 de outubro de 1830 e nomeado Cavaleiro da Ordem Imperial do Cruzeiro por serviços militares prestados na Guerra da Independência. Como diz Letícia Rosa Marques, "destacando-se nas funções a que era designado, fez de sua carreira militar uma escada, cujos degraus, ao longo dos anos, foi habilidosamente subindo. Alguns lentamente, outros nem tanto, mas sempre em uma ascensão constante".

Nem todos os que ingressaram na carreira militar tiveram o mesmo destino de Mattos. Ao multiplicar seus conhecimentos e aprimorar sua formação, a cada ano que se mantinha servindo as forças imperiais, um novo aprendizado e uma nova experiência eram acrescidos. O sociólogo José Murilo de Carvalho lembra da importância da Academia Militar na construção de uma elite brasileira. Mattos fez parte desse processo. Considerando que as promoções militares poderiam seguir critérios como merecimento, pois "[...] visto que a lei só manda premiar serviços relevantes, e não por antiguidade ou preterições", Mattos se utilizou desses fatores, bem como das relações pessoais e do fato de ser letrado, para ir alcançando postos e se destacando nesta instituição.

Intitulando-se "republicano por educação, por convicção" em correspondência destinada a outro farroupilha, Mattos "apresentou os elementos principais para um líder: experiência, formação e ambição", diz Letícia. Essas características o diferenciavam. Lembrando que, antes de ser enviado a Porto Alegre, Mattos exerceu posição de comando no Quartel de Rio Pardo, e que esta localidade foi um ponto em que o partido farroupilha encontrou adeptos e força. Foi a partir de Rio Pardo que Mattos começou a se envolver mais diretamente com a causa republicana e o movimento farrapo conquistou seu apoio. Proclamada a República Rio-Grandense, Mattos manteve laços muito estreitos de amizade com os líderes Domingos José de Almeida e Bento Gonçalves – uma aliança que se manteria ao longo de todo o período farroupilha, influenciando nos cargos ocupados por Mattos, bem como na sua sustentação no grupo da maioria.

Quando proclamada a República Farroupilha, Bento Gonçalves nomeou como ministros o carioca Mattos e o mineiro Almeida, o que causou desgosto entre outros membros do movimento farrapo. Eles eram ironicamente chamados de "ministros prediletos". Almeida foi ministro da Fazenda e do Interior, e Mattos ministro da Guerra, da Marinha e do Exterior. O contato mantido entre Almeida e Mattos no que se refere aos assuntos da República era constante. Várias cartas evidenciam a comunicação frequente entre ambos, e algumas das decisões ditadas por Almeida tinham por trás a opinião de Mattos.

Como lembra ainda Letícia Rosa Marques, a união entre Gonçalves, Almeida e Mattos funcionou praticamente durante todo o movimento. Mattos, no início da República Rio-Grandense, assumiu o cargo de vice-presidente e também de presidente, em substituição a Bento Gonçalves em algumas passagens do período entre 1839 e 1841. Dessa forma, "conseguiu circular entre diferentes espaços, ocupando posições privilegiadas que poucos rio-grandenses conseguiriam". Em carta de 9 de dezembro de 1841, recusou o "convite" feito por Domingos José de Almeida para ocupar o cargo de ministro das Repartições do Interior, Justiça e Fazenda: "devo então dizer a V. Exa., com a franqueza que me é própria, que estou firmemente resolvido a não aceitar mesmo interinamente um emprego para que não tenho suficiente aptidão, e neste caso me considero, e realmente o estou a respeito do Ministério das Repartições do Interior, Justiça e Fazenda que V. Exa. pretende deixar".

Mattos não só circulava entre os líderes Farroupilhas, mas também entre as principais figuras políticas da região do Prata. Em janeiro de 1839, na condição de ministro Plenipotenciário, foi a Montevidéu para um encontro com o presidente Fructuoso Rivera, de quem obteve dinheiro e cavalos para a revolução. Inspirou queixas do representante do governo imperial brasileiro: "O rebelde José Mariano de Mattos e seus companheiros chegados há pouco a esta capital, sem embaraço algum apresentam-se em público com o tope e as divisas do intitulado Estado Rio-Grandense". O rebelde era visto como uma figura importante, para desagrado das autoridades brasileiras.

O fato de Mattos ser carioca em meio à gauchada já torna sua trajetória surpreendente. Mas o que dizer do fato de ter tido tantas conquistas mesmo sendo mulato? Mattos conseguiu ascender através das brechas de mobilidade social criadas no período imperial, valendo-se das oportunidades por ele conquistadas e fortalecendo sempre importantes relações, diz Letícia Rosa Marques.

Não faltaram, porém, obstáculos. Embora Mattos tenha conquistado aos poucos o respeito de seus companheiros, muitos deixavam evidente o seu desgosto em ter um pardo em posição de comando. Antônio Vicente da Fontoura, por exemplo, membro da liderança Farroupilha e um dos responsáveis pelas tratativas de paz em 1845, em cartas destinadas à esposa, faz referências diretas à cor do ministro, que ele considerava "o monstro dos monstros". Fazia inclusive acusações: "Este maldito mulato, mais falso que Judas, mais inepto que Sardanapalo, teve em 1835 a diabólica habilidade de acender o facho da guerra civil em nossa querida pátria [...]".

Apesar das críticas, Mattos conseguiu se manter no poder. Nas eleições para deputado da Assembleia Constituinte do Estado, em 1842, foi o oitavo deputado mais votado, eleito com 2.694 votos, informa Letícia Rosa Marques.

O fim da Revolução Farroupilha veio oficialmente em 1º de março de 1845, com a assinatura do Tratado de Ponche Verde, cessando os conflitos entre farroupilhas e imperiais. Os principais líderes farroupilhas tiveram diferentes destinos. Mattos chegou a ser preso, mas foi anistiado e readmitido nas forças militares imperiais. Retornou então à Província de São Pedro, quando, já nomeado tenente-coronel, recebeu ordens de novamente servir nessa região entre 1851 e 1852. Nesta mesma época, participou da guerra contra Oribe

102   À procura deles

e Rosas (1851-1852), como ajudante-geral do Exército, sob o comando do então barão de Caxias, presidente da província. Suas características de militar avisado e competente o fizeram participar da força de 16.200 homens que impediu que a Argentina invadisse o Rio Grande do Sul para reconstituir o antigo vice-reino do Rio da Prata. A famosa Batalha de Monte Caseros, a mais significativa vitória militar brasileira, marcou o confronto.

No Brasil Imperial, protagonistas negros encontraram um espaço de movimentação, onde a condição socioeconômica e a rede de relações a que estavam integrados eram levadas mais em consideração do que sua cor. A trajetória de Mattos confirma as pesquisas de Roberto Guedes, que afirma: "[...] as relações pessoais podiam definir sua cor/condição social, que de modo algum era fixa, mas variável de acordo com as circunstâncias sociais". Esse era um grande passo para uma maior mobilidade de afro-brasileiros que, ao ter contato com melhores condições, tomaram o elevador social, ocupando cargos que a histografia apontou como pertencendo à elite branca. No entanto, conclui Letícia Rosa Marques: "essa foi uma questão que pôde ser 'transformada', mas não resolvida por Mattos, já que, conforme fosse ascendendo socialmente, sua cor e sua origem poderiam ser na maioria das vezes esquecidas por alguns de seus pares, mas jamais por seus inimigos".

Teria Mattos lembrado de seus irmãos de cor? Inúmeros trabalhos apontam para a presença de cativos e negros livres nas fileiras tanto do Exército Farroupilha quanto do Exército Imperial. No primeiro, os famosos "lanceiros" a cavalo, escolhidos entre os melhores cavaleiros e domadores, atemorizavam os inimigos com suas armas em cuja ponta cravavam facas afiadas. A promessa de ambos os lados era de liberdade para quem lutasse. E ambos os partidos traíram seus soldados negros. Mas foi pior para os "farrapos". Recrutados nas charqueadas, plantações de mate ou entre trabalhos especializados, "lanceiros e infantes negros" foram assassinados pelas forças imperiais no famoso Massacre dos Porongos, em 14 de novembro de 1844.

A República Rio-Grandense não libertou escravos, e a questão era controversa entre os farroupilhas. Se o governo prometia liberdade aos soldados engajados e troava contra o tráfico, seu jornal, *O Povo*, publicava anúncios de escravos fugidos. Uma tentativa de abolição foi apresentada por Mattos no Congresso Constituinte de 1842, mas recusada. Inúmeras lideranças, entre as quais Bento Gonçalves, tinha escravos. Esse, por exemplo, morreu deixando 53 deles aos seus herdeiros, relatam Vinicius Pereira de Oliveira e Daniela Vallandro de Carvalho.

Mattos, porém, nunca se esqueceu de seus antigos aliados. Ao amigo Domingos José de Almeida, prometeu interceder por seus filhos no Exército, e, a pedido do pai, transformá-los em "homem-gente", como se dizia nas coxilhas. Já a inveja foi sua companheira. O jornalista José Zeferino da Cunha fez uma comparação entre os destinos de ambos após a Farroupilha, lamentando sobre Almeida: "[...] a monarquia nunca teve para com ele o procedimento que teve com o seu colega e amigo, o ex-ministro da Guerra e da Marinha da República José Mariano de Mattos, que chegou até o cargo de ministro da Monarquia".

Suas qualidades como militar e intelectual eram inquestionáveis. Para ficar num exemplo, em 1851, Mattos foi designado pelo ministro da Guerra do período, Manoel Felizardo de Sousa e Melo, para traduzir um livro sobre um curso de armas de fogo portáteis publicado originalmente em francês. Essa solicitação, além de evidenciar o fato de Mattos ser culto o bastante para responsabilizar-se por uma tradução, revela que conhecia não só outras línguas, mas o tema complexo ali tratado. No prefácio do livro, que acabou sendo publicado em 1859 pela Tipografia Universal de Laemmert, Mattos escreveu:

Prefácio do Tradutor.

Ilmo e Exmo Senhor.
Mostrou-se V. Ex. desejoso de que me encarregasse da tradução do *Curso para a Escola de Tiro de St. Omer*, por Mr. Panot; não quis apreciar, como mereciam, as atendíveis razões que apresentei para recusar-me a um trabalho a que se havia já esquivado uma de nossas primeiras ilustrações militares, por considerá-lo mais que muito árduo, se não invencível, pela absoluta falta de uma nomenclatura militar na língua portuguesa; e, avaliando-me com o excesso de bondade, com que se tem dignado sempre honrar-me, julgou modéstia o que era apenas a expressão sincera e franca da convicção de minha incapacidade. Tive, pois, de resignar-me e empreender um trabalho em que me achei só e a braços com as maiores dificuldades para poder apresentar uma nomenclatura nossa, e tão minuciosa como a francesa. Fiz quanto era humanamente possível para corresponder à lisonjeira confiança com que se dignará V. Ex. honrar-me; e o teria conseguido, se, para tanto, fosse apenas mister o meu ardente desejo. Julguei dever dar uma tradução fiel do Curso de Mr. Panot, conservando a mesma simplicidade de linguagem e repetições por ele empregadas, atento ao fim a que é destinada a sua obra. A consciência

diz-me que fiquei muito aquém dos meus desejos e da esperança de V. Ex.; e, se ouso apresentar tão imperfeito trabalho, é contando que V. Ex. se dignará a apadrinhá-lo, dispensando-lhe toda a indulgência de que pôr sem dúvida carece, e recebê-lo como a maior prova que a V. Ex. podia dar do respeito e da gratidão de que a V. Ex. tributa. Ilmo. E exmo. Sr. Conselheiro Manoel Felizardo de Sousa e Melo, ministro e secretário de Estado dos Negócios da Guerra. De V. Ex. súdito respeitador e agradecido amigo José Mariano de Mattos, Rio de Janeiro, 15 de junho de 1851.

Mattos continuou desempenhando importantes funções, dentre elas a de diretor da fábrica de pólvora da Estrela e vogal do Supremo Conselho Militar, com atuação aliás destacada em jornais do período. Fazendo referências ao período em que Mattos esteve na fábrica de pólvora, o *Correio Mercantil* trouxe em suas páginas de 21 de dezembro de 1857 um agradecimento feito pelos empregados, à atuação de Mattos como diretor:

> Os empregados deste estabelecimento faltariam ao grande dever de gratidão se, d'entre eles saísse um chefe ornado de tão brilhantes qualidades, [...] Eles cheios da mais viva saudade, vem hoje protestar uma duradoura lembrança, que conservarão eternamente, dos favores, bondade e justiça com que V. S. os obsequiou durante o curto espaço de tempo que tiveram a felicidade de serem por V. S. dirigidos [...].

Engana-se quem pensa que o final da Revolução Farroupilha poderia ter acabado com a carreira política e militar de Mattos. Ao ser anistiado e reincorporado às forças imperiais, então já nomeado brigadeiro, ele protagonizou novo e relevante papel. Ocupou um dos mais altos cargos imperiais do período: o posto de ministro da Guerra, em 1864. Sem perder o contato com os antigos "companheiros" de luta, Mattos potencializou sua rede de influências. E o homem que por diversas vezes foi chamado de mulato por seus detratores e acusado de incapaz de resolver desafios transformou sua história.

Ao falecer, a 8 de janeiro de 1865, o *Diário do Rio de Janeiro* comentou com destaque:

> Ao largar a pena soubemos de um triste acontecimento. Mais uma inteligência militar acaba de extinguir-se. Faleceu o general José Mariano de Mattos, vítima de uma moléstia muito agravada no seu ministério.

[...] Correto e honrado são o seu maior elogio, as melhores palavras que se podem inscrever como epitáfio na sua sepultura: tão probo era o distinto finado, que a sua inconsolável e desolada família, que idolatrava, lega somente um nome ilustre, envolvido na mais completa pobreza. Descanse em paz sua alma, e sejam as lágrimas de sua família e de seus amigos um verdadeiro monumento de saudade, erguido à memória de um general tão inteligente quanto honrado.

Mattos morreu aos 62 anos. Segundo sua biógrafa, viúvo e pai de quatro filhos, o militar que teria prestado relevantes serviços ao seu país, como informa o fragmento do *Correio Mercantil*, não conseguiu estender a seus herdeiros a garantia de um futuro promissor. As filhas do venerado general, herdeiras de um nome a quem o país deve gratidão, viveram isoladas e esquecidas de serem contempladas com uma pensão que minorasse

a intensidade do grito de uma pobreza tão desvalida! Confiamos, porém, na justiça e magnanimidade imperial, que nunca desampara os desfavorecidos da fortuna, e é de esperar que o laborioso e eminente sr. ministro da Guerra leve ao conhecimento de Sua Majestade o Imperador as provas da verdade a mais exata, e por todos reconhecida, de que a família do conselheiro Mariano de Mattos não pode de modo algum subsistir com a minguada quota que recebe.

O texto, assinado por um "velho militar", enfatiza estar se referindo à "família de um dedicado servidor do estado que, até hoje completamente esquecido, só herdou a honradez – e a pobreza!".

Como bem sublinhou Letícia Rosa Marques, de soldado a líder político, casos como o de José Mariano de Mattos são estímulos a pensar não apenas a complexidade, mas também a fluidez das relações que eram estabelecidas na época. Ao possibilitar que homens pobres ou afro-brasileiros tivessem uma carreira, a Academia Militar oferecia-lhes alternativas. A promoção social, a possibilidade de descolar-se de um passado escravista e de construir uma trajetória que os afastasse da relação entre cor e inferioridade foram o objetivo de muitos protagonistas na época. Embora no período imperial a cor fosse um dos critérios para a formação de uma identidade, ele não era o único. Questões como condição econômica e lugar social estavam intimamente relacionadas com a lente através da qual alguém era visto. Aliás, isso não mudou...

De Henrique Dias a José Mariano de Mattos foram muitos os "irmãos em armas". Nos campos de batalha ou no cotidiano dos regimentos, na defesa da fronteira ou na caça aos quilombos, o conjunto de relações pessoais, essa espécie de entrelace cerrado de vínculos nas diversas esfera da vida, permitia que, num encontro imprevisto, num aperto de mão, num evento fortuito, os soldados e oficiais abrissem novas possibilidades para si e para os seus.

5

No centro do poder

Uma nova aristocracia

Os últimos anos do Primeiro Reinado foram dramáticos. Com a Guerra da Cisplatina, o Império pagou uma conta elevadíssima e torrou os recursos públicos. Em 1829, faliu o Banco do Brasil. Inflação, falta de alimentos, emissão de moedas para cobrir gastos públicos fizeram despencar a popularidade do imperador. Em 7 de abril de 1831, ele renunciou ao trono para apaziguar os ânimos no Brasil. Em seu lugar, deixou uma criança que nem tinha 6 anos de idade. Na prática, a abdicação significou a transferência de poder para as elites regionais, representadas primeiramente por três regentes e, depois, por um, eleito: Diogo Feijó (1835-1837), sucedido por Araújo Lima (1837-1840). Os regentes tiveram a autoridade sistematicamente contestada. Levantes se multiplicaram, e só um projeto conservador e a coroação de d. Pedro II, a 18 de julho de 1841, aos 15 anos, permitiram a construção de um projeto nacional, capaz de manter intactas as fronteiras conquistadas desde o período anterior.

Nessa época de tantas mudanças, um personagem importante invadiu a cena urbana e a corte: o mulato. A palavra, então, já tinha outro sentido: designava "mistura de branco com preto", e é encontrada nos documentos da época sem maiores adjetivações. Como bem explica a historiadora Silvia Lara, ainda que na origem esteja o termo "mulo", animal gerado de duas espécies diferentes, a infâmia atribuída a "esta casta de gente" não advinha da associação com os animais, como repetem erradamente alguns. Mas do "baixo nascimento", da modesta origem familiar. Justamente por designar pessoa de baixa extração e *"ínfima condição"*, o termo foi ganhando, ao longo do tempo, conotações pejorativas de desqualificação pessoal.

Mulatos e pardos compunham então aproximadamente 42% da população. Como também elucida a historiadora Hebe Mattos, o termo deixou de ser uma simples designação de cor para designar a evidente emergência de uma população livre de ascendência africana. E, em alguns casos, gente dissociada da escravidão por algumas gerações. Estudos como os dos historiadores Peter Eisenberg, Sheila de Castro Faria, Roberto Guedes e, sobretudo, da própria Hebe Mattos revelam que aquilo que hoje entendemos como cor mudava conforme a condição de cada um. Isto é: mudava de acordo com a posição do indivíduo na escala social e, evidentemente, de acordo com a maneira pela qual ele era percebido pela sua comunidade. Quanto mais alto na escala social, mais branco.

Kátia Mattoso sublinha também que o processo de tais ascensões ainda não foi bem elucidado, mas houve fatores capazes de atenuar antagonismos entre brancos e pretos. Grupos de homens negros tornados socialmente brancos conseguiram subir na sociedade, embora a legislação portuguesa pretendesse impedir tal mobilidade, em vão. Segundo a historiadora, vivia-se numa sociedade aberta, tolerante, de grande capacidade de assimilação. Documentos raramente mencionam a origem racial, social ou confessional dos indivíduos. Passadas as duas primeiras gerações vindas da África e de seus filhos, crioulos já brasileiros, a cor deixava de ser critério de discriminação, sobretudo se algum branqueamento já tivesse ocorrido. Só os recenseamentos e registros paroquiais mencionavam a cor. Mas seu efeito social era nulo. O lorde britânico Macartney, a caminho da China, só ouviu dos beneditinos do Mosteiro do Rio de Janeiro elogios à inteligência dos mulatos instruídos nas artes liberais. E citaram-lhe o exemplo de um que acabara de ser escolhido para reger importante cadeira em Lisboa.

Tão presentes na cena do século XIX, pardos e mulatos foram o resultado da estabilidade familiar, da mobilidade social proporcionada por ofícios técnicos e comércio, pela participação nas irmandades ou pelo ingresso nas Forças Armadas, como já vimos. No início do Oitocentos, eles foram mais longe graças aos estudos e ao letramento. Foram catapultados para o centro do poder. Gilberto Freyre foi dos primeiros a observar o fenômeno: eles eram "uma força nova e triunfante". Eles se integraram, ou melhor, se acomodaram entre os extremos: o senhor e o escravo. A urbanização do Império, o crescimento de alforrias e a inserção nos cargos públicos e na aristocracia de toga lhes deram visibilidade. Passaram a figurar de outra forma e a se mover em outras condições. Embora a posição de Freyre seja criticada por valorizar a mestiçagem, o que interessa destacar aqui é que ele foi pioneiro em detectar a ascensão e integração de pardos e mulatos.

Na mesma linha, o antropólogo Antônio Risério sublinha que

> negros e mestiços nunca ficaram esperando por uma autorização para começar a pensar e agir. Na base de uma verdadeira apropriação cultural, foram elaborando, incorporando, adaptando, inventando e reinventando elementos, formas e práticas de cultura, do uso de utensílios ao código linguístico, da religião à arquitetura, da criação textual à música, da política à dança. E os mulatos, em especial, encontravam-se mais livres do que qualquer outra categoria de gente para fazer esse jogo. Não eram portugueses nem africanos.

Nos jornais liam-se notícias e avisos sobre bacharéis formados, doutores e até estudantes que principiaram, desde os primeiros anos do século XIX, a anunciar o novo poder daqueles que agiam e se expunham em becas escuras. "Trajes de casta capazes de aristocratizar" seus portadores, diz Freyre. Muitos não dispunham de protetores políticos para chegar à Câmara nem subir à diplomacia. Muitos estudaram ou se formaram graças ao trabalho de uma mãe quitandeira ou um pai funileiro. Outros faziam casamento com moças ricas ou de famílias poderosas. Viajavam, falavam línguas estrangeiras, estudavam fora: em Coimbra ou Paris. Serviram como diplomatas. Eram visíveis em toda a parte. Como poucos sabem, a miscigenação alcançou todos os níveis da sociedade brasileira, e mulatos ou pardos ocupavam posições importantes no Conselho de Estado, na Câmara de Deputados, no Senado, nas artes e na literatura.

Um advogado contra o imperador

É o mesmo Gilberto Freyre quem conta o exemplo de José da Natividade Saldanha, bacharel mulato e protagonista de uma história surpreendente. Filho do padre João José Saldanha Marinho e mãe desconhecida, Natividade Saldanha foi enviado para estudar e tomar a batina no Seminário de Olinda. Num soneto oferecido a um amigo, ele contou que nasceu a 8 de setembro de 1796, que já sabia ler aos 5 anos de idade, aprendera música aos 10 anos, tocava violino aos 12, estudava latim aos 15 e, aos 18, estudou filosofia. Ao completar 22, já estudara Quintiliano, orador e professor de retórica romano, aprendera desenho e penetrara nos arcanos da teologia.

Espírito audacioso, rebelou-se contra o seminário. Em 1817, estourou a Revolução Pernambucana, movimento de caráter liberal e republicano inspirado em ideias iluministas divulgadas por lojas maçônicas e com a participação dos padres João Ribeiro e Souza Tenório, entre outros. O descontentamento com os altos impostos cobrados para manter a família real portuguesa no Rio de Janeiro, o atraso do salário dos militares, entre outros fatores, provocaram o descontentamento da população e alimentaram o projeto revolucionário. A República foi proclamada na capitania mais lucrativa da Colônia. O pai de Natividade Saldanha estaria envolvido na revolta ou teria partido para Portugal, a fim de proteger a família? Não se sabe. Mas, cheio de independência, o jovem rumou para Coimbra, com o intuito de continuar os estudos.

Bem explica o historiador Ronald Raminelli que a Universidade de Coimbra foi fundamental para a formação das elites. Sabe-se que "filhos de militares, comerciantes e proprietários de terras foram enviados à Universidade com a intenção de receber formação e, posteriormente, ingressarem na magistratura ou em cargos de prestígio na administração metropolitana e colonial". Nascia uma elite de face parda que tinha origem no rico Nordeste açucareiro ou nas Minas Gerais produtora de ouro, onde houve forte mobilidade social de mulheres negras que puderam enviar seus filhos para estudar fora. André Godinho e Francisco do Couto Godinho foram bons exemplos. O primeiro formou-se em Cânones e Teologia e se tornou missionário no Congo, o segundo formou-se em Medicina. Ambos, sem parentesco direto, se encontraram em Coimbra.

No século XVIII, não havia nos estatutos da Universidade de Coimbra nenhum impedimento ao ingresso de pessoas pretas em seu corpo discente. Pardos e mulatos frequentaram e deixaram registros da sua presença nas faculdades de Direito, de Medicina e de Teologia. Ao final do século, a presença crescente de gente negra livre nos corredores de Coimbra e em outros espaços de poder e prestígio no reino e no Império certamente perturbou antigos privilégios e, portanto, demandou novos arranjos sociais. Mas nada impediu a chegada de afro-brasileiros como José da Natividade Saldanha.

Diferentemente dos estudantes que procediam de famílias abastadas oriundas da aristocracia agrária ou mineira, a partir do século XIX, mais e mais chegaram os filhos de comerciantes, padres ou profissionais liberais. Em 1819, achava-se Saldanha em Coimbra, matriculado no curso de direito civil e canônico e conhecido por seus poemas. Ali, deu excelentes provas do seu talento e adquiriu erudição literária e jurídica, lendo os melhores autores em várias línguas. Biógrafos dizem que o jovem levou para Portugal o espírito revolucionário conquistado no movimento de 1817 e na atitude dos heróis pernambucanos.

Já possuía vasta cultura literária, adquirida pela leitura da poesia do carioca Domingos Caldas Barbosa, de Camões, dos árcades portugueses como Bocage, e de autores clássicos como Ovídio, tendo publicado um livro de poesias em 1822, que custeou com um prêmio que ganhou no terceiro ano do curso jurídico. Em versos, homenageava a pátria e, entre outros heróis, Henrique Dias e suas vitórias na batalha final contra os holandeses. Suas poesias nadavam em embalos revolucionários. Porém, morria de saudades de casa, de sua bem-amada Eulina, dos amigos e da irmã Maria, a quem adorava e chamava carinhosamente de Maricas. Tomou o grau a 2 de julho de 1823 e regressou a Pernambuco, onde encontrou Eulina recentemente casada. Ele recusou a nomeação para o cargo de auditor de guerra que lhe foi oferecido, preferindo exercer a profissão de advogado.

O sempre insubmisso Saldanha chegou enquanto acontecimentos ferviam. Explodia um segundo movimento separatista e republicano que incendiou as demais províncias do Nordeste. Depois de proclamada a Independência, foi a primeira reação contra a tendência centralizadora de d. Pedro I, que, na primeira Constituição do país, deixou visível sua articulação com os interesses portugueses no Brasil. O jovem imperador tinha em mente a ideia de recriar um Reino Unido, dando ao Brasil ampla autonomia, mas conservando seu direito à coroa portuguesa.

Natividade Saldanha mergulhou de cabeça no trepidante cenário. Com a renúncia do presidente Gomes dos Santos, as Câmaras elegeram o chefe dos oposicionistas, Manoel de Carvalho. Saldanha foi eleito secretário do governo por 50 votos e encontrava tempo para escrever relatórios sobre a revolução, pensando em deixar para a posteridade as informações do acontecido. Junto com Frei Caneca, eram os intelectuais da rebelião. O próprio Manifesto da Proclamação da Confederação do Equador lhe é atribuído.

Pernambuco estava dividida entre duas facções políticas: uma monarquista, liderada por Francisco Pais Barreto, e outra liberal e republicana, liderada por Manoel de Carvalho. A província era governada por Pais Barreto, que havia sido nomeado presidente por d. Pedro I. Em 13 de dezembro de 1823, Pais Barreto renunciou ante a pressão dos liberais, que ilegalmente elegeram Manoel de Carvalho. Pedro I e o Gabinete não foram informados da eleição e requisitaram a recondução de Pais Barreto ao cargo, algo que foi ignorado pelos liberais. Declarada a luta contra Pedro I, Saldanha fez um discurso ardente no conselho do governo, questionando o juramento da Constituição imposta pelo imperador após a dissolução da Assembleia Constituinte. Em resposta, a junta governativa, eleita por unanimidade, não aceitou a nomeação de Pais Barreto e proclamou a República. Graças ao manifesto de 2 de julho de 1824, nascia a Confederação do Equador.

Saldanha envidou esforços gigantes para implantar a democracia em Pernambuco. Mas os revolucionários não puderam resistir à reação do poder central e tiveram de capitular. O sonho do Estado soberano e de autonomia das províncias confederadas esbarrou, porém, na truculência do imperador, que, com o apoio dos senhores de engenho profundamente monarquistas, combatia qualquer ideia republicana. As forças governamentais reagiram e recuperaram Olinda e Recife, ocupadas pelos rebeldes. O porto foi bombardeado. As tropas legalistas extinguiram com mais fogo o incêndio da desordem nas estradas e povoações do interior. Sem clemência, o líder Frei Caneca foi arcabuzado e os demais participantes fugiram ou foram enforcados. Para escapar à fúria sedenta de sangue dos governistas, os rebeldes se refugiaram em navios estrangeiros ancorados no porto.

Porém, a fuga do poeta que exercia funções de secretário tornou-se arriscada e cheia de aventuras. Perdeu o embarque da galera Oedipe, que seguiria para o porto de Havre, na França. Deixado para trás, se escondeu em Olinda. Com a ajuda do cônsul americano James Hamilton Bennet, conseguiu embarcar em um veleiro com destino à Filadélfia. Antes de partir, na casa onde se refugiou, escreveu a "Elegia", oferecida aos seus amigos comprometidos na revolução de 1824, e, a bordo, improvisou o soneto "Fugindo da pátria".

Ao chegar à República dos Estados Unidos da América, quanta desilusão! Habituado a todas as cores da gente do Brasil e de Portugal, sofreu discriminação por ser mestiço e, pior, sul-americano. O ideal republicano não escondia o sentimento de primazia dos nativos frente aos não americanos. Moldados pela visão ética do protestantismo e carregados culturalmente da missão de civilizar os povos selvagens, os norte-americanos criaram um senso de superioridade em nome da busca incessante pela ordem e pela moralidade. Mesmo dentro do Congresso, eles se dividiam em apoiar ou não a causa revolucionária de países vizinhos. O receio em relação à interação com os povos de origem hispânica era motivo sensato o suficiente para muitos estadunidenses absterem-se dessas relações. O exemplo vinha de cima e era evidente na visão do então presidente norte-americano John Quincy Adams: "Eles são vagabundos, sujos, grosseiros, e, em suma, eu não posso compará-los a nada mais do que um bando de porcos". Grande decepção para o republicano brasileiro! Apesar dos preconceitos e das discriminações, a sociedade que ele deixou para trás não se destacava pelo aparteísmo, como bem cravou Antônio Risério. Desiludido, viajou para a França, onde pretendia conseguir um passaporte português.

Mas eram longas as garras do jovem Império independente. Segundo o historiador Hélio Vianna, Saldanha desembarcou no porto do Havre e seguiu de diligência para Paris, lá chegando na madrugada de 16 de janeiro de 1825. A polícia local já tinha recebido ordens para expulsá-lo do país. Hospedado no Hotel de Nantes, na Rua Des Bons Enfants n. 31, imediatamente entrou em contato com compatriotas. A cor da pele o denunciou, e Saldanha passou a ser perseguido pelos espiões da polícia. Segundo os relatórios lidos por Vianna, ele teria encontrado estudantes brasileiros e o filho de um general, certo Juan. Saldanha não se escondia. Apresentou-se à prefeitura de Paris para solicitar um *permis de séjour*, uma licença para ficar no país. Interrogado sobre os motivos de sua viagem, foi cortante: estava cansado dos problemas que agitavam seu país, queria asilo em solo francês, onde iria desenvolver estudos de botânica. O delegado anotou em seu despacho: "A fisionomia deste mulato é fina e espiritual, e ele possui uma audácia e uma segurança pouco comuns. Vamos continuar vigiando-o com a maior atenção, mas, se ele estiver encarregado de qualquer intriga, será tão difícil penetrá-la quanto impossível de contatá-lo".

A sombra da desconfiança e as intrigas cresciam em torno de Saldanha, e a ordem do ministro do Interior da França caiu como um raio. O pernambucano deveria retornar ao seu país. O governo brasileiro entendia a expulsão como um castigo para seu idealismo republicano. Na noite de 5 para 6 de fevereiro, Saldanha arranjava-se para seguir para o porto de Calais, de onde tentaria embarcar para Londres. Lá tinha se escondido seu chefe, Manoel de Carvalho. Denunciado, recebeu a visita de comissário de polícia, que revistou a bagagem que trouxe do Brasil. Encontraram manuscritos, três folhas impressas e diplomas. Um deles, de Coimbra, comprovando seu bacharelado em Direito com distinção. "De acordo com ordens, retivemos todos os papéis", diz o relatório de polícia. Levaram ainda um caderninho de endereços.

Saldanha lhes explicou que os documentos eram traduções de Voltaire, uma tragédia que ele começara a escrever, além de alguns papéis avulsos. As poesias, segundo o delegado, eram "cheias de verve e verdadeiro talento", embora "respirassem um espírito de facção e de ódio ao partido vencedor da última guerra civil do Brasil" – ou seja, o partido do imperador. As traduções sobre matéria política referiam-se a Portugal e ao Brasil e "não tinham nenhum interesse para o governo francês; tentavam apenas propagar a anarquia no Brasil e provocar a destruição da população branca", no caso, dos portugueses. Segundo o oficial, a matéria poderia interessar às legações diplomáticas de ambos os países. Por fim, revistaram seu quarto no hotel e nada encontraram. Os oficiais não estavam diante de um fugitivo pé-rapado, mas de um intelectual leitor dos clássicos franceses, tradutor e poeta. As autoridades concluíram que "mesmo adotando o sistema mais severo", nada se poderia reter de sua papelada, nem de sua pessoa. Foi, portanto, autorizado a deixar a França.

Mas nosso protagonista parecia ter nascido sob má estrela. A 12 de fevereiro, menos de um mês depois de ter chegado a Paris, embarcou no La Furie que, a caminho do porto de Plymouth, na Inglaterra, afundou. Não se sabe como sobreviveu ao mar gelado do Canal da Mancha. Foi socorrido pelas atenções do futuro marquês de Olinda, Pedro de Araújo Lima, representante da aristocracia nordestina contra a qual Saldanha tanto se bateu. Seu colega de Direito em Coimbra, Lima organizou com outros brasileiros uma caixinha para ajudar o infeliz revolucionário, que perdeu roupas, papéis e dinheiro no naufrágio. Para sobreviver, trabalhou como carregador de fardos no porto de Liverpool. Doente, esteve internado em um hospital de Londres. Saldanha tragou o fel no cálice da amargura, como resumiu o historiador Alberto Rangel.

O antigo aliado Manoel de Carvalho, com quem se reencontrou em Londres, resolveu lhe confiar uma arriscada missão: encontrar Simón Bolívar na Colômbia, a fim de conseguir a intervenção do libertador da América Espanhola em favor do Brasil, derrotando d. Pedro I e fundando uma república democrática. Mais uma vez, Saldanha não recuou. Em maio de 1825, arrastado pelo idealismo, engajado nas turbulências do tempo, partiu para La Guaíra, na Venezuela. Lá chegou em julho, mas não encontrou o "George Washington da América do Sul", como já era conhecido Bolívar, que estava em Bogotá. Os venezuelanos deram-lhe boa hospedagem, mas o poeta teve de se submeter a exames de habilitação porque perdera o diploma de advogado no naufrágio.

Em Caracas, escreveu os sonetos aos "Meus algozes" e "Falam os condenados", bem como a "Elegia do exílio". De todos os pontos, escrevia à sua irmã Maricas e a alguns amigos. Dirigiu-se, por fim, a Bogotá, atravessando a selva, a fim de se encontrar com Bolívar, por quem foi recebido com benevolência, sem, contudo, conseguir o objetivo almejado. O poeta passou por grandes necessidades na capital da Colômbia, sem conseguir permissão para advogar. Recorreu então ao magistério, tornando-se professor de João Francisco e José Joaquim Ortiz, seu futuro biógrafo, incutindo-lhes o gosto literário.

Soube, então, que tinha sido condenado no Brasil à morte por enforcamento. Ao tomar conhecimento que um antigo amigo exercia atividade no tribunal que o condenou, enviou-lhe uma procuração cheia de bom humor:

Pela presente procuração, por mim feita e assinada, constituo por meu bastante procurador na Província de Pernambuco o meu colega dr. Tomaz Xavier Garcia de Almeida, para em tudo cumprir a pena que me foi imposta pela Comissão Militar, podendo este morrer enforcado, para o que lhe outorgo todos os poderes que por lei me são conferidos.

Caracas, 3 de agosto de 1825

Homem de letras, Natividade Saldanha divulgava a literatura portuguesa e brasileira, principalmente a poesia de Bocage; colaborava com revistas literárias como *Mosaico*; cultivava relações com homens de letras de Bogotá, tendo exercido influência sobre os irmãos Ortiz, Tejada, Caro e outros poetas colombianos. Também fez boas relações com o argentino Miralla e o venezuelano Baralt. Antes de morrer, habitava "El Palomar", ou o pombal, como os habitantes chamavam sua residência, porque o poeta criava pombos, até no próprio quarto de dormir. Sem redes de sociabilidade, sem família, sem contatos, o idealista se apagou em 30 de março de 1832.

A propósito de sua morte, eis o depoimento de seu aluno João Francisco Ortiz:

Numa noite de chuva, ao passar pela vala que corre em frente ao hospital de S. João de Deus, resvalou e caiu, e ficou provavelmente sem sentidos com a pancada que recebeu, porque não pôde safar a cabeça de dentro das águas, e afogou-se ali, num ribeiro insignificante, quem antes pudera livrar-se das ondas encapeladas do Canal da Mancha. Pobre Saldanha…

O vulcânico Montezuma

Outras mentes iluminadas se destacaram no mesmo período, e um dos afro-brasileiros de maior destaque e muito próximo ao poder foi Francisco Gomes Brandão. Era chamado por seus companheiros, desde a mocidade, de Montezuma. Nascido em Salvador, em 1794, era filho de Manuel Gomes Brandão, branco, e Narcisa Teresa de Jesus Barreto, negra, ambos baianos e modestos. Cresceu em Penedo, onde o rio e a cidade foram seu mundo até os 14 anos. Seu pai era comandante de um dos brigues que, no fim do período colonial, fazia a rota entre a Bahia e a costa da África traficando escravos. Segundo o desejo paterno, Montezuma deveria se preparar para a vida sacerdotal. Para isso, a família se instalou em Salvador e, em 1808, ele entrou para o Convento de São Francisco. Naquela época, a carreira eclesiástica ainda funcionava como um chamariz para muitos. Ao conferir "foros de nobreza", o sacerdócio era sinônimo de prestígio social. E isso tanto para os filhos de algumas das mais ricas famílias da Bahia oitocentista quanto para alguns pobres diabos que, valendo-se dos poucos recursos que tinham à sua disposição, se aproveitavam das mais variadas estratégias como forma de ascender socialmente.

Escolha errada! Os métodos de ensino em mau latim e a avalanche de sermões foram suficientes para entediá-lo. Por falta de vocação, ele abandonou o claustro sete meses depois. Quis assentar praça no Exército – que, como vimos, permitia grande mobilidade social –, mas não teve aprovação paterna. Optou, então, pela Escola Médico Cirúrgica, onde passou três anos. Havia exigências para ingressar na recém-fundada instituição. Além de uma taxa de 6.400 réis, referente à matrícula, requeria-se que os estudantes não apenas soubessem ler e escrever corretamente, mas que também tivessem conhecimento de latim e francês. Esta é uma pista importante, que serve como indicativo de que os estudos de Montezuma não estiveram resumidos apenas às primeiras letras, explicou seu biógrafo Sebastião Eugênio Ribeiro de Castro Júnior.

Em 1816, vamos encontrar o jovem Montezuma em Lisboa, frequentando hospitais ou a bordo de navios negreiros, pois um médico era figura obrigatória na tripulação. No ano seguinte, matriculou-se nos cursos de Direito e Filosofia da Universidade de Coimbra, onde adquiriu fama de bom aluno, porém muito desordeiro. Era líder de inúmeros acadêmicos brasileiros que seguiam sua personalidade magnética. Foi em Coimbra que Montezuma tomou gosto pelas sociedades políticas secretas, muito comuns na época, fundando a denominada Keporática ou dos Jardineiros. Suas cores? O verde e o amarelo. Seria uma das faces pardas da melhor universidade portuguesa, e seu objetivo era receber formação e, posteriormente, ingressar na magistratura ou em cargos de prestígio na administração metropolitana e colonial. Ele apostou no conhecimento, na leitura e na escrita como forma de abrir caminho ao enobrecimento. Afinal, de forma alguma os estudos eram um atributo limitado apenas "a um punhado de famílias com longas genealogias", ou ainda puramente associado "a sonoros títulos concedidos pelo rei", como sublinhou Castro Júnior. O jovem afro-brasileiro se formou com notas regulares em mérito literário. Mas, graças às suas indisciplinas, ganhou zero em "probidade e prudência". Mas nada o impediu de estudar.

Mesmo reconhecendo a face parda de muitos membros dessa elite, pouco ainda sabemos sobre sua presença no interior do grande contingente de brasileiros ali matriculados. Descendentes de africanos frequentaram e deixaram registros da sua presença nas faculdades de Direito, de Medicina e de Teologia, como bem demonstrou a historiadora Lucilene Reginaldo. O problema não era o chamado "defeito de mulatice", mas a contiguidade com a escravidão. Somente filhos de escravos não entravam.

Montezuma foi contemporâneo da mocidade ilustre: Miguel Calmon Du Pin e Almeida, Cândido José de Araújo Viana, Honório Hermeto Carneiro Leão, José Cesário de Miranda Ribeiro, José Maria Monteiro de Barros, e tantos outros que adquiriram nomeada mais tarde e foram seus aliados ou antagonistas na vida política. Montezuma foi o líder incontesté de todos eles, o chefe da colônia brasileira, o "pontífice da troça da cidade universitária". Temiam-no os calouros, e os veteranos respeitavam o mais popular estudante de seu tempo. Sabia ser amigo, mas também era combativo, maquiavélico, zombeteiro e cáustico.

Em 1821, ao regressar a Salvador, Montezuma mergulhou na política e na guerra da independência da Bahia. Tinha 27 anos. Rebelou-se contra a junta provisória que subordinara a Bahia às cortes de Lisboa. Procurou seu vice-governador, Manuel Pedro, seu mestre e conselheiro de juventude, e o convidou a aceitar a causa revolucionária, para tornar a província independente. Insistiu. Argumentou num diálogo cordial. Nada conseguiu. Num gesto cavalheiresco, Montezuma pediu-lhe licença "para daquele dia em diante nunca mais o visitar e fazer ao seu governo a oposição que pudesse". E se abraçaram: "despediram-se com sensíveis demonstrações de amizade", contou seu biógrafo.

Restituir a Bahia ao Brasil, para que obedecesse ao príncipe regente, foi a maior preocupação da atuação de Montezuma. Por meio de textos incendiários, ele travou uma batalha enraivecida contra a metrópole. Seu talento como redator abriu-lhe as portas do *Diário Constitucional*, onde entrou empenhado em combater o "monstruoso fratricídio" com palavras como liberdade e autonomia. Apimentava seus textos com a imagem da Bahia vampirizada pelos portugueses. Era preciso defendê-la! Para fechar o ano, passou das palavras aos atos e, em novembro de 1821, participou da conspiração que levou oficiais da guarnição militar a prestar obediência ao governo de d. Pedro I, negando-se a obedecer às ordens de Lisboa.

Em janeiro de 1822, ocorreu a eleição para a presidência da Junta Provisória Governativa da Bahia, encarregada da administração da antiga capitania. Generais ficariam encarregados do governo das armas, em lugar dos antigos governadores. Esse cargo havia sido criado pelas cortes em decreto de setembro de 1821, como forma de restabelecer o controle militar do governo português sobre o Brasil, após o retorno de d. João VI para Portugal. De acordo com o decreto, o encarregado das armas nas províncias responderia unicamente perante as cortes em Lisboa, sendo expressamente independente das juntas provinciais de governo, recém-criadas no Brasil. Para o cargo e sem surpresas, venceu o partido independentista.

Prevendo o resultado, as cortes portuguesas enviaram reforço militar a Salvador e substituíram o governador de armas eleito pelo tenente-coronel Inácio Madeira de Melo. A desculpa? Garantir a "pública tranquilidade". Um plano de recolonização do Brasil estava em curso. Montezuma e seu grupo promoveram o impedimento da posse de Madeira de Melo, enquanto explodiam sangrentos combates entre portugueses e brasileiros. Perseguido, Montezuma teve que se esconder, mas não interrompeu a publicação do jornal que era o órgão dos patriotas brasileiros. Em finais de agosto, o jornal foi empastelado. Com o agravamento da situação de guerra civil entre a comunidade portuguesa e os baianos, ele se juntou aos fugitivos que seguiram para Cachoeira, São Francisco e Santo Amaro, vilas do Recôncavo Baiano que tinham se declarado a favor do governo do Rio de Janeiro.

Como ele mesmo informou pelo jornal:

> Ilustres cidadãos baianos.
> Logo que cheguei de Portugal, formado em Leis, procurei servir à minha pátria na carreira que havia tomado. Era então mui grande a sanha do antibrasílico espírito, esforçando-se por iludir os povos, a fim de que acreditassem suas tramas [...] Para conseguir desmascarar e confundir tais monstros, julguei único meio adequado escrever uma folha diária [...].

E a seguir explicando sua eleição:

> Decidiram as vilas então coligadas deixar o estado acéfalo em que as colocara o respeito à Junta Provisória da Província; e aprovando o plano de erigir um governo composto de um procurador por cada uma das vilas, que até o dia da aprovação do projeto houvessem aclamado, fui por pluralidade absoluta nomeado procurador por esta vila da Cachoeira.

Seu papel combativo no *Diário Constitucional* deu-lhe um cargo de vereança. Ocupar um cargo na municipalidade era algo a que somente indivíduos que gozavam de grande prestígio poderiam aspirar. Eram "os principais da cidade", ou os homens "mais distintos e mais abastados" que nela viviam, para usar as palavras da época. Os chamados "homens bons". Mas, como bem definiu seu biógrafo, tanto a indicação quanto a escolha de Montezuma para integrar um órgão que primava pela presença da elite em seus quadros era um forte indício de que, apesar da origem apagada, nem o nascimento nem o seu modo de vida faziam com que fosse visto como alguém socialmente desqualificado. Esse era um bom sinal das oportunidades que começavam a surgir para um grupo reduzido de homens "de ação e de talento", mais em função de seu saber e de sua atuação política do que, propriamente, de seu sangue ou suas posses, como bem disse Castro Júnior.

Eleito e empossado, coube a ele ir ao Rio de Janeiro pedir ajuda a d. Pedro para a resistência das vilas do Recôncavo Baiano contra os portugueses. E sempre muito exuberante, despediu-se:

> As minhas funções estão terminadas; só me resta, ilustres compatriotas, pedir-vos perdão de minhas faltas, agradecer-vos cordialmente o conceito que vos mereci; e, se tanto devo fazer, recomendar-vos a salvação da pátria. Oxalá possa eu desempenhar perante o Imperial trono do PAI da PÁTRIA a comissão de que vou encarregado. Se até hoje pude, portanto, redigir esta folha com o meu amigo Corte Imperial, desde aqui me despeço, e pena melhor aparada o fará com saber e erudição.

Ao chegar à corte, viu a cidade se preparando para a coroação de d. Pedro I. Arcos triunfais eram erguidos, ruas eram limpas do entulho e as testadas das casas eram pintadas. Um clima eletrizante escondia as tensões políticas. Montezuma foi bem acolhido pelo ministro dos Negócios do Império, o então todo-poderoso José Bonifácio de Andrada e Silva, que, observador de suas qualidades e iniciativas, o convidou a fazer parte do Apostolado da Ordem dos Cavaleiros de Santa Cruz, fundado por ele. A sociedade secreta tinha por objetivo defender a integridade do Brasil e lutar por sua independência. Porém, o propósito por baixo do pano era combater o grupo que, se de início havia aceito a monarquia constitucional como caminho rápido para a separação de Portugal, agora queria a República.

Instalado na Rua da Ajuda, Montezuma vivia momentos angustiantes com o boato espalhado pelos portugueses do Rio de Janeiro de que ele estava foragido por causa da vitória do partido português da Bahia. Traidor ou covarde, nunca! A falsa notícia que o humilhava foi adoçada pelo sucesso que fez na corte. Recebido pela Câmara Municipal, ali foi aclamado, e depois, seguido pelo povo, se dirigiu ao Paço, onde foi apresentado oficialmente por José Bonifácio à Sua Majestade Imperial.

Em conversa com d. Pedro I, resolveu publicar, na *Gazeta do Rio de Janeiro*, a 26 de novembro, dois discursos em que desmentia qualquer sucesso de Portugal em sua província: "Memória política e histórica da revolução da província da Bahia, principiada a 25 de junho de 1822, na muito heroica vila de Cachoeira, apresentada à Sua Majestade Imperial, o senhor d. Pedro I" e "Itinerário da deputação do conselho interino do governo da província da Bahia à Sua Majestade Imperial, o mui alto e poderoso senhor d. Pedro I".

Foram dias de prestígio e movimento. Montezuma os enfrentou com absoluta naturalidade: jantou na mesa imperial com Sua Majestade em São Cristóvão. E, ainda, do pavilhão nobre assistiu a um exercício das forças comandadas pelo imperador.

O baiano também acompanhou a coroação do imperador de perto, pois foi convidado a pegar uma das varas do pálio que cobria d. Pedro, honraria dada a poucos, participando das festas que se seguiram. Quando lhe foi oferecido o título de barão da Cachoeira, recusou. Alegou que "um tal despacho me poria em dificuldades na província da Bahia, fazendo-me perder as afeições do partido liberal exaltado: ao mesmo tempo que criaria ciúmes que poderiam entorpecer o entusiasmo patriótico, tão necessário na crise em que estávamos".

Foi, porém, condecorado com a Dignitária da Ordem do Cruzeiro, então criada para comemorar a aclamação, sagração e coroação do jovem imperador. De graça? Não. Os agraciados eram obrigados a dar uma joia qualquer, para dotação de uma caixa de piedade, destinada à manutenção dos membros pobres da Ordem ou dos que, por casos fortuitos ou desgraças, caíssem em pobreza.

Ao se despedir de d. Pedro, não escondeu suas ideias e deu-lhe um recado: "nem nos perturbará a demagógica ambição, instabilidade das repúblicas, nem nos definirá a bravura e prepotência das monarquias absolutas". E declarou que o movimento baiano objetivava "uma prudente e bem equilibrada divisão de poderes, guardados a inviolabilidade e mais direitos próprios à Majestade". Tal independência e outras atitudes levaram muitos de seus adversários a considerar Montezuma um homem contraditório? Talvez. Mas a verdade é que não cedia a favores, nem fazia agrados aos poderosos. Proclamava sua autonomia. Gostava de dizer: "sou pobre, pouco posso perder".

Voltou a Salvador, ainda ocupada pelos portugueses, em fins de dezembro. Levou armamento para a luta, material tipográfico, uma imprensa e instruções para a escolha de deputados à Assembleia Geral Constituinte e Legislativa do recente Império do Brasil. Lançou então o *Independente Constitucional* e, com a verve antiportuguesa, explicou aos leitores sua nova assinatura. Queria ligar o nome português – Francisco – a três sobrenomes ameríndios: um tapuia, Gê, outro tupi, Acaiaba, e outro asteca, Montezuma.

Os eventos, porém, se precipitaram. O comandante do chamado Exército Pacificador, Pierre Labatut, cuja meta era deter os conflitos entre brasileiros e portugueses, depois de ter constituído exército disciplinado, fiel ao imperador e de ter vencido a batalha de Pirajá, foi traído por seus homens e feito prisioneiro. A razão? Como já vimos, ele confiscava escravos dos senhores de engenho, prometendo-lhes liberdade se lutassem do lado do Império, além de atropelar decisões do conselho do governo interino, composto pela elite baiana que se agastava com a presença do general estrangeiro.

E Montezuma foi encarregado de voltar ao Rio, para explicar tais tensões ao imperador. Ele, que já cruzara o Atlântico, não conhecia o interior do Brasil. Impossibilitado de fazer a viagem por mar, pois a Baía de Todos os Santos estava controlada pela marinha portuguesa, subiu o rio Pardo, e durante 74 dias percorreu o interior de Minas Gerais. Passou por Ouro Preto e Barbacena até chegar ao Rio de Janeiro. Caminhou uma média de dez léguas por dia.

Conta o historiador Américo Jacobina Lacombe que, durante a viagem, Montezuma se horrorizou com a pobreza e o abandono da população, em grande parte atingida pela lepra. Em alguns lugares, nem conseguiu pouso. Ao chegar à corte, lançou então um apelo para a construção de leprosários. Passou tanto tempo na estrada que não soube da prisão de Labatut nem da situação em curso na capital, cercada pelas forças legalistas. Enquanto ele peregrinava pelas estradas de Minas, a situação em Salvador se deteriorou: sem alimentos, as doenças começaram a se disseminar entre a população. Diante desse quadro, Madeira de Melo permitiu a saída dos moradores, e cerca de dez mil pessoas abandonaram a cidade.

Ao apresentar-se ao imperador, Montezuma ostentava uniforme militar como miliciano da Cachoeira. Agradecido, d. Pedro lhe concedeu baixa na carreira das armas, prometendo-lhe posto nas milícias.

O desfecho da luta em Salvador se deu na ausência de Montezuma. Não uma independência na forma de gritos à beira de um riacho, mas uma luta a ferro e sangue, que deixou mortos e consagrou a separação de Portugal. Enquanto no dia 2 de julho de 1823, as tropas brasileiras entraram em Salvador, no Rio de Janeiro, Montezuma tomava posse como deputado na Assembleia

Geral Constituinte e Legislativa do Império do Brasil, cargo que conquistara com um pequeno número de votos. Missão: realizar a primeira Constituição do país. A ideia era trabalhar para a construção de uma monarquia na qual a nação seria representada pelos deputados. Mas virou um palco de lutas entre novos interesses e paixões sem freio.

Ele era dos mais jovens deputados. Ativo, enérgico, brigava por suas ideais com ardor. E não recuava frente às opiniões dos mais experientes. Na apresentação do projeto de Constituição redigido pelo temido Antônio Carlos de Andrada, por exemplo, mostrou-se cético quanto à criação de duas universidades. Insistia que seria melhor a fundação de seis bons colégios nas principais cidades do país. A liberdade religiosa era motivo para intermináveis discussões, mas a adoção de princípios federalistas encontrou nele um defensor.

O problema é que Montezuma manifestava suas opiniões sem cerimônias, fazendo muitos inimigos com sua fala livre. Ainda era habitado pelo incendiário líder estudantil. Seu temperamento vulcânico inflamava os debates. Quando abria a boca, seus colegas eram inundados por um dilúvio de citações e sentenças que sacudiam o teto da Assembleia. Trovejava por horas e, quando seus pulmões se esgotavam, dava gritos de fúria. Chamado à ordem várias vezes, chegou a desafiar seus colegas de trabalho para duelos, como fez com o deputado Costa Barros. Enviou-lhe uma carta:

> Sr. tenente-coronel Pedro José da Costa Barros.
> Tendo Vossa Senhoria ofendido a minha honra quando disse na sessão de 2 do corrente outubro que eu era ingrato à minha pátria [...] e não estando eu satisfeito dessa injúria, declaro a Vossa Senhoria que ou há de dar-me satisfação pública ou há de bater-se comigo, para o que deve nomear quanto antes dia e hora; é este o único meio que tem o homem honesto de vingar decentemente injúrias [...].

Ambos mediram forças com palavras. A troca de ameaças era publicada no *Diário do Governo*, para ser acompanhada pela torcida. Costa Barros avisou que "andava pela cidade e a toda a hora" poderia repelir qualquer ataque sem afrontar a lei, pois pelo Direito eram proibidos os duelos. Não se confrontaram, mas Montezuma era osso duro de roer. Sua audácia misturava coragem com ignorância do perigo.

Seus colegas, deputados que se encontravam na constituinte, eram em sua grande maioria liberais moderados, reunindo o que havia de melhor e de mais

124   À procura deles

representativo no Brasil. Foram eleitos de maneira indireta e por voto censitário e não pertenciam a partidos, que, aliás, ainda não existiam no país, como explicou a historiadora Isabel Lustosa. Havia, contudo, facções entre os deputados: os "bonifácios", que eram liderados por José Bonifácio e defendiam a existência de uma monarquia forte, mas constitucional e centralizada, para evitar a possibilidade de fragmentação do Império. A dos "portugueses absolutistas", composta não apenas por lusitanos, mas também brasileiros que defendiam uma monarquia absoluta e centralizada que garantisse seus privilégios. E, por último, os "liberais federalistas", que contavam com portugueses e brasileiros e que pregavam uma monarquia meramente figurativa e descentralizada, se possível federal, em conjunto com a manutenção da escravidão. Eles combatiam com veemência os projetos dos "bonifácios", facção da qual Montezuma fazia parte.

Nesse ínterim, talvez para se livrar de sua incorrigível independência na Assembleia, d. Pedro I quis nomear Montezuma corregedor do cível. Ele recusou, declarando "não ter vocação para o cargo, considerando que a Justiça é imperfeita, que a lei peia – restringe – o juiz às vezes, e que não lhe agradava a função", como contou Raul Floriano. Até com o imperador ele não fazia cerimônias e deixava claro que sua liberdade não estava à venda.

Rumos políticos levaram os deputados a desejar d. Pedro I como uma figura meramente simbólica e subordinado à assembleia. Esse fato, seguido pela aprovação de um projeto, em 12 de junho de 1823, pelo qual as leis criadas pelo órgão dispensariam a sanção do imperador, levou Pedro I a entrar em choque com a Constituinte. Por trás da disputa entre o imperador e a assembleia havia uma outra, mais profunda, e que foi a real causa de sua dissolução. Desde o início dos trabalhos legislativos, os liberais federalistas tinham como principal intuito derrubar o ministério presidido por José Bonifácio e se vingar pelas perseguições que sofriam por parte dos irmãos Andrada.

A 5 de novembro surgiu o incidente que daria causa à dissolução da assembleia. Um jornalista, acusado de atacar os portugueses, foi surrado por dois militares lusitanos. Tal ofensa contra a liberdade de opinião seria também uma ofensa à nação, insistiam os Andradas. "Punição já!", clamavam os jornais. Na Constituinte, a comissão encarregada de examinar o ocorrido considerou que o caso era da competência do Judiciário, e não do Legislativo. Em reação, Bonifácio bombardeou a casa com discursos inflamados, acusando os deputados de omissão frente a um atentado ao povo. Povo que, aliás, invadia o recinto para ouvi-lo. No ar, delírio da gente e dos deputados, Montezuma dentre os mais raivosos. A reação nas ruas foi uma onda de xenofobia antilusitana, com quebra-quebra e gritaria. Os ânimos se acirravam, e d. Pedro, que assistiu às cenas da janela do Paço Imperial, mandou que o Exército se preparasse para um conflito.

O medo da dissolução da Assembleia se instalou. Dizem que Bonifácio teria soprado a Montezuma: "Estou agora arrependido como Judas: eu mesmo fui que lhe disse que a podia dissolver por um decreto quando quisesse". Tarde demais. Na mesma manhã, o ministro Francisco Vilela Barbosa, fardado e de espada à cinta, compareceu à assembleia com uma ameaça: ou os deputados aprovavam medidas para censurar a imprensa e caçavam o mandato dos Andradas, ou as tropas entrariam em ação. Para sensibilizar os deputados, lembrou-lhes que em Portugal um golpe absolutista fora desfechado e tais acontecimentos estavam influindo no ânimo do imperador. De fato, sua mãe, a rainha Carlota Joaquina, e seu irmão, d. Miguel, junto com a nobreza e o clero, negavam-se a obedecer ao Congresso, preferindo o despotismo antigo.

Durante suas explicações, o ministro ouviu deputados gritando que d. Pedro fosse declarado "fora da lei". Pela punição que recebeu, Montezuma foi um deles. Ao saber disso, d. Pedro imediatamente enviou o brigadeiro José Manuel de Morais, pardo, segundo biógrafos oficiais, futuro ministro da Guerra, que havia se distinguido nas lutas pela independência da Bahia, com um decreto: estava dissolvida a Constituinte. No mesmo ato, d. Pedro convocava nova Constituinte, a qual deveria trabalhar sobre o projeto que ele mesmo apresentaria, "duplicadamente mais liberal" do que o da Assembleia dissolvida. Reações? Os deputados que tinham se declarado prontos a enfrentar as baionetas imperiais voltaram para casa com o rabo entre as pernas. Os irmãos Andrada, Montezuma e mais dois deputados foram presos. Num processo político, os acusados foram considerados culpados antes mesmo de serem avisados. Em um último diálogo entre Antônio Carlos de Andrada e Montezuma, ao avistarem as tropas que se aproximavam, Antônio Carlos disse: "Daqui sairemos para onde a força armada nos mandar".

Deixaram a Assembleia pela única porta que as tropas deixaram aberta. E Montezuma relatou:

> No meio de uma escolta, iam com seus companheiros de exílio a pé, tomando o lado do Paço e Rua Direita, para o Arsenal da Marinha, quando uma ordem expedida do Paço, onde se achava Sua Majestade Imperial, os fez retrogradar. Embarcaram em um escaler, que os dirigiu

126   À procura deles

ao dito Arsenal da Marinha, de onde foram levados à fortaleza da Laje e chegaram às onze horas da noite. Encarcerado e incomunicável em uma das abóbodas subterrâneas da fortaleza, cuja imundícia de todas as espécies seria impossível descrever, ali começou o martírio particular a que o condenara uma política meticulosa, se não retrógrada, ou ambas as coisas. Até o confinamento, seguiram sob as vaias de moleques e os gritos de "Viva o imperador!" e "Morram os anarquistas!".

Segundo Montezuma, foram "generosa e humanamente tratados pelo comandante da fortaleza da Laje", que se limitou a cumprir ordens, sem ferir os direitos dos prisioneiros. Deixou até que matassem um galo, que foi cozido numa marmita e comido com farinha, tarde da noite. Mas o bom tratamento não durou. Embarcaram. Logo depois da saída em mar alto, Montezuma ouviu propostas de um oficial ao comandante, para que aportassem em algum lugar onde os deportados pudessem ser postos a ferro. O destino era Bordéus, na França, mas, por conta de uma tempestade ou de conspirações, acabaram chegando ao porto de Vigo, na Espanha. Ali ficaram sabendo que havia "reclamações" do governo português contra eles. Para mantê-los prisioneiros, as autoridades recolheram o leme da embarcação e a lancha que poderia levá-los à terra. Montezuma tentou escapar e ir às escondidas a Madri, em busca de uma solução. Em vão. Foi graças à intervenção do cônsul inglês, porém, que o grupo de exilados conseguiu sensibilizar as autoridades espanholas, que lhes permitiu atravessar a Espanha até a fronteira com a França.

Depois de várias peripécias pelo interior da Espanha, Montezuma alcançou a fronteira em Baiona, reunindo-se à esposa. Ele tinha se casado com Mariana Angélica de Toledo Marcondes, de tradicional família de Taubaté, na igreja da Candelária, a 7 de outubro 1823, meses antes de ser expulso do Brasil. Segundo contou, foi um "mau agourado casamento", que começou com a morte do primeiro filho ainda na barriga da mãe. Juntos prosseguiram até Orleans, onde se instalaram.

Montezuma foi várias vezes a Paris para encontrar seu conterrâneo Domingos Borges de Barros, que, como ele, também era ex-aluno de Coimbra. Além de poeta e escritor, era advogado e, na qualidade de diplomata, tratava com o rei Carlos X da França o reconhecimento da independência do Brasil. Tudo afastava os dois homens, não fosse a mesma cor de pele. Borges de Barros era grande senhor de engenho, respeitadíssimo em Salvador, com carreira bem-sucedida na França, abolicionista e futuro visconde de Pedra

Branca, maliciosamente apelidado por Bonifácio de "Pedra Parda". Borges de Barros era homem do imperador. Logo, Montezuma, inimigo de ambos. Tais encontros nada renderam para Montezuma, que deles saiu fazendo denúncias. Passou a delatar calotes e outras irregularidades cometidas por funcionários portugueses a serviço do Brasil, sugerindo que enviassem para o exterior gente "sem pecha". A expressão referia-se a quem tivesse méritos e não gozasse de favores – um dardo envenenado na direção do inatacável Borges de Barros.

Montezuma aproveitou o exílio para estudar Direito. Tentou ir à Suíça e depois à Inglaterra. Em 1828, conseguiu o passaporte para Londres, onde, segundo Hélio Vianna, estudou Ciências Naturais, Medicina e aprimorou o Direito. Visitou a Inglaterra industrial, e, entre Birmingham e Liverpool, percorreu minas e fábricas, conheceu também as principais cidades da Escócia e da Irlanda. Frequentou o júri e assistiu a audiências. Inquieto, circulou entre a Bélgica e a Holanda. Nessas deambulações, tudo aprendia e observava, tudo queria saber. Na Inglaterra, nasceram-lhe dois filhos, que mais tarde serviriam à Marinha inglesa. Na Europa, não abandonou seu interesse por sociedades secretas, ligando-se tanto à maçonaria francesa quanto a uma tentativa de reconstituição da medieval Ordem dos Templários, onde foi recebido como cavaleiro. Ele sabia que tais redes lhe podiam ser extremamente úteis. Contatos, amizades, informações, solidariedade, tudo se encontrava nesses grupos.

No ano de 1830, começou a segunda legislatura da Câmara, e os deputados liberais e d. Pedro começaram a se arranhar. Medidas governamentais eram duramente criticadas. O imperador era estigmatizado de "português". A emissão de dinheiro e a circulação de moedas falsas de cobre, além de aumentar a inflação, atingiam de perto as camadas mais pobres. Acirravam-se as tensões entre boa parte de brasileiros e comerciantes, a maioria deles portugueses, aumentando o antilusitanismo. Havia forte temor de uma reunificação do Brasil com Portugal. O uso do Poder Moderador foi um dos aspectos que tornaram o Primeiro Reinado um turbilhão de crises políticas. Com esse poder, d. Pedro I podia nomear cargos políticos vitalícios, apoiando-se em primícias do absolutismo monárquico. Irritava, assim, a oposição liberal, que lhe fazia frente tanto na atividade política direta quando por meio da imprensa.

Ao mesmo tempo, o Exército imperial sofria, sufocando revoltas e lutando em batalhas das quais se retirava humilhado. Foi o caso daquelas travadas na Guerra da Cisplatina, em que o Uruguai, com a ajuda da Argentina, sairia vitorioso e independente – o que acabava por engrossar a crise do Primeiro Reinado. Soma-se a isso a terrível crise financeira de 1829, causando a desvalorização da moeda nacional e o fechamento do Banco do Brasil. Em abril de 1831, sem conseguir dar soluções aos problemas que enfrentava, d. Pedro abdicou em favor de seu filho Pedro II. Partiu para Portugal levando sua segunda esposa, a princesa Amélia de Leuchtemberg. Nos primeiros meses do mesmo ano, Montezuma voltou ao Brasil.

A volta do corsário

Embora ausente por oito anos, Montezuma foi lembrado e eleito para a Assembleia Geral Constituinte em maio de 1831. Deu início às suas atividades como advogado e logo teve sucesso. Na política passou a ocupar lugar de destaque. Restavam apenas dois partidos, o conservador e o liberal, mais movidos por interesses particulares do que por ideias políticas. No Rio Grande do Sul, explodiu a Revolta Farroupilha. No Pará, na Bahia e Maranhão, repetiam-se sedições que foram sufocadas. A Regência do Padre Feijó cedeu à de Pedro de Araújo Lima, que montou um gabinete conservador. Boa oportunidade para estar na oposição: Montezuma se tornou o primeiro deputado da história brasileira a lutar contra o tráfico negreiro. Confiava na sua eloquência parlamentar para defender com ardor um movimento abolicionista, mesmo que isso fosse então considerado ilegal. Seriam lições aprendidas entre ingleses e franceses? Ele tinha a visão de um homem de Estado, mas continuava estranho a partidos.

Lutava só e, por seu espírito independente, não se afiliou aos chamados "moderados". Mas, temporariamente, aos opositores, chamados de "exaltados" ou "jurujubas", que esperavam da Independência do Brasil uma real democratização do processo político. O ambiente era ideal para os que desejavam um golpe que permitisse instalar uma República. Os debates acabavam com insultos pessoais cruzando os ares. Num campo minado, as conspirações se multiplicavam. O povo ansiava por um governo que restabelecesse a tranquilidade pública. Nos bastidores, tramava-se instalar a princesa Januária, filha mais velha do imperador d. Pedro I no trono, atropelando o jovem d. Pedro II. Porém, a opinião pública não queria uma mulher no poder. Gazetas e impressos agitavam corações e mentes. Artigos assinados por oficiais de média patente, lavradores, profissionais liberais, membros do clero, camadas urbanas pobres com seus homens negros, pardos e brancos, além de leitoras mulheres, colaboravam para uma cena incendiária. Manifestos coletivos, associações, clubes mostravam que havia projetos muito diferenciados para a nação, relatam as historiadoras Ana Luiza Martins e Tania de Luca.

A vitória dos liberais moderados, com Padre Feijó e Bernardo de Vasconcellos à frente, foi a derrota dos exaltados. Ambos os estadistas acreditavam que tinham que resguardar o trono para manter a unidade nacional. E a manutenção da monarquia e o reconhecimento de d. Pedro II como imperador foi a forma de controlar a situação. Vivia-se, de novo, a transformação dentro do caminho ordeiro, o preferido da elite, que conduzia e continuaria a conduzir as mudanças políticas. Em cada província, os grupos de poder compartilharam monopólios de tributação, de legislação e de coerção em nome da unidade do Brasil.

Durante este período, as arruaças dominaram o Rio de Janeiro e as revoltas se sucediam. Não contra o imperador ou contra a monarquia, mas contra a política regencial. Os governantes não se entendiam. Para resolver tal situação, Padre Feijó foi nomeado ministro da Justiça, cargo que aceitou apenas após ter recebido "carta branca" da Assembleia. O objetivo? Restabelecer a ordem. Se de fato conseguiu alguma vitória sobre os movimentos sediciosos no Rio de Janeiro, não conseguiu controlar a situação de insatisfação política que fez pipocar revoltas por várias províncias.

Montezuma recebeu e recusou o convite para ser ministro da Fazenda. Parecia, contudo, estar mais à vontade nas querelas da Assembleia. Mudou de lado e aproximou-se dos caramurus, grupo político composto por comerciantes portugueses e militares, entre os quais figuravam os Andrada, já de volta do exílio, que queriam o retorno de d. Pedro I, duque de Bragança, até então lutando pelo trono de sua filha em Portugal. Montezuma fugiu, porém, da Sociedade Militar que congregava restauradores e que pretendia armá-los para uma luta civil. Certamente, eles não podiam imaginar que, em Portugal, d. Pedro ironizava: "Esses que se lembram no Brasil do meu nome para fazer outra bernarda [revolução] são bem asnos"!

Na Câmara, entre vitupérios e discursos, Montezuma nadava como peixe na água: opôs-se ao pagamento da dívida externa, malhou o tráfico de africanos e propôs a criação de um banco nacional, necessário desde que d. João VI liquidou o Banco do Brasil. Fez oposição ao Padre Feijó, que se esforçava por manter a ordem na corte. Apesar, ou por causa, de sua origem humilde era fascinado por títulos nobiliárquicos, ordens honoríficas e pela família real. Votou contra o proposto banimento do ex-imperador que o havia deportado. Quando a maioria tinha abandonado a família Bragança, teve coragem de defender o direito da imperatriz Amélia de receber dotação, o que foi negado por outros deputados. Mas, sempre independente, não se acanhou em pedir contas do dinheiro enviado a d. Pedro I, 800 contos para Londres, via o banqueiro Samuel Phillips. Ou investir contra os intocáveis e denunciar o filho do brigadeiro Francisco de Lima e Silva, que matou com um golpe de espada um jornalista numa taberna do Largo da Carioca. Sabia como ninguém soprar, arranhar e morder.

Impressionado, o embaixador francês, Edouard Pontois, cravou na correspondência diplomática: "o mulato" Montezuma "abraçou o partido caramuru e por muito tempo nos tribunais, nos clubes ou nas lojas maçônicas foi o principal orador". Talvez lhe parecesse contraditório que alguém exilado pelo imperador lutasse pelo seu retorno. Mas o baiano não guardava ressentimentos.

Em tempos tão agitados, ressurgiu o publicista. Folhetos e periódicos caramurus redigidos entre 1831 e 1833 saíram de sua pena. Os títulos sempre chamativos: "Um brasileiro amante de sua pátria" ou "Os crimes da administração atual". Ele se dizia a encarnação do "verdadeiro brasileiro", amigo da liberdade, embora transitasse entre muitos comerciantes portugueses, caramurus como ele.

Além de escrever, tomava conta do púlpito. Seus discursos combativos eram motivo de críticas. O número de setembro de 1831 de *O Americano – Jornal Político e Literário*, por exemplo, ironizava suas falas de "duas horas e dez minutos", tempo que a Câmara poderia "aproveitar em trabalhos úteis", mas em que só se ouviam "termos acres e disposições vazias de interesse". Os insultos ao ministro da Fazenda eram vistos como exemplos de "falta de delicadeza e disparates". Ele não teria "decência parlamentar" e, se não houvesse oposição, suas opiniões já teriam levado aos "horrores de uma guerra civil".

Afora as condenações à sua atuação sempre agressiva, foi perseguido por antigos aliados moderados e exaltados. Era então chamado de "o corsário Acaiaba", "Montezurra", "chefe do partido restaurador", "eunuco do serralho da Boa Vista" – o chefe sendo Bonifácio. Agiu no violento jornalismo da época através de *O Catão* e *O Ipiranga*.

Vale lembrar que esse foi um momento importantíssimo para a chamada "imprensa mulata", que buscou ajustar os debates do dia a dia político à grande questão: como adequar a nação brasileira a um corpo de cidadãos desigual? Sim, pois os cidadãos negros livres sofriam com a ambiguidade de sua condição: livres, mas pretos. Muitas vezes eram confundidos com cativos, estando sujeitos a toda forma de arbitrariedade. Apesar de terem seus direitos reconhecidos pela Constituição outorgada em 1824 pelo imperador, lutavam mais pelo apagamento da cor da pele do que pela exaltação racial do mulato, como demonstrou a historiadora Hebe Mattos. Acreditaram que a liberdade aplacaria as diferenças.

O vazio criado pela abdicação do imperador foi preenchido pela opinião dos jornais. Surgiram *O Exaltado*, *O Homem de Cor*, *O filho da Terra*, *O Brasileiro pardo*, *O Cabrito*, entre outros títulos que privilegiavam a cor em suas páginas. Segundo eles, o "mestiço" era o símbolo da identidade brasileira. Propunham a integração e a valorização desse elemento na "construção de um ideal de povo cidadão em oposição ao domínio estrangeiro" – ao português, como enfatizava *O Carioca*. Mas ser mulato era mais do que ser mestiço, e apresentar-se como jornalista tinha um sentido político espantoso. Daí que, para alguns autores, o espaço destes periódicos podia ser usado para lutar contra discriminações. Em todos eles, os assuntos tratados eram a questão da liberdade, da igualdade e da cidadania. Esses pontos norteavam a discussão política, embasavam as propostas de um trato responsável da coisa pública e visavam a federação como forma para se gerir melhor o poder indivisível do povo, explica a historiadora Gladys Sabina.

Já a historiadora Ivana Stolze Lima mira outras questões: havia, sim, disputas políticas em torno dos termos raciais e seus significados políticos na construção da imagem ideal dos cidadãos do Império. Todos de acordo? Não. Pois o mulato prestigiado não seria qualquer um. E, sim, aquele liberal, cristão, amigo da ordem, podendo ser militar ou funcionário público, mas jamais se aproximando do escravo. O liberalismo que encarnavam os fazia defensores do direito da propriedade, e o escravo era uma propriedade. Não por acaso, eles tinham os seus. Segundo a historiadora Christiane Laidler de Souza, esses homens formavam um grupo específico, inferior aos brancos livres, mas nem a cor nem o sentido de liberdade lhes dava coesão. Apenas os unia a desejada distância do cativeiro. E tudo indica ser essa a posição de Montezuma.

Além de participar da Assembleia e escrever para jornais, desde o seu retorno ao Brasil, Montezuma voltou a frequentar a maçonaria. Já era seu velho conhecido, pois, muito jovem, entrou em contato com a associação em Portugal e aprendeu que os ideais maçônicos eram diversificados, embora houvesse a meta comum da luta pelo progresso e a valorização da racionalidade. Ao chegar ao Rio para a coroação de d. Pedro, foi incorporado ao Grande Oriente Brasileiro, importante foro de debate e mobilização de forças políticas que ajudaram na separação de Portugal. Aliás, foi nesses encontros que nasceram duas ideias: chamar "império" ao Brasil e "imperador" seu primeiro governante. E depois, na clandestinidade, frequentou o Apostolado, fundado por Bonifácio. Mas o movimento associativo logo seria reprimido pelo novo Império. Embora aclamado Grão Mestre do Oriente do Brasil em lugar de José Bonifácio, tendo assumido o nome de Guatimozin, herói e último imperador asteca, o próprio d. Pedro proibiu o funcionamento da associação.

Foi somente com a abdicação de d. Pedro e no período das Regências que os trabalhos maçônicos foram retomados de modo regular. Nos anos 1830, assistiu-se ao crescimento considerável das maçonarias, e somente no Rio de Janeiro existiam cinco delas, informa o historiador Marco Morel. Uma das mais influentes era o Supremo Conselho do Brasil, nome do centro situado no Largo da Ajuda e criado por Montezuma. Durante o exílio, ele tentou, em vão, receber o reconhecimento do Grande Oriente da França. Não o obteve, mas, em compensação, recebeu o aval do Conselho Supremo da Bélgica, que tinha visitado no exílio. Ao lado de Montezuma, dois outros personagens: Candido Japi-Assú e José Pereira Pinto. Tal grupo chamado também de Grande Oriente ou Grande Loja Central seguia o Rito Escocês Antigo e Aceito, explica Morel.

Indiciado durante a Regência como partidário do despotismo e do retorno de d. Pedro, Montezuma faria na Maçonaria uma homenagem à memória do "irmão LaFayette" quando de seu falecimento, em 1834. Conhecido como "herói dos dois mundos", por ter participado da Revolução Francesa e da guerra de Independência Americana, o político francês era tão contraditório quanto o baiano: impediu a fuga de Luís XVI, mas mandou as tropas dispararem contra os manifestantes. Lutou pela república dos Estados Unidos, mas discordava dos republicanos franceses a ponto de ter que fugir para a Holanda. Defendia a monarquia constitucional, mas participou da Terceira Revolução, que depôs Carlos X. O ponto comum era que, além de maçom e político, fundador da Sociedade dos Amigos dos Negros, LaFayette era um fervente abolicionista, como se tornou Montezuma.

De acordo com o pasquim *O Sete de Abril*, Montezuma foi acusado de estar abusando da maçonaria brasileira e de poderes que dizia lhe terem sido conferidos em Paris e na Bélgica, intitulando-se "Soberano e Grande Inspetor Geral do último grau, Muito Poderoso Soberano Grande Comendador e seu Fundador do Império do Brasil". O jornal o acusava de introduzir confusão e hábitos exóticos nas lojas brasileiras, presidindo sessões em grande uniforme escarlate e imensa coroa de folhas de flandres na cabeça. Há acusações de que teria facilitado, graças a contatos na instituição, a fuga espetacular de Bento Gonçalves, líder da Revolução Farroupilha, que escapou por entre as grades do forte de São Marcelo, dos mais bem guardados do Império, pois no meio do mar. A fuga ocorreu com a ajuda da maçonaria baiana, na qual Montezuma tinha tantos contatos. Bento nadou cerca de 100 metros até um barco, no qual foi levado até a ilha de Itaparica. Lá, ele se disfarçou de civil e seguiu até a cidade de Florianópolis, de onde partiu a cavalo para o Rio Grande do Sul. Quando lá chegou, logo tomou posse como presidente

No centro do poder 133

da República de Piratini. Só mesmo o controvertido Montezuma para ajudar o irmão maçom e liberal a voltar para casa.

Apesar de sua intensa atividade como maçom, após tempestuosa disputa interna, acabaria expulso, em 5 de agosto de 1835, do Supremo Conselho que ajudara a criar. A acusação era a de que ele se aproveitava da maçonaria para obter cargos públicos importantes. Foi substituído pelo companheiro de Assembleia Constituinte e exílio Antônio Carlos, irmão de Bonifácio. Esses homens pretensamente unidos contra o despotismo não tinham indulgência uns com os outros. Talvez porque se conhecessem bem demais. Ou porque pertencessem a um meio seleto ou simplesmente porque suas relações se limitassem a um jogo de poder.

Mesmo depois do retorno do exílio, os Andradas pareciam incansáveis na arte de cozinhar conflitos na vida política. Os liberais tinham se dividido entre "moderados" e "exaltados". Os primeiros tomaram conta da Regência. Os segundos, ressentidos e com Bonifácio encarregado da tutoria do pequeno d. Pedro II, passaram a combater o partido dominante sob o nome de "caramurus". Pretendiam, sim, a restauração com d. Pedro I. Embora não se mostrasse na linha de frente, todos sabiam que Bonifácio estava na luta. Tramava, insuflava, reunia acólitos no palácio de São Cristóvão sob o olhar dos filhos do imperador. Mas, enquanto seu grupo defendia a monarquia centralizada, Montezuma, que se declarou "exaltado", defendia a Federação. As tensões acabaram com a morte de d. Pedro. Ninguém mais falou em restauração e Montezuma se negou a tomar partido contra o titular da Regência, Padre Feijó. Mudou de lado, mais uma vez. Bonifácio caiu no esquecimento, exilado na ilha de Paquetá, enquanto Montezuma foi convidado para ser ministro da Justiça e dos Negócios Interiores no último gabinete presidido por Feijó, em maio de 1836. Seu renome como advogado já estava consolidado.

Entretempos, e muito temeroso da anarquia que as revoltas regenciais tinham acendido, Montezuma aproveitava para defender a Constituição, atacando o regime republicano implantado nos Estados Unidos e lembrando que, no nosso regime, "os direitos do homem em sociedade eram muito mais respeitados". Segundo ele, a monarquia constitucional "fundada no eterno Princípio da Igualdade perante a Lei", era o regime que oferecia "maiores garantias aos cidadãos" sempre desejosos de se verem livres de "odiosas divisões". Ele, sempre tão explosivo, agora defendia a moderação com unhas e dentes. Num livrinho que publicou, intitulado *A liberdade das repúblicas*, esclarecia os cidadãos sobre as delicadas relações entre o "Princípio Conservador da Liberdade" e as ideias de "ordem" e "tranquilidade do Estado". Logo na página três de seu livro, ele exibe especial preocupação com as classes menos favorecidas:

> As monarquias bem constituídas são os governos mais liberais e protetores, particularmente das classes pobres e industriosas, e menos sujeitos a preconceitos contra a igualdade natural dos homens, do que as repúblicas, onde não só se acreditam e tomam substância as distinções sociais, como os preconceitos de classe são menos generosos, completamente intolerantes e atrozes.

Alegava que nos Estados Unidos, como "em nenhuma outra parte", havia distinções das "mais caprichosas e sensíveis". Sim, aquelas que Natividade Saldanha enfrentou. Distinções que contrariavam a Declaração de Independência americana, segundo a qual todos os homens haviam sido criados em igualdade e "dotados pelo Criador de certos direitos inalienáveis, entre os quais figuram a vida, a liberdade e a busca da felicidade". Mas os tais direitos não eram para todos. A distância entre a República e seus cidadãos republicanos podia ser imensa.

E botava o dedo na ferida: em vários estados da Federação, somente os "brancos" podiam tornar-se "eleitores e membros do Corpo Legislativo". Na Virgínia, se qualificava quem devia "ser considerado homem de cor, declarando-se que o é todo aquele de quem se provar descender até o quarto grau de preto ou preta". Denunciava casos de homens e mulheres "negros" que, ao parar nos tribunais, eram julgados sem a presença de um júri!

Segundo Montezuma, em muitas regiões não se permitia *"à gente de cor"*, mesmo quando "livre e bem-educada", comer com os "brancos" em locais como as casas de pasto, por exemplo. A lista de constrangimentos era interminável. E, aos olhos de muitos brasileiros negros e pardos, tal realidade deveria beirar o absurdo. Afinal de contas, a Constituição imperial não comportava nenhum critério de base étnico-racial que diferenciasse os descendentes de africanos de qualquer outro cidadão. Ainda que os negros e mestiços já libertos não pudessem ter acesso aos chamados "direitos políticos", não havia nenhum impedimento para que seus filhos e netos, por exemplo, viessem a desfrutá-los, caso possuíssem renda para tanto, explicava o documento. Como bem sublinhou o historiador Castro Júnior, Montezuma pretendia demonstrar que os regimes então ditos republicanos davam espaço às "distinções sociais", "intolerantes" e "atrozes". Sem usar a palavra que então não existia, acusava os Estados Unidos de racismo.

Esse foi um dos muitos argumentos que Montezuma usou para combater as hierarquias de cor entre a população livre do Império. Julgava-as intoleráveis. Argumentava, porém, como alguém instalado na elite. Integrado a um pequeno círculo de poder composto por indivíduos que não apenas se viam como "brancos", mas que também eram enxergados como tais, pelo sucesso que tinham alcançado. Montezuma acreditava que a Monarquia Constitucional e a meritocracia podiam se dar as mãos no caminho de um império sereno e cidadão para todos. Menos os escravos.

No fim da Regência de Feijó, como ministro da Justiça e dos Negócios do Interior, Montezuma fez muito. Frente à tremenda revolta que rebentara no Rio Grande do Sul, empregou esforços e ofereceu anistia aos farroupilhas – afinal, conhecia bem Bento Gonçalves. Policiou, dentro da lei, os atos dos foragidos da luta armada no Rio Grande do Sul. Seu objetivo: restabelecer a tranquilidade pública e arrancar a semente revolucionária que parecia enraizada no chão. Enfrentou eficiente oposição parlamentar, onde tempestuosos debates perturbavam as sessões. Ouviu insultos e injúrias pessoais. Estabeleceu a detenção por três dias das embarcações portuguesas, para vistoriá-las e impedi-las de traficarem escravos. Trabalhou ativamente, dando ordens e ditando normas ao juiz desembargador chefe de polícia, mandando apurar queixas que lhe chegassem, até nos domingos, dias santos e de galas. E avisava: deviam ser entregues "na casa de minha residência na Rua do Rio Comprido".

Atento à mobilidade social dos libertos, cuidou da fixação de um salário mínimo quando continuassem trabalhando para os seus ex-senhores. Mas o homem e o jurista se revelaram genuinamente, quando mandou processar certa d. Umbelina, moradora na Rua dos Arcos, e todos aqueles que maltratassem escravos; quando proibiu os juízes de paz de açoitarem escravos contra os quais não havia sentenças passadas; enquanto denunciava o quanto pôde o "vício ou insuficiência da legislação" nos processos que envolviam cativos.

Padre Feijó renunciou à Regência e foi substituído por Araújo Lima, o mesmo que deu a mão a Natividade Saldanha em Londres. Os anos seguintes foram ingratos para Montezuma. Não se reelegeu para o triênio 1834-1837, mas, de 1838 a 1841, integrou a oposição do novo partido liberal à regência conservadora de Araújo Lima e se empenhou num novo momento político: o da campanha pela maioridade de d. Pedro II.

O povo andava inquieto e insatisfeito. A autoridade do regente era contestada. No Parlamento, gritaria de deputados, e, nas ruas, os artigos de jornais assustavam os espíritos. Nascia a sedutora ideia de declarar imediatamente a maioridade de d. Pedro II. O Partido Liberal abraçou a causa. O projeto se alastrou pelo país, conquistando corações e mentes. Fundaram-se associações. Em 1840, foi criada a Sociedade Promotora da Maioridade, que tinha Montezuma como um dos seus fundadores e que logo passou a se chamar Clube da Maioridade. A primeira reunião da sociedade ocorreu na casa do escritor José de Alencar. Seus membros eram todos progressistas, em oposição aos que estavam no governo, os regressistas. Com esse título, a campanha ganhou a Câmara e o Senado. Buscava-se intermediários que pudessem se comunicar com d. Pedro.

Na Câmara dos Deputados, Montezuma se envolveu com debates em tão alta voltagem que beiravam a violência física. Não abandonava a tribuna, cuspindo violentos discursos em favor da maioridade. E via nas ruas e praças vizinhas do prédio ondas de gente dando vivas à maioridade. A proposta do Senado era de que no dia do aniversário de 15 anos do jovem imperador, 2 de dezembro, se lhe entregassem o governo. Mas o clima dentro da Assembleia e os populares pelas ruas não queriam adiar nada. Votou-se a proclamação imediata da maioridade e foi enviado ao palácio de São Cristóvão uma deputação encarregada de lhe solicitar que assumisse suas funções. Perguntado se aceitaria, o jovem respondeu: "Quero já!". No dia 23 de julho de 1840, d. Pedro II prestou juramento e tomou conta do governo. Saudações populares explodiram dentro e fora do Paço do Senado. Começava uma nova fase e era o fim das Regências. Durante três dias e três noites multiplicaram-se estrondosas festas públicas e particulares, *te-déuns* nas igrejas, iluminações brilhantes, passeatas do povo acompanhadas de música. O príncipe moço, antes mesmo de reinar, já era adorado.

Ao mesmo tempo que agitava o Clube da Maioridade, Montezuma se envolveu com a fundação do Instituto Histórico e Geográfico Brasileiro (IHGB), uma verdadeira "ilha de letrados de elite". A elite era composta por um grupo moderado, que apostava na monarquia constitucional como forma de governo, tinha horror da anarquia e da fragmentação do país ou do retorno ao absolutismo. Seu liberalismo era uma mistura de modernismo burguês com democracia. Ali, Montezuma orbitava em torno de uma pequena corte que, inspirada no Romantismo alemão, buscava pensar a identidade nacional. Seus membros se dedicavam a criar uma história que exaltasse a pátria, que educasse através de exemplos do passado e que garantisse que no Brasil se formasse uma nação no caminho do progresso e da civilização. Para além das boas intenções, havia também o interesse em preservar a grande propriedade, o voto censitário e o padroado. O historiador Arno Wehling sublinha que esse grupo desejava moderação em tudo: até na abolição da escravidão, que, quando tratada nos artigos da revista do Instituto, se mostrava "evolutiva". Nada de rupturas.

Membro muito ativo do Clube da Maioridade, em 1837, Montezuma ganhou como recompensa o cargo de ministro Plenipotenciário do Brasil na Inglaterra, que exerceu por nove meses. Só o deixou por discordâncias com o poderoso titular da pasta dos Negócios Estrangeiros, Aureliano de Souza Coutinho, conservador que tinha a estima e a confiança de d. Pedro II. As tensões entre os dois políticos tinham antecedentes. Montezuma fora escolhido para saudar o jovem imperador na Câmara quando de sua primeira visita à casa. Não mostrou seu discurso a ninguém e... Ele era quem era. E, por isso, em vez de saudar o imperador, preferiu criticar de forma deselegante e desbocada o governo da Regência que findava. A tal "oração congratulatória" virou um escândalo. Deputados melindrados contiveram-se para não lavrar protestos contra o abuso cometido pelo relator da Comissão. Choveram reclamações sobre sua crítica. Aureliano era um dos atingidos e dos mais ressentidos...

Segundo seu biógrafo, enquanto esteve em Londres, foi prestigiado pelo primeiro-ministro Lord Palmerston e pelo príncipe consorte, Alberto. Não se sabe se teria sido empurrado para lá por seu colega de exílio Antônio Carlos de Andrada, que, depois de passar de conservador a liberal, tornou-se ministro do Império num gabinete onde encontrou todo o tipo de críticas. Reza a lenda que Montezuma encaminhou com extrema habilidade as questões do pagamento da dívida pública do Brasil, consolidou novos tratados comerciais, negociou a questão de fronteiras com a Guiana, apoiou a repressão inglesa ao tráfico de africanos para o Brasil, entre outras atividades. Afinal, sabemos o quanto era irrequieto e curioso.

O visconde de Jequitinhonha com grandeza

De volta ao Brasil, abandonou o partido liberal e passou a agir de forma totalmente independente. Na política, eram tempos difíceis. As eleições eram marcadas pela presença de grupos armados, dirigidos por policiais disfarçados, que quebravam urnas, rasgavam cédulas e afugentavam votantes. A luta entre liberais e conservadores estava cada vez mais renhida. Apesar da estabilidade da monarquia, a instabilidade ministerial era assustadora. Revezaram-se à frente do Executivo 37 gabinetes, constatando-se permanência média no poder de pouco mais de um ano para cada uma das formações governamentais. Montezuma mais uma vez soube escolher seu caminho. O exercício da advocacia passou a lhe ocupar, aumentando o brilho do nome. Em junho de 1843, colocou de pé a ideia que alimentava há muito: uma associação que congregasse advogados. Nascia o Instituto dos Advogados do Brasil, com sede na Rua do Cano. Tinha um programa: colaborar com o governo e o poder legislativo, reformar o código criminal e elaborar um comercial.

Mas não conseguia se manter fora da política. Voltou em 1847 à Assembleia Provincial fluminense, onde saiu no tapa com um brigadeiro, seu desafeto. A partir de 1848, começou a tentar uma indicação para o Senado, pois, da lista tríplice de indicados, o imperador d. Pedro II escolhia um. Dirigiu ao imperador um dossiê apresentando seus feitos e realizações. E sobre sua indicação para o Senado pela Bahia, Hélio Vianna reproduz uma deliciosa anedota:

[Montezuma] morava numa magnífica casa com grande chácara no Rio Comprido, na Rua Malvino Reis, uma bela residência. O imperador ouviu falar muito da casa do visconde e uma vez indo Montezuma ao Paço, d. Pedro disse-lhe que ouvira falar de sua "bela residência". Com o desembaraço habitual, Montezuma teria lhe respondido:

"Vá, Vossa Majestade, lá almoçar e poderá ver que, se não é digna de receber Vossa Majestade, é, entretanto, confortável para um homem como eu."

O imperador aceitou o convite e no dia marcado foi almoçar. Na mesa, ao longo da conversa, d. Pedro perguntou-lhe:

"O sr. é fatalista?"

Resposta: "Sem dúvida, e tenho motivos para o ser."

"Quais são?"

"Olhe, a primeira vez que meu nome veio a Vossa Majestade para ser senador, ao voltar do sertão da Bahia, onde fui pleitear a eleição num sítio próximo da capital, o cavalo em que montava tropeçou e eu caí. V.M não me escolheu. Pela segunda vez deu-se o mesmo fato, e V.M ainda desta não escolheu meu nome. Pela terceira vez deram-se as mesmas ocorrências e V.M me escolheu."

"Mas onde está a fatalidade?", perguntou o imperador.

"É que V.M havia de me escolher, quer quisesse, quer não."

Para ocupar o Senado, renunciou à presidência do Instituto dos Advogados do Brasil e tornou-se cada vez mais autônomo. Foram esses anos importantes para o político que lutou desde 1831 pelo fim do tráfico de escravos. Enquanto d. Pedro II manobrava a elite agrária, graças ao Poder Moderador foi votada em 1850 a lei do senador e ministro Eusébio de Queirós proibindo o tráfico. Em 1871, foi aprovada uma proposta do senador visconde do Rio Branco que declarava livres todos os filhos de escravas nascidos a partir de então. E em 1885 entrou em vigor uma lei sugerida pelo senador José Antônio Saraiva concedendo a alforria a todos os cativos com mais de 60 anos. As normas entraram para a história como Lei Eusébio de Queirós, Lei do Ventre Livre e Lei dos Sexagenários.

Sempre ativo, em 1865 Montezuma apresentou vários projetos para a extinção gradual da escravidão e no mesmo ano traduziu e dedicou ao clero brasileiro uma *Carta do Bispo de Orleans à sua diocese*, sobre o mesmo tema. Publicou também trabalhos econômicos e sobre finanças. Estudava e trabalhava incansavelmente em sua seleta biblioteca de 4.250 volumes, só saindo dela para tomar o cupê ou a vitória para ir ao Senado ou visitar um amigo. Às vezes fugia para sua casa de veraneio, no Alto da Boa Vista, onde se isolava totalmente, "mas gozando um bom clima, tomando meus banhos de Capacival, deitando-me cedo, e somente saindo deste retiro e pacífico modo de vida para satisfazer meus deveres de conselheiro de Estado".

Segundo Hélio Vianna, em 1854, d. Pedro resolveu distribuir títulos a todos os conselheiros de Estado. Deu à Montezuma o de visconde de Jequitinhonha, com honras de Grande do Império e conselheiro de Estado. Não faltou quem visse malícia na escolha do nome do rio, que em língua indígena quer dizer "folha fedorenta". Seu brasão trazia os signos da mestiçagem: a Cruz de Santo André, um índio nu apoiado num tacape, uma mangueira e três cabeças de leopardo. Seu papel de carta usava brasão mais simples: cinco flores de lis e uma sereia com um espelho na mão. Iemanjá? Machado de Assis, que o conheceu, assim o descreveu no outono da vida: "Um dia vi ali aparecer um homem alto, suíças e bigodes brancos cumpridos... [...] um tipo de velhice robusta".

Contou um contemporâneo que Montezuma amava estar sob holofotes e na mira de comentários. Quando era um pouco esquecido, escrevia ele mesmo artigos anônimos em que fazia acusações contra sua pessoa, para no dia seguinte o visconde de Jequitinhonha poder responder. Convalescente de uma doença, fez um amigo mandar rezar um *Te Deum* com grande pompa na igreja de São Francisco de Paula pelo seu restabelecimento. Mas não sem antes mandar avisar a todo mundo, para ter a igreja lotada. Homem de gênio arrebatado nas discussões parlamentares, falava sem pensar e, por mudar de ideias ao sabor das circunstâncias, teria feito o marquês do Paraná exclamar: "esse preto não se vende, aluga-se!".

Sobre suas mulheres, conta-nos Hélio Vianna que com a primeira, Mariana Angélica, falecida aos 29 anos, teve seis filhos, e há indicações de que não a tratou como merecia, apesar de ter publicado em sua homenagem, em 1828, o *Ditirambo poético*. Enfrentaram juntos o exílio. Depois de enviuvar, casou-se novamente, e dizia-se que a segunda esposa lhe infernizou a vida. Montezuma apontava seu retrato e dizia: "Esta era um demônio, o diabo a levou. Aquela [apontando para a primeira] era um anjo, Deus a levou". Divorciou-se da segunda, que o adorava e certa feita enviou-lhe por um escravo um vistoso pão de ló, em bandeja de prata. Não teve dúvidas: arrebatou-lhe a bandeja, dizendo que ela lhe pertencia e mandou entregar o pão de ló na casa de um desafeto, o senador Chichorro da Gama, ironizando: "Assim me vejo livre de ambos; do Chichorro, que é possível, se ao comer do pão de ló seja envenenado; e da viscondessa, que terá que responder pelo crime!". Entre os dois casamentos, viveu em ligação consensual com Ângela Rosa da Conceição, que lhe deu mais um filho.

D. Pedro o tinha como um de seus mais notáveis conselheiros, como atestam as anotações feitas pelo imperador no decorrer das sessões do Conselho de Estado. Como diria sobre ele Machado de Assis: foi com sua "feição particular, metade militante, metade triunfante, um pouco de homem, outro pouco de intuição" que ele atravessou cenários bem diversos, amarrando seu destino às tramas e dramas da vida política do Império. E confirmou as palavras do viajante alemão Johan Moritz Rugendas: "Os que não são de um negro muito pronunciado e não revelam de uma maneira incontestável os caracteres de raça africana, não são, necessariamente, homens de cor; podem, de acordo com as circunstâncias, ser considerados brancos".

A 15 de fevereiro de 1870, às 5h30 da manhã, poucos dias antes de terminar a Guerra do Paraguai e depois de alforriar a duas escravas, Helena e Maria Lucrécia, Francisco Gê Acaiaba de Montezuma descansou. Fechava os olhos um mulato que se formou em Coimbra, participou diretamente da Independência, foi exilado, viajou por inúmeros países da Europa, foi jornalista atuante, fundador da OAB e do IHGB, ministro da Justiça e dos Negócios Interiores e ministro Plenipotenciário do Brasil na Inglaterra. Foi alguém que viveu intensamente a aventura de ser ele mesmo.

6

Entre letrados

Entre livros, leituras e impressores

Um negro com um livro na mão? Onde? Mais um mito começa a ser desfeito pelos historiadores: o de que negros não liam. Seriam analfabetos. Viveriam à margem do mundo letrado. Outro erro, pois muitos usaram a tinta, a pena e a leitura para distanciar-se do cativeiro. Outros tantos livres usaram as letras para se elevar às mais altas posições da escala social. Não só houve letrados como também existiu uma intelectualidade que participou ativamente das lutas liberais e abolicionistas. Analfabeta era a sociedade brasileira. Gilberto Freyre cravou bem: "Nas senzalas da Bahia, em 1835, havia maior número de gente sabendo ler e escrever do que no alto das casas-grandes". Sua tese foi confirmada pelo historiador Atílio Bergamini, que, depois de inúmeras e densas pesquisas, concluiu que a maior parte dos alfabetizados no século XIX pertencia aos setores populares.

Totalizando 1/3 da população brasileira, pretos e pardos livres se acotovelavam com 1/3 de brancos e 1/3 de escravos no final do período colonial. A historiadora Mary Karasch ressalta que foi possível, aos descendentes de escravos, se nascidos livres ou "branqueados em cor e cultura", gozar de mobilidade política e ocupar importantes cargos. Ao citar dados do censo de 1834, a autora salienta que, já nessa época, os pardos tinham mobilidade em todas as profissões, exceto Direito, por ser de acesso mais restrito. Indivíduos classificados como pardos foram identificados como funcionários públicos, do eclesiástico, estudantes, proprietários de terras ou de estabelecimentos comerciais, botânicos, professores de saúde e "militares", que constituíam o segundo maior grupo, ficando atrás apenas dos estudantes. Em meados do século XIX, pardos seriam mais de 42,7%. Em 1872, os libertos de cor eram 74% da população e gozavam de considerável importância. Em cada quatro negros, três eram livres, segundo o historiador Sidney Chalhoub.

Todas as ocupações anteriores apontam para a sua inserção no mundo das letras. Muitos deles, proprietários de escravos, como já visto, e, apesar das dificuldades para o acesso a cargos públicos, protagonistas de seu mundo, como Montezuma. O resultado foi que, nas primeiras décadas do Oitocentos, a exigência de "igualdade entre todas as cores" ecoava nas ruas do Rio de Janeiro, de Recife ou de Salvador, como explica Hebe Mattos. Políticos como Montezuma e publicistas como Antônio Rebouças, embora reconhecessem o direito de ter escravos, combatiam o tráfico e lutavam, sobretudo, pelo predomínio do mérito e do talento para o acesso a cargos públicos. Jornais liberais como *O Cabrito* e *O mulato* explicitavam: "No Brasil não há mais que escravos ou cidadãos". Ou seja, uma vez livre as oportunidades tinham que ser iguais para todos. E os ex-escravos tinham que ter todas as garantias de pleno direito da cidadania.

Um bom exemplo foi o de Cândido da Fonseca Galvão, ou príncipe d. Obá II D'África, como era popularmente conhecido o ex-oficial negro do Exército brasileiro. Ele provavelmente aprendeu a ler e escrever com seu pai, um africano forro, no interior da Bahia. Mas aproximou-se dos livros ao se mudar para o Rio de Janeiro, depois de voltar da Guerra do Paraguai. Passou então a escrever para jornais sobre temas diversos. A postura que adotava nas ruas da cidade, movendo-se entre os diferentes estratos sociais, acabara por torná-lo uma figura de destaque na sociedade carioca da segunda metade do século XIX, sobretudo entre a população negra, como mostrou o historiador Eduardo Silva. O aprendizado com um pai africano pode ter sido mais comum do que se imagina, pois inúmeros africanos aprendiam a ler e a escrever português antes mesmo de cruzar o Atlântico, como demonstrou Mary Karasch. Aprendiam com os próprios portugueses ou mercadores negros, falantes da língua.

Mas sabemos que, se tantos avanços foram possíveis, deveram-se aos pais que faziam seus filhos estudar, às brechas nas faculdades brasileiras ou em Coimbra, e, mais fundamentalmente, à proximidade com livros e o letramento. A já mencionada Chica da Silva é um excelente exemplo: mandou as nove filhas para o Recolhimento de Macaúbas, melhor educandário de Minas Gerais. E os filhos, para Portugal, onde estudaram e receberam títulos de nobreza. Sua filiação em várias irmandades religiosas, o poder econômico e a educação da prole foram mecanismos que adotou para ter distinção e reconhecimento social.

Seria possível pensar que escravos liam e escreviam? Sim. Nas gravuras de viajantes estrangeiros como Rugendas e Debret é nítida a aproximação de escravos com mapas ou livros. Eles aparecem apontando o que está nos papéis. Como bem demonstra a historiadora Marialva Barbosa,

> como homens de seu tempo, envoltos em uma atmosfera na qual as letras impressas passam a ocupar lugar central, também os escravos do século XIX eram leitores de múltiplas naturezas: leitores por saberem efetivamente ler e escrever [...] leitores por escutarem os textos, os que eram diretamente lidos para eles ou os que se espalhavam pelos ambientes das casas de seus proprietários; leitores, enfim, por saberem o significado das letras impressas e por acompanharem periódicos que circulavam pelos campos e pelas cidades. [...] mesmo sem saber manejar os códigos escritos, eram letrados: sabiam contar; eram capazes de exercer o ofício de carpinteiro e pedreiro, para os quais é indispensável o conhecimento dos códigos numéricos; podiam ser vendedores; impressores; enfim, exerciam múltiplas profissões nas quais os códigos letrados eram fundamentais. Mas mesmo os que não conheciam as letras impressas sabiam a sua importância. Afinal, o que lhes concedia a liberdade era um papel repleto de inscrições: a carta de alforria concedia a liberdade pela escrita.

Também é visível seu letramento nos anúncios de escravos fugidos: certo Luiz, cabra, de 22 anos, pedreiro e copeiro, é descrito como sabendo ler e escrever regularmente, falando bem e muito explicado, "muito risonho e fica sempre com papéis nas algibeiras, gosta muito de recitar versos". Rodolfo, de 24 anos, era chapeleiro, sabia ler, além de trabalhar com máquina a vapor. Ou Raymundo, que além de saber ler e escrever "é muito proseador e com predileção a ensinar a ler onde chega". Em Salvador, o escravo Timóteo deixou um bilhete antes de se suicidar, em 1861: "Perdão: há muito tempo que tenho desejo de não existir, pois a vida me é aborrecida, porém, não existindo, não será mais, pois, quem pode viver sem ter desgostos que vá vivendo [...] não há tempo a perder!!!".

Os periódicos, vez por outra, também reproduziam cenas dos escravos leitores. A *Revista Illustrada*, por exemplo, na edição de 15 de outubro de 1887, mostrava um desenho em que dez escravos cercavam um que tinha nas mãos um exemplar do jornal *O Paiz*. Na legenda, a explicação: "Um fazendeiro também fez uma descoberta que o deixou embatucado! Um escravo lia no eito para os seus parceiros ouvirem um discurso abolicionista do Conselheiro Dantas".

Frente a uma vasta população parda e livre, a legislação não podia proibir que as crianças fossem alfabetizadas. Não havia impedimento legal para os libertos frequentarem a escola, uma vez comprovada sua condição. Proibia-se, porém, a escolarização de crianças escravas. Condenadas ao analfabetismo? Não. Muitos proprietários as ensinavam a ler e escrever, pois julgavam agir por razões morais, caso da mãe de Anna Ribeiro Góes Bittencourt, sinhá de engenho na Bahia do Oitocentos. Ela reunia as mulheres e crianças na cozinha, no final da tarde, e, entre uma oração e outra, ensinava-lhes o bê-á-bá. Joaquim Breves, um dos maiores cafeicultores do Vale do Paraíba, apesar da fama de maltratar seus cativos, tinha uma escola para suas "crias" aprenderem a ler, escrever e contar. Tinha quem alfabetizasse para obter melhor preço no momento da venda. Havia também escolas onde se ensinavam atividades profissionalizantes junto com a escrita e a leitura. Irmandades e, depois, sociedades surgidas no século XIX procuravam apoiar seus associados, ensinando-os a ler e escrever, caso, por exemplo, em 1841, da Sociedade dos Artistas Mecânicos e Liberais, formada por mestres e aprendizes de artes mecânicas de Recife.

Muitos aprenderam a ler com familiares ou com mestres de ofícios. Para o historiador Atílio Bergamini, o maior número de alfabetizados se concentrava entre o Rio de Janeiro e Pernambuco, seguido da Bahia e do Ceará. No século XIX, era bastante usual saber ler e não escrever, o que evidencia que estas competências se desenvolveram, historicamente, de forma independente. A escrita exigia mais tempo e dinheiro que a leitura, além do fato de que escrever era considerada uma atividade moralmente mais perigosa. Sendo assim, "havia muitos alfabetizados que podiam receber mensagens escritas, ler textos elaborados por outros, mas não se comunicar por escrito, produzir textos", complementa o historiador Antonio Viñao Frago.

As tipografias, introduzidas aqui a partir de 1808, eram por sua vez "escolas de formação" para livres e escravos, dizia Justiniano José da Rocha, escritor, jornalista e político pardo, muito atuante nos anos 1840. Uma pesquisa recente a respeito da vida do negro Francisco de Paula Brito, um dos primeiros editores do Brasil, revelou que escravos foram largamente empregados nas tipografias da corte. Paula Brito se iniciou no mercado editorial como aprendiz na Typographia Nacional, mas, terminado o aprendizado, rapidamente se empregou com o livreiro e impressor francês René Ogier. Depois, tornou-se compositor na equipe do *Jornal do Commercio*. Galgou postos e se tornou chefe do departamento de impressão e, finalmente, diretor responsável.

Depois de ter economizado dinheiro para obter seu próprio prelo, Paula Brito conseguiu, em 1831, comprar o pequeno estabelecimento de seu parente Silvino José de Almeida Brito, permitindo ao seu espírito empreendedor realizar novos projetos relativos à produção gráfica. O estabelecimento funcionava também como uma livraria e, além de vender remédios, chás, fumo de rolo, porcas e parafusos, era ponto de encontro de intelectuais. Lá se reuniram, pela primeira vez, os membros da Sociedade Petalógica.

A ideia era promover uma reunião para o estudo da mentira, da lorota, da peta, daí o nome "Petalógica". Segundo seus membros, eles só conseguiriam penetrar com mais acuidade na alma humana por meio da profunda observação da mentira. Criavam temas para animar um debate público cético e jocoso, com vistas a "contrariar os mentirosos, mentindo-lhes" – como apregoava o mote da agremiação. Seus membros pensavam, também, em prejudicar os mentirosos, fornecendo material para que estes fossem se desmoralizando a cada vez que repetissem, julgando ser verdades, as mentiras ouvidas dos membros da sociedade.

Segundo Machado de Assis, seu frequentador, "lá onde ia toda a gente, os políticos, os poetas, os dramaturgos, os artistas, os viajantes, os simples amadores, amigos e curiosos, onde se conversava de tudo, desde a retirada de um ministro até a pirueta da dançarina da moda". "Toda a gente" eram os intelectuais mulatos, como o próprio Machado, brancos, pardos ou negros. Entre outros frequentadores encontravam-se Gonçalves Dias, Laurindo Rabelo, Joaquim Manuel de Macedo, Manuel Antônio de Almeida, Teixeira e Sousa, Manuel Araújo Porto-Alegre e João Caetano dos Santos, além do próprio Montezuma.

Entre assíduos famosos, era possível esbarrar com Maurício José de Lafuente, "homem de cor" e figura singular. Antes de chegar ao Rio de Janeiro, Lafuente teria passado por várias províncias do Império – Espírito Santo, Bahia e Pernambuco –, constantemente envolvido em revoltas e disputas políticas e em contestações sobre escravidão ou, ainda, em denúncias sobre as discriminações sofridas por negros e mulatos livres. Machado de Assis começou a vida trabalhando com Paula Brito. Embora acusado pelos colegas de ficar lendo às escondidas em vez de trabalhar, não foi demitido. O patrão gostava de quem apreciava os livros e a leitura.

Segundo a historiadora Elizabeth Eisenstein,

> Paula Brito era um elemento-chave em torno do qual giravam vários satélites. Ele era responsável não só por conseguir dinheiro, como pelo suprimento de insumos e mão de obra, ao mesmo tempo que tinha de desenvolver complexos esquemas de produção, lidar com greves, tentar avaliar as condições do mercado livreiro e angariar o apoio de assistentes preparados. Tinha de se manter em bons termos com as várias autoridades que asseguravam proteção e empregos lucrativos, sem se esquecer de cultivar e promover autores e artistas talentosos, que poderiam angariar lucro e prestígio à sua firma. [...] Sua loja tornava-se um verdadeiro centro cultural que atraía os literatos locais e personalidades famosas estrangeiras, ao constituir um local de reuniões e centro de mensagens para uma comunidade do saber cosmopolita e crescente.

O historiador Adilson Ednei Felipe lembra ainda que a presença de homens negros e mulatos na produção gráfica não se restringiu a Paula Brito. José do Patrocínio iniciou suas atividades gráficas e literárias quando estudava para se tornar farmacêutico, criando junto a seu colega, Dermeval da Fonseca, o jornal *Os Ferrões*. Filho do padre e dono de escravos João Carlos Monteiro e de sua escrava Justina do Espírito Santo, passou ao jornalismo escrevendo para a *Gazeta de Notícias* e a *Gazeta da Tarde*. Mais tarde faria de seu jornal, *Cidade do Rio*, um grande porta-voz da causa abolicionista. Em 1883, lançou o *Manifesto da Confederação Abolicionista do Rio de Janeiro* e fundou, junto com Joaquim Nabuco e André Rebouças, a Sociedade Brasileira contra a Escravidão. Editor de *O Abolicionista*, para ele a abolição deveria ser sem indenização para os senhores e com educação e trabalho para todos.

O poeta negro Cruz e Sousa também se envolveria com as atividades editoriais ao chefiar a redação de um periódico intitulado *O Moleque*, que foi repelido pela sociedade local, e cujo título, associado ao seu redator-chefe, terminava por servir a zombarias por parte daqueles que desgostavam do poeta por conta da cor de sua pele ou por sua erudição. Ou por ambos. Sobre isso, relata Raimundo Magalhães Júnior:

> A reação à iniciativa foi tremenda. As prendadas e discretas senhoritas brancas, submetidas à disciplina dos lares burgueses da Província, não queriam ver seus nomes mencionados nas colunas de publicação de título picaresco, dirigida por um negro, filho de antigos escravos, que não conhecia o seu lugar. Isso seria motivo de grande irritação para

os pais zelosos. *O Moleque* não era levado a sério. Não havia quem lhe dispensasse consideração alguma nos altos círculos que Cruz e Sousa tão desastradamente queria conquistar.

Viveram tal história homens negros livres que, na cidade do Rio de Janeiro da primeira metade do século XIX, estabeleceram laços de solidariedade entre si, base para o desenvolvimento de suas trajetórias pessoais. Ao contrário do que se pensava, não dependeram da mão estendida de um medalhão branco, de favores ou relações pessoais. Elas existiram. Mas a verdadeira alavanca foram as redes de solidariedade como as irmandades, a maçonaria, os partidos políticos, os jornais e os clubes. Como demonstrou a historiadora Ana Flávia Magalhães Pinto, houve intelectuais negros que pertenceram a múltiplas associações ao longo da vida. Vicente de Souza, por exemplo, professor, abolicionista, republicano, médico e socialista, era membro de mais de 50 delas, entre religiosas, políticas e literárias. A venda de periódicos, a publicação de versos, a inserção e aceitação do negro em diferentes círculos sociais propiciavam a convivência.

Tipografias e livrarias tiveram papel fundamental na constituição de intelectuais negros. Da leitura à escrita e da carreira de jornalista e escritor para a política era um passo. Mas o sucesso de Francisco de Salles Torres Homem é espantoso. Sua estrela brilhou do início ao fim da vida. Filho do padre Apolinário e da negra alforriada Maria Patrícia, conhecida como Maria "você me mata", e bisneto da escrava Eva, da Serra de Taubaté, foi considerado o negro de maior destaque durante o Império.

Filho de quem...?

A aposta no ensino era fundamental. O elevador social passava por faculdades, associações e bibliotecas. Torres Homem começou fazendo seus primeiros estudos no Rio de Janeiro, matriculando-se depois na Academia Médico-Cirúrgica, por onde se formou em 1832, aos 20 anos de idade. Já era, então, vice-presidente da Sociedade Defensora da Liberdade e Independência Nacional, instituição liberal presente em outras cidades do Império brasileiro e que, na corte, à época, era presidida por Evaristo da Veiga, seu amigo e mentor. Evaristo era um rapaz modesto e avesso a turbulências, que trabalhava no balcão da livraria do pai e se converteu, nos anos 1830, ao jornalismo, à poesia e a política. A sociedade, fundada em 1831, era das muitas associações que se multiplicaram durante as Regências, um espaço onde se debatia e construía diagnósticos sobre o país. Mas também onde se desenvolviam projetos individuais e coletivos.

Historiadores vêm mostrando que, ao contrário do que se pensava, as Regências não podem ser definidas apenas como um momento de instabilidade, embora ela fosse constante. Os anos decorridos entre a abdicação de d. Pedro I e a declaração da maioridade de d. Pedro II foram também palco para construção de agendas diversas. Nesse quadro, o jornalista e político Borges da Fonseca, um liberal exaltado, viu com entusiasmo a instalação de um grêmio patriótico, em contraposição às sociedades secretas como a maçonaria. E assim foi fundada, em 10 de maio de 1831, no Rio de Janeiro, a dita Sociedade Defensora da Liberdade e da Independência Nacional. A agremiação se organizou e espalhou de forma rápida por todo o Brasil, chegando a liderar uma rede de 89 associações, concentradas principalmente nas províncias do Rio de Janeiro, de São Paulo e de Minas Gerais. Torres Homem tratava de conectá-las.

Torres Homem não chegou a exercer a medicina, pois Evaristo o arrastou ao jornalismo e à militância liberal. Desde o começo da década de 1830, já escrevia no *Aurora Fluminense*, do próprio Evaristo, no *Independente* e n'*O Homem e a América*. Além disso, Evaristo orientava o amigo na leitura de obras de autores que, naquela altura, circulavam nos debates políticos: Benjamin Constant ou Louis Thiers, por exemplo. Isso porque Evaristo foi um dos mais conhecidos ativistas do nascente nacionalismo brasiliense – nas vésperas da emancipação, compôs e recitou nas ruas o poema "Hino da Independência", que depois seria musicado por d. Pedro I. A dupla integrou uma geração que nasceu no vice-reino, cresceu no Reino Unido e amadureceu numa nação independente que não "existia", como bem diz o historiador Vinicius Silva. Havia um Brasil como projeto, existia uma Constituição e órgãos administrativos. Porém, não existia identidade nacional. Essa agenda deveria ser construída ao longo dos próximos 30 anos, e Torres Homem seria um dos seus arquitetos.

Em 1833, Evaristo da Veiga, ocupando uma cadeira de deputado na Assembleia Geral, conseguiu para seu pupilo o cargo de adido à legação brasileira em Paris. Lá, o jovem Torres Homem se juntou aos companheiros Gonçalves de Magalhães e Araújo Porto-Alegre, estabelecendo uma confraria de brasileiros emigrados. A oportunidade não podia ser melhor para alguém ávido de conhecimentos e reconhecimento. Ele começou fazendo o curso de Direito na Sorbonne, e, junto com os outros dois brasileiros, se tornou sócio fundador do Instituto Histórico da França, no dia 23 de dezembro de 1833. Talvez o artista Jean-Baptiste Debret, que trabalhou na corte brasileira e também se tornaria membro da casa, os tivesse apresentado aos demais membros da instituição.

A organização de nome pomposo reunia 500 sócios que discutiam história em aulas e reuniões. Segundo os estatutos, a disciplina era considerada "condição de todo o progresso, cuja necessidade nos persegue em todo lugar e momento". Desejava-se reunir todos os conhecimentos históricos e estendê-los às outras "ciências", como a literatura, as artes e a música, além de reunir fatos e informações sobre "a vida íntima da humanidade". Ali fervilhavam ideias e informações. Os congressos se sucediam e eram relatados: Poitiers, Stuttgart, Edimburgo. A correspondência com sábios era lida em voz alta. Correspondentes eram escolhidos fora da França. As "memórias", nome dado às dissertações dirigidas às sociedades de sábios ou estudiosos, eram descritas e comentadas. E, em meio a tantas pesquisas, as vozes brasileiras se fizeram ouvir. Apresentados como "três jovens estrangeiros que o amor aos estudos tinha atraído à França", os amigos, em impecável francês, "retribuíram as boas-vindas – ao Instituto – com curiosos detalhes da história da literatura, das ciências e das artes em sua pátria".

E Torres Homem assim contou nossa história:

> Imaginem uma nação forçada a ficar imóvel quanto a todos os elementos da humanidade e se deixando absorver na unidade de um despotismo sistematicamente opressor e os senhores concluirão qual o estado das ciências no Brasil durante três séculos... no mutismo da inteligência popular, no seio do torpor dentro do despotismo com que a metrópole atingia todos os espíritos, só a poesia se fazia ouvir.

Explicou, porém, que graças às "faíscas da Revolução Francesa", a família real portuguesa teria fugido para o Brasil, e só então d. João VI teria possibilitado mudanças que marcaram a aparição das ciências no Brasil.

A imigração da corte atraiu médicos, matemáticos, naturalistas e literatos de todos os pontos de Portugal, gabava. O impulso inicial teria sido dado pela criação da Academia de Marinha no Rio de Janeiro, consagrada às ciências matemáticas, às ciências físico-matemáticas, ao estudo de artilharia, à navegação e ao desenho; e duas escolas médico-cirúrgicas, no Rio de Janeiro e na Bahia. Esse avanço da instrução pública promovido por d. João, se por um lado esbarrava no medo do progresso trazido pelo Iluminismo, por outro permitiu à juventude brasileira dispor, em sua própria pátria, de meios de instrução, por mais imperfeitos que fossem, sem gastar fortunas ou ter de cruzar o Atlântico para estudar.

Entre letrados   151

No mais recente período da história das ciências no Brasil, depois da independência de Portugal, Torres Homem apontava a criação de cadeiras de "Bellas Letras" nas instituições de ensino, a fundação de duas escolas de Direito – em São Paulo e Pernambuco –, a reforma das academias médico-cirúrgicas e sua transformação em faculdades espelhadas no modelo francês como sinais de avanço. Enfim, salientava que, a despeito do atraso, também no Brasil teriam aflorado sábios no século XIX, como José Bonifácio de Andrada e Silva, filólogo e mineralogista; o doutor Francisco de Mello Franco, autor de trabalhos de medicina na Academia de Lisboa; frei Leandro do Santíssimo Sacramento, ilustre botânico, idealizador da cultura do chá no Brasil, entre outros apontados como exemplos de ilustração científica. Otimista, ele previa um futuro promissor para o "gênio natural" do povo brasileiro, livre dos entraves que se opuseram por muito tempo a seu desenvolvimento. O "entrave" tinha nome: portugueses.

Segundo a historiadora Débora El-Jaick Andrade, a "memória" relatava de maneira entusiástica e em detalhes as conquistas obtidas após a Independência. Propondo-se a "mergulhar no passado" e lançar um rápido olhar sobre a marcha das artes da pátria, Torres Homem apontou o período colonial como época dos primórdios das artes no país. Porém, negou aos índios qualquer originalidade poética e artística. O escritor explicava que elas só apareciam entre os colonos e, depois, com os padres jesuítas, que arregimentariam artistas para a construção de igrejas e capelas e para a composição de quadros e baixos-relevos. Não há qualquer menção à contribuição de artistas afro-brasileiros. O texto intitulado "Resumo da História da Literatura, das Ciências e das Artes no Brasil" saiu no primeiro número da revista *O Investigador*, entre artigos sobre a influência dos gauleses sobre a Grécia e a importância da literatura rabínica.

A Paris do Instituto Histórico era também a Paris da monarquia burguesa, instaurada após a deposição de Carlos X, em agosto de 1830. À época, a França via o enxugamento da aristocracia em favor do aumento da influência liberal na condução do Estado. No trono, cintilava Luís Filipe de Orléans, o rei-cidadão que abria as portas do palácio a quem quisesse entrar e andava pela cidade de guarda-chuva no braço. Ele tinha acabado de promulgar a reforma do Código Penal, abolindo, em nove casos, a pena de morte e suprimindo os castigos corporais. Acolheu desde revolucionários de todas as estirpes a monarcas decaídos, como d. Pedro I. Criou a obrigatoriedade do ensino primário – uma escola e professores em cada vila – e deu início à construção de ferrovias e outras obras públicas. Paris se tornava cosmopolita e propiciava o intercâmbio de ideias. Entretanto, o proletariado era mantido à margem da cidadania.

Guardadas as devidas proporções, é possível afirmar que há similaridades entre a monarquia burguesa e os seis primeiros anos das Regências no Brasil, explica o historiador Vinicius de Souza. As mais evidentes foram o fortalecimento dos segmentos liberais moderados, condições para governos menos centralizados, a exclusão da maior fatia da população – na França, os operários e no Brasil, principalmente, os pobres e os escravos – e a revolução como episódio de recuperação de uma "nova ordem de cousas". Esse caldo de influências faria do jovem Torres Homem um liberal moderado e essencialmente regenerador.

Mas a comparação acabava aí. Paris não era o Rio de Janeiro. E lá, as novidades eram maiores em número e qualidade: na Place de la Concorde, durante o Carnaval desfilavam carruagens com mascarados. No ar, solfejavam-se os acordes da "Sinfonia fantástica", de Berlioz. No Quartier Latin, estudantes bebiam com as *grisettes*, jovens prostitutas. Na Nouvelle Athènes, apelido dado ao 9º *arrondissement*, os ateliês de Delacroix, Géricault e Ary Scheffer fervilhavam de visitantes. Nascia o mito do artista boêmio em busca de inspiração e reconhecimento, incompreendido pelo público e destinado à miséria. Bailes de máscaras e festas populares enchiam a noite de sons, música e brigas. Os dias terminavam em meio ao rebuliço dos *grands boulevards*, lugares de passeio e distração favoritos dos parisienses, onde se situavam o Teatro de Ópera Italiana e as salas de espetáculos populares. Ali se aplaudiam vedetes famosas, atores, mímicos, cantoras e dançarinas.

Na mesma época, eclodia o romantismo. A regra? Escutar a voz do coração. Abandonavam-se as tertúlias nos salões para caminhar entre colinas, árvores e flores. Poetas líricos e o estudo da história tinham recém-entrado na moda. Lia-se o grande abolicionista Lamartine, Alexandre Dumas, Honoré de Balzac e George Sand. Victor Hugo, apóstolo do liberalismo reformista na arte, era aclamado como maior escritor romântico. Aliás, ele já tinha usado um protagonista negro em sua obra, Bug Jargal, inspirado em Toussaint Louverture, chefe da revolta de escravos de São Domingos. Na mesma época, multiplicaram-se as revistas literárias inspiradas nos modelos ingleses que abordavam grande variedade de temas, tanto políticos como científicos, artísticos e especialmente literários, inserindo em suas páginas poemas, romances, novidades, textos e fragmentos, comentários e resenhas.

Em Paris, Torres Homem dizia ter aprendido a cuidar de sua aparência: "Preciso não deixar aos medíocres e tolos sequer essa superioridade: trajarem bem. As exterioridades têm inquestionável importância". De fato, o desprezo pela vulgaridade dos trajes, a elegância natural nos gestos e porte altivo eram a receita da vez. Ele passou a usar peruca e pó de arroz, seguindo a moda dos *dandies*, que prezavam a estética e o belo na forma de vestir e pentear. Cartolas de feltro, gravatas de musseline ou cetim, coletes, redingotes com grandes bolsos para caber os livros: a moda vestia o intelectual. Seria uma forma de disfarçar a cor da pele? Responde o visconde de Taunay, em suas *Reminiscências*:

> Usava óculos fixos de aro de ouro sobre os olhos pardacentos, esbugalhados, e vasta cabeleira postiça, sob um chapéu alto de abas um tanto largas, com o rosto liso e a barba sempre escanhoada em regra, aspecto de comodista e gordalhudo pastor protestante. Vestia-se, porém, com o maior apuro, buscando conservar certa elegância de bom cunho parisiense, na sobrecasaca rigorosamente abotoada e nem assente ao corpo, nas gravatas de gostos com alfinetes artísticos, nas botinas envernizadas, sem nunca dispensar luvas, que trazia quase todo o dia calçadas. Gostava de bengalas de valor e delas tinha grande variedade; nem jamais se o via de guarda-sol ou de chapéu de chuva, como é tão geral no Brasil, hoje ainda mais do que outrora. Professava todo um sistema de ideias acerca da cor da gravata apropriada ao dia e da pedra preciosa que tinha de nela figurar.

Apesar do esnobismo da indumentária e de viver reproduzindo modismos europeus, Torres Homem conheceu os preconceitos de classe ou cor. Na França, negros, mulatos ou "quarteirões" – termo usado na França para designar os filhos de mulatos com brancos – circulavam mais nas cidades portuárias, onde trabalhavam nas docas, do que em Paris. Napoleão não aprovava os *sang-mêlés*, ou seja, mestiços. Perseguiu-os. Ainda assim, na capital se viam estudantes artistas e comerciantes originários das Antilhas. Em 1834, Torres Homem viu nascer a Sociedade Francesa para a Abolição da Escravatura, reunindo nobres e notáveis. Alguns anos antes, o panfleto *De la situation des gens de couleurs libres aux Antilles françaises* [Sobre a situação dos negros livres nas Antilhas Francesas] denunciou atrocidades contra cativos nas Antilhas. Causou escândalo! Seu autor, Cyrille Bissette, foi condenado às galeras e defendido por Benjamin Constant. O caso tomou os jornais. Se até os anos 1820, quando Montezuma passou por Paris, os abolicionistas eram moderados e gradualistas, dez anos depois, queriam a libertação imediata dos cativos, informa o historiador Jean-Paul Gourévitch.

Em 1836, ainda em Paris, nascia *Niterói – Revista Brasiliense de Ciências, Letras e Artes*, considerada marco do movimento intelectual romântico no Brasil. Fundada por Torres Homem, Gonçalves de Magalhães e Araújo Porto-Alegre, tinha o mesmo objetivo do instituto que frequentavam: fomentar o amor à literatura, às artes e às ciências e nutrir-se do contato com a intelectualidade francesa e com as novas ideias filosóficas que triunfavam no período.

Uma delas era a afirmação da nacionalidade através dos preceitos do historicismo: artes e a literatura eram entendidas como as bases sobre as quais o país deveria se edificar para concretizar sua independência. Como bem explica a historiadora Débora El-Jaick Andrade, *Niterói* tentava desviar-se dos tiroteios de papel que ocupavam grande parte da imprensa brasileira no período regencial. Na contramão dos pasquins e das folhas das décadas de 1830, sua proposta seguia a lógica do liberalismo moderado retratado por Victor Hugo. Os redatores convidavam os leitores a desviar-se "das habituais discussões sobre cousas de pouca utilidade [...] de questões sobre a vida privada dos cidadãos", acostumando-os "a refletir sobre objetos do bem comum e de glória da pátria". Em suas páginas, *Niterói* se propunha a compreender e identificar os "alicerces da nação", questionando o que dava reconhecimento e legitimidade à existência do Brasil como país independente no exterior. E o quê, internamente, instigava a comunhão de seus habitantes.

Segundo o historiador Marcelo de Mello Rangel, o objetivo da tal identidade nacional era o de civilizar os homens e as mulheres da boa sociedade, por meio de sentimentos como "amor" e "orgulho". Os "brasileiros" seriam, portanto, um conjunto originário e homogêneo de homens e mulheres que se encontravam diante de algo "amável", digno de "desejo": o "Brasil". Mais. Que nutririam orgulho e "brio" pela "pátria". Ao amar a pátria, não só passariam a amar-se a si mesmos, mas também a descobrir-se parte desta coisa descomunal e robusta que era o seu país. A "nação" dependia da dedicação de cada um. Mas cada um, para sentir-se protegido, ou ainda em casa, confiante e corajoso, dependeria do sucesso da coletividade. As palavras "brasileiros" e "nação" eram repetidas à saciedade e ainda havia o *slogan*: "Tudo pelo Brasil e para o Brasil".

Porém, se por um lado a revista tinha um projeto civilizador marcado pela esperança e pelo otimismo, por outro, escorregava na desilusão e no pessimismo. E isso porque seus redatores entendiam que o Império do Brasil seria composto por homens e mulheres egoístas, preocupados tão somente com a realização de suas inclinações.

Enquanto no Rio de Janeiro seu amigo Evaristo da Veiga propunha uma comissão para denunciar o tráfico ilegal, que descarregava nas praias brasileiras centenas de africanos, e choviam protestos na Câmara sobre o "contrabando de negros", em Paris Torres Homem descrevia um Império que seguia mesmo que tropegamente rumo à necessária modernização, porém, rico de potencialidades. Tropegamente porque seu otimismo era compartilhado com lamentos pontuais sobre a presença da escravidão ou sobre manobras políticas como as que obrigaram a renúncia do liberal Feijó do cargo de ministro da Justiça. Junto com Evaristo da Veiga, assinou no *Aurora Fluminense* um protesto público, defendendo o então chamado "caboclo paulista", apelido de Feijó.

Em cada um dos dois únicos números de *Niterói*, Torres Homem escreveu dois artigos. Sua preocupação era valorizar a prosperidade e denunciar os fatores que a atrasavam. Sim, o Brasil era um país incompleto, mas ao mesmo tempo capaz de encarar desafios políticos e econômicos. Bateu forte em três temas: a escravidão ou "monstruoso corpo estranho implantado no coração de sua organização social", os empréstimos contraídos pelo governo junto a bancos estrangeiros e a falta de intercâmbio comercial com outras nações. No quarto artigo, se dedicou a louvar o livro de seu colega Gonçalves de Magalhães, *Suspiros poéticos e saudades,* lamentando a falta de "sentimentos nobres" entre os brasileiros.

Porém, sua esperança se renovou com o retorno de Feijó como regente do Império em 1835:

> Apesar das dívidas, apesar da crise do papel-moeda e do cobre, apesar da submersão de grande parte dos seus fundos no horroroso golfo da Guiné, apesar do desânimo, da incerteza e do terrível ceticismo político, que hão até aqui trabalhado o espírito do país, e que devem felizmente cessar com a eleição do novo regente, cujos precedentes constituem uma bela garantia do futuro apesar de outros obstáculos, o Brasil tem marchado, por que possui uma dessas organizações atléticas, e felizes, que de todos os males triunfam.

Como sublinhou Vinicius Silva, outras preocupações do intelectual eram o atraso na indústria e na tecnologia brasileira, que debitava à escravidão; a falta de comunicações entre as capitais da Província e subutilização dos rios navegáveis; o atraso na exploração de riquezas minerais e o próprio sistema de governo que atrasava a realização de providências a tomar. Em toda a sua brilhante argumentação, via-se o aluno estudioso de Economia Política. Junto com esta disciplina, o direito constitucional e a análise de sistemas financeiros foram áreas nas quais se destacou no curso de Direito da Sorbonne.

Torres Homem voltou ao Brasil em 1837, onde duas más notícias o esperavam. A primeira, a morte do querido amigo Evaristo da Veiga. Rompia-se a amizade com aquele que foi seu mentor, benfeitor, guia protetor e patrono que o levou à imprensa, onde Torres Homem adquiriu a reputação de um jornalista completíssimo. A segunda foi a doença de Feijó e o início do retorno dos conservadores ao comando da nação. Interrompia-se, assim, a ascensão liberal em curso desde a Abdicação. Uma maior centralização do poder seria a forma de combater a temida anarquia que teve lugar durante a segunda Regência de Feijó, quando as cenas de desordem, saques e expedições militares levaram a tantas mortes. Um espírito de vingança e sedição resistia em muitas partes do país. Por ambas as perdas, Torres Homem chorou lágrimas amargas.

Passou a escrever em várias publicações. De início, no *Jornal dos Debates Políticos e Literários*, entre os anos de 1837 e 1838. De 1838 a 1841, no *Despertador* e, ao mesmo tempo, em *O Maiorista*, no qual enfrentou Justiniano José da Rocha, o grande jornalista conservador. Mais tarde, escreveria noutras publicações, consolidando, cada vez mais, sua reputação de grande homem de imprensa. Nesse ínterim, assumiu o papel de redator da *Aurora Fluminense*. Essa folha, que havia circulado até o final de 1835 sob a direção de Evaristo da Veiga, reapareceu como um dos periódicos de oposição política. O alvo? "A questão da escravatura [...] uma das mais transcendentes das que desde alguns anos ventila-se no seio de nosso país". A ponta de lança seria o combate do tráfico de escravizados que persistia.

Segundo Torres Homem, a tolerância para com o contrabando de escravos seria fruto da conivência do "principal ministro do gabinete" conservador, no caso Bernardo Pereira de Vasconcelos, que ocupava as pastas da Justiça e do Império. Suas ideias e sentimentos "são mais que muito favoráveis à continuação deste horroroso flagelo de nosso país". E Torres Homem denunciava: "a popularidade do governo requer que se cerre os olhos sobre a audácia do contrabando". De fato, tão controvertido quanto Montezuma, o outrora liberal Vasconcelos gostava de dizer: "Fui liberal". Mas liberal sem extremos. Sim, queria reformas. Queria a maior autonomia das províncias, porém, de repente o espetáculo das dissensões, as lutas, a ameaça permanente de secessão e a anarquia o fizeram parar. Prosseguir nas reformas seria sacrificar a ordem. Não parar seria atacar a unidade do vasto Império. E, se em 1827,

Vasconcelos criticava a escravidão, sete anos depois defendia o tráfico africano com o objetivo de fortalecer o partido conservador, enquanto recrutava fazendeiros e senhores de engenho.

Em sucessivos parágrafos, Torres Homem fustigava: "os cidadãos superiores aos erros de seu tempo, e que vêm não só uma lepra corruptora da civilização do país, mais ainda um obstáculo imenso aos progressos da produção de riquezas, deploram profundamente a continuação desse tráfico". Portanto, o melhoramento da condição material do país passava incondicionalmente pela substituição do trabalho servil pelo trabalho livre. Só ele viabilizaria avanços no plano moral e material. O fim do tráfico de escravos não era apenas um progresso, mas a revolução que, se acontecesse, mudaria em poucos anos a face do Brasil. A presença da escravatura desonrava o trabalho, afugentava o trabalhador estrangeiro, impossibilitava os progressos da agricultura e das artes mecânicas, ainda tão raras ou imperfeitas entre nós.

Empatia com a mercadoria humana? Não. Como bem mostra a historiadora Luiza Botelho, os argumentos de Torres Homem sublinhavam a necessidade de pôr fim imediato ao tráfico e à escravidão, mas não apresentava qualquer alternativa aos escravos. Ele condenava a escravidão como sistema desumano, não jurídico e, sobretudo, anticristão. Mas em muitos momentos dos artigos o romântico jornalista defendia a inferioridade dos africanos e sua volta à África. Torres Homem sustentava um projeto de "civilização" contrário ao escravismo, considerando-o um atraso para a economia política de uma nação. A "civilização" que ele defendia era confiante no trabalho livre, método que viabilizaria avanços tanto no plano material como no moral, por ser mais eficiente e rentável, explica Luiza Botelho.

Qual era o público leitor desses artigos? Teriam eles algum impacto? Não. Foi o momento em que as grandes fazendas de café se espraiavam pelo vale do rio Paraíba, demandando mão de obra cativa. Muitas pessoas eram favoráveis à continuação do tráfico atlântico e da escravidão. E, com a instauração do Regresso Conservador, iniciou-se um período no qual a escravidão tornou--se um dos grandes compromissos da elite que entendia ser a agricultura o futuro da "nação brasileira". Seus artigos galvanizavam os poucos que percebiam a crueldade daqueles tempos. Figura já conhecida e respeitada no mundo intelectual, Torres Homem ganhou envergadura também como voz política. Juntou letras e ação.

O historiador Marco Morel explica que homens de letras eram pessoas públicas, isto é, seguiam carreiras políticas. Letrados como Torres Homem eram uma camada restrita da população que se apresentava apta a manejar os cordões do poder da sociedade. Muitos nem carregavam tradições familiares. Eram personagens urbanos modestos, como foi o seu caso, o de Montezuma ou o de Paula Brito, que nada tinham a ver com as famílias rurais de elite, mas que compunham uma "nobreza cultural", ocupando um lugar na escala de distinção social. A figura do redator-deputado não foi incomum e ajudou a implantar a modernidade política no Rio de Janeiro, reforçando o binômio que temos visto entre homem de letras e homem público. Além disso, em 1839, Torres Homem foi eleito sócio efetivo no IHGB.

Criticado? Sim. Torres Homem não era unanimidade e foi até chamado e caricaturizado como um "macaco". Mas, como bem demonstrou Morel, macacos, negros e civilização eram ingredientes na construção de um tipo de imagem bem precisa no vocabulário político. O macaco se caracterizava pelo dom da imitação, da palhaçada, por vezes da vagabundagem. Estava associado ao mágico, ao astuto e ao malandro. Havia mesmo um jornal chamado *O Macaco Brasileiro*, e o tema dos animais era constante. Brasileiros também eram chamados de bodes e cabras. E portugueses, de camelos! Era comum a comparação com animais para insultar desafetos.

Mas a nova situação pessoal e política transformou Torres Homem. O Regresso Conservador o fez esquecer as esperanças no país e alimentou um discurso cada vez mais negativo. O cenário não podia ser pior. Durante o Império, tanto liberais como conservadores adotaram a violência e a fraude para defender seus interesses. Já nas primeiras eleições legislativas do Segundo Reinado, ocorridas em 13 de outubro de 1840, os liberais pagaram capangas para espancar adversários, roubar urnas e modificar resultados. Com isso, venceram as eleições, que, por causa do uso de violência, foram chamadas de "eleições do cacete" e ganharam o irônico lema: "para os amigos, pão, para os inimigos, pau". E a queda do gabinete liberal e a ascensão do gabinete conservador foram os principais fatores a provocar movimentos sediciosos que voltaram a sacudir o Brasil, eclodindo em diversas províncias do Império. Por pouco não foram motivo de separatismos. A rebelião de 1842 começou em São Paulo e se estendeu para Minas Gerais. Os liberais visualizaram a derrubada do gabinete de ministros conservadores, sob o argumento de verem nele indícios de autoritarismo.

Torres Homem, que já se tinha radicalizado em palavras, passou à ação extremada. Fiel às suas ideias, ingressou na Câmara como deputado pelo Ceará e, ao mesmo tempo, entrou para um clube republicano secreto, a Sociedade dos Patriarcas Invisíveis. Criada no Rio de Janeiro, mas com ramificações em várias províncias, a sociedade se constituía de núcleos de cinco a dez pessoas, que juravam segredo sobre as atividades, e apenas uma delas servia de ligação com a direção central. A sociedade articulava protestos contra o Império e mantinha entendimento com seus membros em São Paulo e em Minas Gerais. Eles acabaram pegando em armas contra a monarquia e chegaram a eleger seus próprios presidentes. Para São Paulo, Feijó; para Minas, Teófilo Otoni. Foram esmagados pelo então barão de Caxias, Luiz Alves de Lima e Silva. Como resultado, Torres Homem foi preso, juntamente com outros conspiradores, sendo primeiro recolhido à fortaleza de Santa Cruz e, depois, à da ilha de Villegagnon.

Frustrado, viu esmagada a revolução de 1842. A revolta de caráter liberal, contando com grande participação popular, tinha como agenda a melhoria de vida dos pequenos agricultores, a luta contra latifúndios e o monopólio dos comerciantes. Seu manifesto foi escrito pelo mesmo Borges da Fonseca que fundou a Sociedade Defensora da Liberdade e Independência Nacional, da qual Torres Homem foi vice-presidente. Seu objetivo: voto livre, liberdade de imprensa, trabalho para todos, reforma do Judiciário. A revolta terminou em sangue. Os líderes populares foram sumariamente fuzilados durante e depois do evento. Os ricos, depois de anistiados, voltaram aos seus engenhos.

Na chamada "fala do trono", enquanto dissertava sobre o que esperava dos senadores e deputados para o ano que se iniciava, o imperador se queixou: as revoltas que contestavam a subida dos conservadores ao poder o "magoaram profundamente". O sentimento só foi mitigado pela dedicação dos brasileiros à sua pessoa e às instituições. Entretempos, sua irmã d. Francisca casou-se com o príncipe de Joinville, Francisco d'Orléans, filho de Luís Filipe, rei dos franceses. O imperador também contraiu matrimônio na mesma época. A escolhida foi uma princesa napolitana, Teresa Cristina de Bourbon-Duas Sicílias, todo o contrário do que lhe tinham prometido: mais velha do que ele, feia e coxa.

Enquanto o povo se divertia com três dias de festas pelo matrimônio imperial, Torres Homem partia para o desterro em Portugal. Sua legislatura como deputado geral foi cassada. Mergulhado numa sombria sensação de derrota, ele optou por polemizar, espalhando ácido nas discussões e criticando violentamente a monarquia brasileira. E, pouco antes de partir para o exílio, sofreu um atentado bem ao gosto da violência que se impunha aos adversários políticos, na época:

Ontem, 7 de janeiro, às 10 horas da manhã, havia saído o sr. Francisco de Salles Torres Homem da tipografia do *Diário do Rio*, e seguindo pacificamente e inerme pela Rua d'Ajuda para sua casa, sentiu galopar cavalos atrás de si, e voltando-se, viu o coronel Rangel com sua ordenança, que à desfilada o perseguia para o atropelar, e assassinar, pelo que parecia. O sr. Torres Homem, achando-se a pé, e sem armas com que se defendesse, colheu-se a uma porta que ficava em frente para evitar o ímpeto do cavalo. O cobarde militar apeia-se, entra, acomete o sr. Torres Homem, que resiste com coragem; mas quando começava em sua justificada defesa a fazer-lhe sentir os efeitos de sua vigorosa reação, a ordenança vem traiçoeiramente segurá-lo pelas costas e prender-lhe os braços, para que o cobarde pudesse impunemente saciar sua vingança e cumprir a missão de que fora encarregado.

Da política ao Ministério

Ao voltar ao Brasil, menos de um ano depois, Torres Homem fortaleceu sua crença de que uma crise se acelerava e de que o país ia ter que lidar, em um único dia, com a ruína de conquistas feitas ao longo de 300 anos. Era a "crise" que chegava. Mergulhado numa sombria sensação de derrota, Torres Homem optou por polemizar, espalhar ácido nas discussões e criticar violentamente a monarquia brasileira. Avisava: que o Império se antecipasse à "nuvem carregada de tempestade" que chegava. Que extinguisse a escravidão e incentivasse a imigração europeia. Denunciava que a escravidão levava

> a corrupção e o vício até o centro das famílias, quer seja pelos exemplos reiterados da mais grosseira imoralidade, quer pela depravação que infiltra na alma inocente de tantos meninos confiados aos desvelos de estúpidos escravos, só pedagogos da infâmia e preceptores do crime. Que exemplos recebem eles dos seus primeiros aios, dos companheiros de seus brincos, dos condutores de sua infância! [...] Serão próprias para retificar o coração do homem as relações estabelecidas entre o senhor e o escravo? Que facilidade aberta para toda a espécie de desordens morais!

O indivíduo africano contaminava a sociedade brasileira com o embrutecimento derivado da "vida selvática que passou na terra natal". Somente a colonização europeia poderia trazer uma "população melhor" para "cultivar o nosso solo" e a cultura do país. Seus artigos escritos na primeira metade da década de 1840 demonstram como foi se construindo o futuro e temido jornalista: aquele que falaria em crise e expandiria a linguagem revolucionária assinando-se "Timandro", como explica Vinicius Silva.

Em 1848, ingressou como redator no jornal *Correio Mercantil*. Seu conhecimento de história e dos homens era o combustível de que precisava. Foi nessa época que, apesar da facilidade dos triunfos que colheu, não houve crítico mais implacável do sistema eleitoral então vigente e da própria monarquia. O esmagamento da Revolução Praieira, em Pernambuco, e a morte cruel de seus líderes, o fez tomar a pena e traçar as páginas vibrantes e devastadoras do seu *Libelo do Povo*.

Contra a violência, a hipocrisia e o despotismo, Timandro disparava sua bile. Apesar das cautelas do pseudônimo, não faltou quem logo identificasse o autor, cuja pena corajosa já deixara traços bem vivos no jornalismo da corte. O panfleto era explosivo, revolucionário, escrito com um vigor que existia no meio tímido dos políticos, mais inclinado às bajulações do que aos ataques frontais.

Ao publicá-lo, ele beirava os 40 anos, e o imperador Pedro II não tinha nem dez anos de reinado e não completara o 25º ano de idade. Pouco disse o panfletário a respeito do jovem monarca. Mas reduziu a pó a dinastia que ele representava em nossa terra. Ironizava a "nobreza achinelada", malnascida e pobretona que vivia às custas do orçamento público. Acusava: d. João V seria libidinoso, cínico, profanador dos lugares sagrados com suas infames orgias; d. José I, fraco, ignorante, nulo; d. Maria I, uma pobre louca, restauradora de abusos passados; d. João VI, suspeitoso, irresoluto, poltrão, beato sem fé e sem costumes; e, finalmente, d. Pedro I, em quem se refletia "a maior parte desses defeitos originais, não atenuados pela educação e antes corroborado pelo veneno depravador das cortes". Seu filho, o jovem imperador era acusado de complacência. Segundo Torres Homem, ele se entregara, logo, aos inimigos da liberdade, aos inimigos da nacionalidade, aos velhos campeões do absolutismo e da recolonização. E, dirigindo-se a d. Pedro II, cravava:

> Examinai a história de qualquer outra raça real, e, entre a longa sucessão de reis ignorantes, cruéis e depravados, um ou outro encontrareis sobre quem a posteridade possa repousar os olhos com satisfação. Na dinastia bragantina, porém, não há nenhum que esteja neste caso.
>
> Considere-se a lastimável posição da nossa pátria! [...] nada de generoso, de nacional e de grande; nada para a glória, para a liberdade, para

a prosperidade material; o entusiasmo extinto; o torpor do egoísmo percorrendo gradualmente, com a frialdade do veneno, do coração às extremidades, e amortecendo as carnes mórbidas de uma sociedade que supura e dissolve-se... tal é o estado do Brasil!

Em seu entendimento, a regência liberal de Feijó, sempre vista como um momento de coesão e de administração democrática, opunha-se à política imperial autoritária e feita de reação e vingança dos conservadores. Sem medir palavras, atacava seus atos tirânicos, inimigos da soberania popular que reprimiram duramente a Praieira. Considerava lastimável a posição do país: com uma constituição nominal; direitos sem exercício; ministérios sem satisfação; um Senado vitalício e faccioso; direitos de propriedade sem segurança, uma justiça criminal entregue a gaviões; a monopolização da indústria nacional entregue a portugueses; excessiva quantidade de tributos; uma nação desprezada e humilhada frente a uma corte que sonhava com o direito divino dos reis e convivia com adulação e estrangeirismos; a ausência de generosidade, de glória e, sobretudo, de liberdade.

Inspirado no contexto das revoluções liberais que iam em curso na Europa, Torres Homem batia no centralismo político imperial, clamando pela soberania popular. Alguns o admiravam pela audácia. Outros preferiam insultá-lo.

Desnecessário dizer que a reação dos conservadores foi imediata e virulenta. Para que se tenha uma ideia da repercussão do *Libelo do Povo*, basta lembrar que mais de um jornaleco foi criado, exclusivamente para malhar, sem dó nem piedade, o audacioso Timandro, sobre cuja identidade já não havia mais a menor dúvida. O revide era terrivelmente insultuoso. Para um desses pasquins, *A Contrariedade pelo Povo*, Torres Homem era apenas um desprezível filho de padre. Quando ele foi designado para fazer parte da deputação que iria levar ao jovem imperador a resposta à fala do trono, os insultos redobraram: "Infame! Terás a coragem de, no dia 4 de março, te apresentares diante do senhor d. Pedro II na deputação da Assembleia Geral?!!!". E, mais adiante:

Infame! Não sabes o que fizeste!... Cavaste a tua ruína, e chafurdarás sempre nesse lodaçal de pútrida lama em que te mergulhaste! Brasileiros, fiéis à religião, à Constituição e ao imperador, autoridade suprema dela emanada, guerra e guerra de morte a esse indigno e vil Timandro, vergonha dos fluminenses honrados; e amaldiçoado seja todo aquele que, ao passar por ele, lhe não cuspir na cara! Guerra e mais guerra!

Além desse, havia outros pasquins, entre os quais *O Caboclo*, que desferia iguais ataques e se fazia veículo das piores injúrias contra o panfletário liberal. Os conservadores tinham a seu serviço um poeta de aluguel, notável pela veia satírica, pela presteza, pela virulência e perfídia. Em cada número, havia pelo menos um soneto satírico contra Torres Homem. Isso sem falar nas matérias em prosa, nas quais era chamado de "crioulo malandro" e outras amabilidades dessa espécie.

Ataques explodiam. Torres Homem tinha trazido de Paris uma modista francesa, de nome Elisa, dona de alguns recursos que ele gastou ao chegar ao Brasil. Depois, abandonando a francesa, desposara, por interesse, uma moça do interior, dona de respeitável fortuna, d. Isabel Alves Machado. Membro de família tradicional da região de Macaé, a jovem representava a riqueza da produção açucareira e cafeeira que tinha se expandido na região do porto de São João da Barra. Só depois de rico e bem instalado na vida começou a devolver o dinheiro com que a modista o socorrera. Desprezada, ela foi restituída ao seu antigo ofício. Os jornais caíam em cima dele:

> Esse grave doutor da mula ruça
> Que nos lombos levou tremenda coça
> E de Paris nos trouxe aquela moça
> Sobre a qual muita gente se debruça
> Esse inchado pavão, que se empapuça
> Por ter casado rico, lá na roça
> E: doutor mesmo próprio de carroça
> Servindo-lhe a carapinha de carapuça

No começo de 1849, surgiram mais pasquins para combater e desmascarar Timandro. Não se incomodavam em discutir suas ideias, mas, sim, em desqualificá-lo, apresentando aspectos obscuros de sua biografia. Um trecho d'*A Contrariedade pelo Povo*, referido acima como exemplo da perseguição pessoal a Torres Homem, dizia:

> Batido e debelado tem sido o autor do *Libelo do Povo*, desse libelo famoso; cumpre, porém, dar toda publicidade à origem desse desprezível átimo da associação brasileira; e para isso permita-se-me [sic] tomar o fio de mais longe. Eva, crioula, natural de Taubaté ou suas imediações, afagando e recebendo afagos do capitão-mor da aldeia dos índios daquela vila, deu à luz uma filha de nome Anna; perfeita mestiça de cor

escuríssima; e vendida para o Rio de Janeiro foi comprada e sua filha pelo negociante, da classe então chamada comissários, José Francisco Cardoso, morador na Rua Direita, casa hoje n. 73; e como houvesse na família outra escrava também crioula e do mesmo nome, foi aquela crismada em EVA DA SERRA. ANNA, conhecida por Anica, cresceu; e, não sendo indiferente aos impulsos amorosos, deu à luz em 1783 ou fins de 1782 uma filha, de nome Maria, parda muita clara, que se chamou depois Maria Patrícia [...] Maria Patrícia, reputando-se a branca do lote, sem trabalhar, queria viver à custa de seus parceiros, embonecando-se com o fruto que lhe fornecia sua idade e sexo: era, entre os capetas que a frequentavam, conhecida pela "você me mata", frase de que constantemente usava nos seus extasiados e delirantes transportes amorosos. [...] Eis a digna mãe de Timandro; [...] Vejamos se é ele mais feliz pelo lado paterno. Apolinário Torres Homem, nascido de pais humildes, natural, para vergonha dos fluminenses, do Rio de Janeiro, foi estudar para o seminário da Lapa, sendo mestre de gramática latina o Revmo. Luiz Gonsalves dos Santos; rapaz turbulento e de péssima conduta, colheu o fruto merecido, sendo recrutado para o regimento de Bragança, onde teve sempre indigno comportamento; e unido constantemente a outro soldado, o Fragatinha, tão bem como ele, e comparsa em mil desordens, tiveram forte altercação com um terceiro, que sucumbiu das facadas que de ambos recebera; desertaram; e percorrendo pela Bahia, Pernambuco, &c., desapareceram. Apolinário, anos depois, e procedente de Lisboa, apareceu no Rio de Janeiro, revestido, dizia ele, do caráter sacerdotal; porém o Exmo. e Rev. sr. d. José Joaquim Justiniano Mascarenhas Castelo Branco, bispo do Rio de Janeiro, desconfiando dos documentos, e considerando falsas as reverendas, não lhe permitiu o uso das ordens. Por falecimento d'este preclaríssimo prelado, o cônego Villas Boas, vigário geral e governador do bispado, cedendo aos empenhos, a esta terrível peste da sociedade permitiu-lhe o livre uso das ordens; consentindo com tal condescendência que este fluminense de péssima conduta, e manchado com o crime de homicídio, que o inibia de tal ministério, agravasse sua conduta, que já tanto o enegrecia, cometendo todos os dias um sacrilégio, celebrando aquele Santo Sacrifício, que é só permitido às almas puras e canonicamente autorizadas! [...] Entre as muitas ladroeiras ali preparadas, prima uma praticada contra um pobre velho, morador na Rua do Valongo, (hoje da imperatriz), que por ser analfabeto usava de um carimbo, o qual por astúcias de Apolinário, combinado com a sua barregã Maria você me mata – esta o roubou, e forjando-se falsos créditos, forçaram o velho ao pagamento. Sobre essa questão houve no juízo de fora duas sentenças, que honram aos seus julgadores, uma do sr. Carneiro, outro do Exmo. sr. Conselheiro Clemente Pereira, que deitaram por terra esta ladroeira: correram impressas e dadas em avulsos em 1827 ou 1828, com os periódicos da época. É esta uma das principais causas por que Timandro odeia e guerreia ao Exmo. sr. Clemente Pereira! [...] Este padre de fábrica própria namorou-se da "você me mata", levando-a por fim para sua companhia, vivendo publicamente, como casados, na casa da Rua dos Latoeiros, hoje n. 34, propriedade que pelas suas artimanhas pilhou a um pobre preto, seu constituinte: história curiosa! Foi deste infame e sacrílego concubinato que veio à luz O HOMEM SALLES DA TORRE, o Timandro, esse fluminense filaucioso! insolente! indigno! vil! rasteiro! embora empertigado, malvado! perverso! mentiroso! aleivoso! embusteiro! ingrato! porque tudo isto encerra em si, quem se atreveu a escrever o *Libelo do Povo*; esse libelo famoso, e falso, d'onde destila a vil peçonha de seu asqueroso autor.

Asqueroso? Só para os inimigos. Segundo Magalhães Júnior, Torres Homem tinha maneiras compassadas, pouco expansivas, nunca familiares. O andar lento, quase majestoso, devido, aliás, à impertinente e antiga bronquite e ao fôlego curto, não lhe permitia ter pressa. A postura parecia a de alguém muito orgulhoso de si, concorrendo para a reputação de displicente e emproado. Padre João Manuel de Carvalho, deputado, se queixava: ele parecia "respirar orgulho, vaidade e impostura e encarar o resto da humanidade com o mais soberano desprezo, caminhando com o passo lento e firme, sem olhar para os lados, sempre empavesado, trajando caprichosamente, com apuro irrepreensível, supondo, talvez, que ele fosse o único mulato no mundo". A aparente vaidade provocava hostilidade naqueles que não suportavam a soberba do ilustre homem público. Mesmo alguns de seus amigos reclamavam. Nabuco de Araújo, por exemplo, dizia: "Se o Sales não tivesse tanto talento, era um peru de roda... Só não digo pavão porque este, segundo Buffon, é o rei da natureza em formosura...". Porém, na convivência mais chegada, mostrava o que na realidade era: "gênio simpático, afável, folgazão, conversador inestimável e divertidíssimo".

A terceira fase como jornalista foi de 1853 a 1856, quando tentou harmonizar os antagonismos que caracterizavam a política do Império. Em defesa de um governo de coalizão, do qual, a partir de 1854, participou diretamente, publicou, um pouco antes, no *Correio Mercantil*, uma série de artigos que se converteram no livro *Pensamentos acerca da conciliação dos partidos*. Ali não só justificou sua mudança de posição, mas também louvou o fim dos movimentos armados que sacudiam o país, vislumbrando os primeiros contornos de uma unidade nacional. Segundo ele:

> A conciliação, como a entendemos, não é a que resulta da condição material e ignóbil da repartição igual das posições oficiais pelos membros das diversas parcialidades políticas. Essa conciliação calculada sobre o interesse, e que há seis anos foi tão veementemente preconizada, não entrará nunca no plano daqueles que aspiram primeiro que tudo a realização das doutrinas e dos meios de governo que se lhes afiguram indispensáveis aos males presentes da nação. É unicamente da conciliação operada pelo acordo das opiniões, pelo olvido do passado e pela necessidade comum de melhorar uma situação cujos perigos ameaçam a todos [...].

Quanto a d. Pedro II, cuja família enxovalhou, era "dotado de uma ilustração superior à de todos os monarcas do seu tempo" e não devia se limitar "ao papel passivo de rei constitucional", e, sim, combater a corrupção e as fraudes e possibilitar as "reformas numerosas e profundas que tão miserável situação reclamava", do contrário, o imperador poderia passar "sem glória e sem brilho à história mesquinha de sua triste época!".

Nesse livro, Torres Homem defendeu a preservação da Constituição de 1824 e reformas que atendessem aos interesses de ambos os partidos. As circunstâncias que levaram às revoltas tinham que ser superadas. Nada de rupturas, mas um aperfeiçoamento em favor da pacificação do Brasil, mesmo que isso não correspondesse à totalidade dos propósitos que tão enfaticamente defendeu no decurso de sua trajetória.

Como tantos políticos, Torres Homem mudou de lado e se tornou conservador. Foi muito atacado. O rebelde mudara singularmente de pensar e era, agora, o grande pregoeiro da conciliação dos partidos. Sua oratória seduzia a Câmara e fascinava multidões. Ele não poderia ser arrolado como um reacionário, uma vez que um reacionário, ou mesmo um conservador daqueles idos, jamais admitiria a igualdade natural entre homens e muito menos advogaria a existência da monarquia constitucional como forma ideal de um governo representativo, como ele fazia. Desde os seus primórdios na vida política, ainda na Assembleia Constituinte, foi um militante nas hostes liberais moderadas, tendo, mais tarde, se notabilizado por ter sido dos primeiros a propor a abolição total da escravatura, ainda no período que antecedeu a guerra contra o Paraguai. As bases reais do seu "liberalismo doutrinário" desaguavam no "ecletismo" político. Sua preocupação era conciliação do binômio "ordem e liberdade".

Na política, os ventos tinham mudado. Ao assumir o poder, o monarca foi apoiado e prestigiou a presença de figuras liberais em seu ministério. Contudo, no ano seguinte, os escândalos de violência e corrupção envolvendo os liberais, ocorridos nas eleições, impeliram o imperador a dissolver o ministério e convocar figuras políticas de origem conservadora. Depois, para abrandar as disputas, o imperador começou a abrir espaço para figuras políticas liberais e conservadoras em seu governo. Assim, em vez de advogar em favor de um único grupo, o imperador buscou privilegiar as duas facções políticas enquanto consolidava uma imagem imparcial de si. Foi nesse contexto que o "ministério da Conciliação" se formou.

A súbita transformação da economia do país com a supressão total do tráfico de escravos, em 1850, levou os capitais vantajosamente empregados no tráfico de escravos a serem aplicados em especulações financeiras. Nenhum investimento na lavoura! A ambição dos ganhos ignorava os riscos das empresas. Houve um surto bancário sem precedentes, e alguns desses estabelecimentos, investidos na faculdade de emitir, que então não era privilégio apenas do banco do governo, lançaram em circulação um volume de notas bancárias que ultrapassava de 15 mil contos, soma enorme para a época. A situação cambial era péssima e tudo isso conduzia ao "carnaval financeiro". Torres Homem, porém, não se abalava. Seguia suas convicções ou intuições. Em defesa de sua posição, citava Shakespeare e Racine, no original. Como já fizera no *Libelo do Povo*, continuava a bater na mesma tecla: o combate à corrupção. Segundo ele, o "ouro desviado dos cofres da nação molhava os partidos". Sua carreira seguia ascendente.

O entendimento com políticos na conciliação fez dele o diretor do Tesouro Nacional e, em 1858, o novo ministro da Fazenda. Escolhido pessoalmente pelo imperador, que, apesar das críticas, admirava profundamente o homem público, teve, porém, que enfrentar uma crise terrível. Como ministro da Fazenda, entre 1858 e 1859, Torres Homem combateu a política da pluralidade bancária e as facilidades emissoras, revogando a autorização dada ao Banco do Brasil para elevar a emissão ao triplo do fundo disponível. Contraiu empréstimos para liquidar a ruinosa dívida de 1824 e 1825, que serviu para cobrir parcelas não pagas do empréstimo no valor de 3 milhões de libras esterlinas contraído junto à Inglaterra, para Portugal reconhecer a independência do Brasil. Do total tomado emprestado, o Brasil recebeu apenas 52%, pois o restante serviu para cobrir os juros de compromissos anteriores. Introduziu alterações na estrutura do Tesouro Nacional e encampou a construção da Estrada de Ferro d. Pedro II e da Estrada de Ferro União e Indústria.

Conselheiro de Estado ordinário, em 1866, e presidente do Banco do Brasil, foi feito novamente ministro da Fazenda de 1870 a 1871. Por coincidência, o filho de uma ex-escrava governou as finanças do Império em décadas em que escravos tiveram acesso a serviços de poupança, assegurados pelo governo, na Caixa Econômica da Corte ou em bancos privados como o A. J. Alves Souto ou o Gomes & Filhos. Em pesquisa pioneira, o historiador Thiago Alvarenga demonstrou que tais cadernetas revelaram fontes de economia e acumulação similares às de cidadãos livres ou mesmo mais elevadas. Caso, por exemplo, de certa Isabel, na Caixa, dona de 2.513.740 réis. As poupanças, que garantiam a alforria, eram nutridas por doações de senhores, e, em caso de arbitrariedades por parte destes – era preciso ter licença do senhor para abrir conta –, os julgamentos favoreciam majoritariamente os escravos.

Ao chegar ao Senado, Torres Homem empenhou-se em defesa da liberdade dos filhos das escravas, chamando a atenção e despertando a simpatia do imperador, o que, no ano seguinte, lhe valeu a comenda da Ordem de Cristo. Por ocasião da campanha do Ventre Livre, promulgada em 1871, era conhecido entre deputados como "o mais eloquente e glorioso fulminador da resistência e oposição desabridas dos principais chefes do partido conservador". Aliás, segundo Alvarenga, depois da lei, o número de poupadores aumentou consideravelmente e foi crescente até a Abolição. Grande do Império, membro do Conselho do imperador e comendador da Ordem de Cristo, d. Pedro II o fez visconde de Inhomirim, com honras de grandeza, por decreto imperial de 15 de outubro de 1872.

Depois da tempestade, a bonança. Ou quase. A conciliação teve singulares consequências políticas: proporcionando um campo aos entendimentos cordiais entre homens dos dois partidos, que se digladiavam na arena parlamentar do Império, fez com que alguns conservadores passassem para as fileiras liberais e com que alguns destes se transferissem para o campo oposto. Tal foi o caso de Torres Homem, cuja carreira política pode ser assim configurada:

primeira fase, revolucionária; segunda, aliancista; terceira, conservadora. Essa transformação que o levou de um polo ao outro se fez em dez anos, bem lembrou Vinicius de Souza. A imprensa liberal não o poupou, e mesmo entre os conservadores houve algum desgosto. Ou inveja.

Luiz Gama, o poeta negro, famoso pela veia satírica, ao publicar as *Primeiras trovas burlescas de Getulino*, em 1861, quando ainda era um liberal radical, assim alvejou Salles Torres Homem:

> Se ardente campeão da liberdade
> Apregoa dos povos a igualdade,
> Libelos escrevendo formidáveis,
> Com frases de peçonha impenetráveis:
> Já do céu perscrutando alta eminência.
>
> Abandona os troféus da inteligência,
> Ao som *d'argent* se curva, qual vilão,
> O nome vende, a glória, a posição:
> É que o sábio, no Brasil, só quer lambança
> Onde possa empantufar a larga pança!

Tanto veneno pode ter nascido do ressentimento, pois vida bem dura teve Luiz Gama. Embora um apaixonado defensor da abolição, Gama não possuía formação. Era "advogado sem diploma" de escravos e fundou, em 1881, a Caixa Emancipadora Luiz Gama, para a compra de alforrias. Ele contava ser filho da negra livre Luiza Mahin, que participou da Revolta dos Malês, em Salvador, com um fidalgo português, que o vendeu, ainda menino, como escravo para São Paulo. Aos 17, foi novamente vendido para o interior da província, onde foi alfabetizado e aprendeu matemática, além de alguns conhecimentos humanistas. Aos 18 anos, começou a reunir provas de que sua situação de escravizado era completamente ilegal, tendo ciência de que seu pai e sua mãe gozavam de ampla liberdade. Pediu que seu então senhor lhe desse a alforria. Sem sucesso.

Gama, então, fugiu para São Paulo, na posse das provas de que nascera livre, quando passou a servir às Forças Armadas até 1854. Em 1856, foi nomeado escrevente da Secretaria de Polícia e iniciou seus estudos de Direito por conta própria. Em 1868, foi expulso da polícia por ser considerado "baderneiro", em função de sua atuação junto ao Partido Liberal à época. Foi então que se consolidou a figura do ativista liberal abolicionista. Enquanto estudava, atuava também na imprensa, ao lado de Ferreira de Menezes, André Rebouças e José do Patrocínio. Sob pseudônimos, ele escrevia para jornais como *O Diabo Coxo*, *O Cabrião*, *O Polichinelo* e, mais tarde, *O Radical Paulistano*, tecendo duras críticas à sociedade escravagista e à política do regime monárquico, além de denunciar sentenças e apontar erros cometidos por juízes e advogados.

Já a literatura serviu-lhe como passaporte para os círculos sociais mais altos. Em sua mais conhecida obra poética, *As primeiras trovas burlescas*, de 1859, faz uma crítica social e política da sociedade brasileira, denunciando as questões raciais do ponto de vista negro, na primeira pessoa.

Mesmo não sendo "diplomado", Luiz Gama possuía uma provisão, documento que autorizava a prática do direito, dada pelo Poder Judiciário do Império. O historiador Sud Menucci conta um episódio que bem mostra seu jeito de atuar:

> Entrou-lhe um dia, pelo escritório adentro, um negro que desejava libertar-se e que ia entregar-lhe o montante do pecúlio necessário para que Gama tratasse de alforriá-lo. Enquanto o preto expunha o seu caso, aparece o senhor, que por sinal era amigo do advogado. Estava visivelmente inquieto, triste, abatido. E, entrando em explicações, pergunta ao negro por que pretende abandoná-lo, a ele que sempre lhe dera trato e carinho iguais aos de seus filhos.
>
> – Por que queres deixar-me, abandonando o cativeiro de um homem bom como tenho sido, arriscando-te a seres infeliz quando estiveres sozinho pela vida?
>
> O escravo não respondia. Não tinha o que reclamar, pois o amo fora sempre, mais que humano, solícito e bondoso. O senhor não se conformava com a atitude do escravo:
>
> – Por que me abandonas? Que é que te falta lá em casa? Dize... fala...
>
> – Falta-lhe – interveio Luiz Gama, dando uma palmada no ombro do preto – falta-lhe o direito de ser infeliz onde, quando e como queira!
>
> E libertou o negro.

Gama dedicou-se com afinco e gratuitamente a libertar pessoas escravizadas de várias províncias do Brasil. E junto com o intelectual negro José Ferreira de Menezes, Gama fundou uma escola para forros e libertos, assim como uma biblioteca aberta à população.

Mas, voltando a Torres Homem, Luiz Gama não era o único a se irritar com ele. Durante a administração do gabinete ele também incomodava liberais, que não o perdoaram: "Toda gente se admira de o macaco fazer renda quanto mais de ver Cupido ser caixeiro de uma venda!! quanto mais de ver Timandro andar hoje de comenda!!". Nessas rimas de autoria anônima, algumas palavras chamam atenção, sublinha Vinicius Silva. "Macaco" faz menção à sua condição racial, constantemente alvejada por seus inimigos, fossem quais fossem suas cores políticas. "Fazer renda" referia-se à sua ascensão social e econômica, que ele não escondia: gostava de se vestir com elegância, jantar entre senadores no restaurante O Globo e tomar sorvete no Glacier. "Cupido" remetia ao papel de aglutinador de paixões antagônicas. E a acusação de ser um "caixeiro de uma venda" mirava sua atuação como ministro da Fazenda. Quanto à "comenda", esperavam tudo, menos que aceitasse a comenda da Ordem de Cristo, que recebeu das mãos de quem tanto criticou: d. Pedro II.

Tarde demais. Seu talento, fama e dinheiro lhe davam total autonomia. Indicado senador pelo Rio Grande do Norte, Torres Homem teve sua eleição anulada em 1869, mas, voltando a integrar a lista tríplice no ano seguinte pela mesma província, foi escolhido por d. Pedro II. Na Câmara vitalícia, Torres Homem tomou posse a 27 de abril de 1870. Nos últimos anos de vida, o filho da mulata Maria "você me mata" tinha ascendido a todos os postos de prestígio. O imperador esqueceu os insultos do *Libelo do Povo* indicando-o aos mais altos postos e às maiores honras. Depois de ministro da Fazenda, Timandro foi diretor das Rendas Públicas, presidente do Banco do Brasil e, de novo, ministro de Estado e membro do Senado. A evolução contraditória não lhe tirou o brilho.

Nos últimos anos de vida, Torres Homem perdera todas as ilusões e todo o estímulo. Chegara até onde pudera chegar – e as vitórias conquistadas não lhe davam prazer, nem alegria. A insatisfação de novo lhe agitava, agora já sem revolta, mas com desencanto e tédio. Além do mais, a saúde precária, a asma cardíaca, renitente e insidiosa, tirava-lhe o gosto de viver. Em carta ao representante diplomático em Londres, conselheiro José Carlos de Almeida Areas, futuro visconde de Ourém, datada de 23 de novembro de 1870, contava: "Continuo doente de asma quase sem interrupção, porém a sofro sem muita impaciência, porque o tempo corre ligeiro e espero chegar breve ao fim da viagem. Perdi a saúde e também todas as ilusões. Entretanto, acho-me pela segunda vez no ministério, representando um papel no teatro das quimeras e desculpando-me com a fatalidade."

Apesar de rico, senador do Império e visconde com grandeza, inserido na mais alta sociedade e nos círculos do poder, mergulhou no desencanto. Certamente concordava com Tocqueville, cujas obras conhecia: o mundo que ele viu nascer se parecia como um gêmeo ao antigo. Exceção? Não exatamente. Ele cruzou com outros homens de cor que ascenderam também: o barão de Cotegipe, o visconde de Pedra Branca, o visconde de Abaeté, membros da família Werneck ou Teixeira Leite. Também o obstetra da imperatriz Teresa Cristina, o barão de Itaúna, que de tão íntimo da família imperial viajou com ela para a Europa e o Oriente, em 1871, e ao retornar foi indicado ministro na Secretaria de Estado dos Negócios da Agricultura, Comércio e Obras Públicas.

No final da vida, doente e abatido, manifestou novamente sua desobediência ao Império ao viajar para o Exterior, sem solicitar licença prévia, para se tratar. Voltando ao Brasil, retomou os trabalhos legislativos, mas seu estado de saúde o levou de volta ao velho continente, para consultar especialistas. Viagem sem retorno. Uma síncope cardíaca o fulminou, a dia 3 de junho de 1876, no seu quarto de hotel, em Paris, quando, de pena na mão, sentado à mesa, tentava escrever. Tempos depois, seus restos mortais foram removidos para o Rio de Janeiro e receberam sepultura definitiva no cemitério de São João Batista. No seu túmulo há apenas esta inscrição: "F. de Sales Torres Homem (visconde de Inhomirim)". E ele não esteve no centro do poder. Ele foi o poder.

7

Entre empresários

Do violino às tropas

Se há um personagem negro que encarna tudo o que vimos até agora, ou seja, alguém que teve o suporte da família, esteve ligado a irmandades, foi alfabetizado e participou da uma rede de relações até alcançar o topo da pirâmide social – nesse caso, como banqueiro –, esse alguém foi Francisco Paulo de Almeida, futuro barão de Guaraciaba. Um negro com uma história incrível de sucesso, que o transformou numa das maiores fortunas da segunda metade do século XIX. Nascido em Lagoa Dourada, Minas Gerais, a 10 de janeiro de 1826, filho legítimo de José de Almeida, branco, e Dona Galdina Alberta do Espírito Santo, negra, recebeu o batismo na matriz de Nossa Senhora das Mercês, em São João del-Rei.

Lagoa Dourada era então um arraial e acampamento de tropas de mulas. Francisco Paulo vinha de uma família bem posicionada na comarca do Rio das Mortes, em São João del-Rei. O pequeno vilarejo, cercado de cascatas de águas gélidas, foi fundado em 1625, quando colonizadores portugueses em busca do ouro ou catequizando índios chegaram ao lugar. Uma "bandeira" ali "acampou" e, com a constatação de ouro, iniciou-se a fundação de um núcleo que recebeu o nome de "Alagoas". Os conquistadores se lançaram à garimpagem, explorando o território das adjacências e atraindo novos moradores entre aqueles em trânsito para outros pontos auríferos.

O grande depósito era uma lagoa onde o ouro de aluvião, segundo consta, se refletia na superfície, em formato de nata. Isso levou os moradores a denominar Lagoa Dourada o arraial que, em 1715, estava em formação vinculado a Tiradentes. Outras atividades vieram completar a evolução da comunidade, especialmente a agricultura e a pecuária. Filho de famílias paulistas, Antônio de Oliveira Leitão foi o responsável e patrocinador da construção do chamado "caminho novo", que ia de São João del-Rei até Congonhas, rota que tornou Lagoa Dourada um importante ponto de passagem.

Sabe-se que Francisco Paulo cresceu aos cuidados da segunda companheira do pai, d. Palolina, sua "mãe de consideração", que o levou à pia batismal na capela da freguesia de Santo Antônio com apenas 15 dias de nascido. Seu pai mantinha relacionamento com quatro mulheres, segundo constatou o biógrafo Carlos Alberto Dias Ferreira. Mas só contraiu núpcias com a mãe de Francisco Paulo, d. Galdina, e, depois de viúvo, com Minelvina Magdalena de Almeida. O jovem cresceu, portanto, numa família plural, tão comum no passado. Seus padrinhos foram Claudino de Souza e Silva e Barbara Joaquina de Jesus, ambos ligados à família do marquês de Valença, Estevão Ribeiro de Resende. Francisco Paulo, primogênito de 19 irmãos, iria se beneficiar com os contatos de Resende, que, como Montezuma, estudou em Coimbra, tornando-se ministro de Estado dos Negócios da Justiça durante o reinado de d. Pedro I.

Nessa época, como toda criança livre pobre ou escrava, Francisco Paulo foi trabalhar para ajudar a família. Não se sabe quem o ensinou a arte da ourivesaria, mas aprendeu muito cedo a fazer botões de colarinho em ouro. Cedo também aprendeu a tocar violino. A presença de músicos nos principais núcleos urbanos mineiros ao longo do século XVIII foi, como visto, importantíssima. Segundo Curt Lange, o número de músicos foi grande em todo o território da capitania, calculando-se que a cifra total deles tenha ultrapassado um milhar ou mais. O florescimento musical em Minas Gerais pode ser entendido, segundo Lange, por meio do *melting pot* mineiro. Ou seja, a mestiçagem das gentes. Desde 1780, o desembargador João José Teixeira Coelho relatava que a maioria dos mulatos mineiros se empregava "no ofício de músicos, e são tantos na capitania de Minas que certamente superam o número dos que há em todo reino". Lange chega até a afirmar que não existiram músicos brancos, sugerindo uma espécie de "exclusivismo étnico" entre músicos profissionais. A música, a pintura e os ofícios teriam sido as ocupações profissionais mais frequentes, como já vimos.

Manoel Dias de Oliveira, atuante na Vila de São José del-Rei, e o padre João de Deus de Castro Lobo, atuante em Vila Rica entre fins do século XVIII e início do XIX, foram mestres importantes, e é provável que Francisco Paulo conhecesse suas composições. Os músicos profissionais eram requisitados nos cerimoniais das Câmaras Municipais, bem como nas procissões, missas, novenas, ofícios e ladainhas. Essa demanda era geralmente suprida por padres regentes, com suas "corporações de músicos", ou por conjuntos de músicos que integravam terços auxiliares ou tropas de ordenança. Sem participar de grupos, Francisco Paulo dominava seu instrumento e tocava violino em enterros. Havia de ganhar dinheiro, e, reza a lenda, era pago com dois vinténs e uma vela de sebo.

Aos 16 anos, Francisco Paulo recebeu a quantia de 257.254 réis, proveniente da partilha dos bens de sua mãe. Ele devia se destacar entre os irmãos da grande família, pois, nove anos depois, quem lhe legou uma pequena fortuna foi dona Bárbara Joaquina de Jesus, sua avó. Seu contato com a idosa senhora o introduziu na fazenda Boa Vista, onde ela faleceu. A fazenda pertencia aos parentes do já mencionado marquês de Valença. Ali pontificava o reverendo Joaquim Gonçalves Lara, de grande influência no sul de Minas, de quem Francisco Paulo se aproximou. Não se sabe o que fazia seu pai, mas o jovem circulou sem problemas num circuito de relações que incluía membros do judiciário e da corte, além de grandes agricultores. Sabe-se, porém, que seu pai era membro de duas irmandades: a de Nossa Senhora das Mercês e a de São João Evangelista. Esta última seria a Irmandade de São João Evangelista dos Homens Pardos em Tiradentes? Segundo Dias Ferreira, foi essa a porta aberta para que o jovem tocasse em enterros, uma vez que a execução de música nos velórios necessitava da licença das irmandades.

Esses foram os anos em que crescia o imperador d. Pedro II e surgia um rei: o café. O rio Paraíba hidratava as fazendas que se estendiam entre São Paulo, Minas Gerais e Rio de Janeiro. A riqueza dos fazendeiros ali instalados estava ligada à lavoura de cana, ao abastecimento de gêneros alimentícios para a capital e ao tropeirismo. Havia também quem negociasse "uma carreira", eufemismo para designar o transporte de mercadorias em lombo de burro ou por água, ou participasse de negócio mais lucrativo: o de cativos. Os chamados "tratantes de escravos" os compravam à vista na corte e os vendiam, serra acima, a prazo, com uma margem de lucro de 100%. Famílias poderosas eram identificadas pelas patentes militares que requisitavam e exerciam poder político onde estavam instaladas. Se estavam à beira do caminho, alugavam suas terras para invernadas – pastos onde o gado, vindo de longe, recuperava as forças para seguir viagem.

Nessa época, Francisco Paulo conduzia as tropas que percorriam a Estrada Real, levando mercadorias e abastecendo de farinha e toucinho a capital. Essa atividade era essencial para o sucesso do comércio interno do Império. Desde o povoamento dos chamados "sertões" e da descoberta do ouro em Minas Gerais, o transporte de cargas e produtos vindos dos portos marítimos se dava em lombo de mula. Só elas se mostravam capazes de avançar pelo relevo acidentado feito de serras e montanhas. "Tropeiro" era designação de muitos: desde aqueles que negociavam animais até os que transportavam mercadorias, ou os simples condutores de tropa. Fortunas imensas se constituíram na pecuária. Porém, o mais importante é que o pequeno comércio de gado também mantinha uma grande população de camaradas, vaqueiros, agregados, livres e forros acumulando bens.

Aos gritos de "Boa estrada" quando se cruzavam pelos caminhos, tropeiros compravam e vendiam, sobretudo muares vindos do Rio Grande e comercializados na feira de Sorocoba, em São Paulo. Ou os animais criados em Lagoa Dourada, da raça pega. Um plantel não era caro, e foi com sua herança que Francisco Paulo comprou o seu. Os tropeiros eram proprietários de escravos? Sim. Há muito, o historiador José Alípio Goulart observou: "Mesmo depois de intensificado o tráfego de muares, a escravaria continuou a fazer transporte, pois havia artigos, como cadinhos de barro, louças, vidros, espelhos etc. [...] cuja fragilidade exigia a cabeça de negro [...] para não se fragmentar". De fato, mesmo nos ditados populares do século XVIII é possível encontrar paralelismo entre as duas formas de transporte: "Caminho longo, ou mula ou mulato".

Os viajantes estrangeiros também notaram que os cativos cuidavam do transporte de mulheres brancas, que eram carregadas em liteiras, ou sentavam-se "vestidas de longa montaria azul com chapéu redondo, em uma cadeirinha presa à mula". A permanente circulação dos animais permitia acesso contínuo a novas pastagens, libertando os grandes tropeiros para investir em fazendas.

No início do século XIX, Saint-Hilaire se impressionou com os vastíssimos campos de capim-gordura em Minas Gerais. A espécie, considerada exótica, surgia após sucessivas queimadas nas matas. A descrição do naturalista não é das mais simpáticas, definindo-a como uma "gramínea viscosa, pardacenta e fétida" que engordava os animais, mas lhes tirava a força. Suas sementes tinham a capacidade de "aderir às vestimentas dos homens e ao pelo dos animais". Assim, à medida que novos caminhos eram abertos e as tropas começavam a circular, registrava-se a disseminação da gramínea. Atribui-se uma origem africana à espécie, sendo proveniente de uma ampla região compreendida entre Congo e Angola, territórios que forneceram regularmente escravos para a América portuguesa. Teriam os africanos difundido as primeiras sementes da forragem no Novo Mundo?

A constante movimentação das tropas também exigia que os animais fossem marcados a ferro em brasa, para que não fossem confundidos com

178   À procura deles

os demais arranchados. Assim, uma prodigiosa legião de ferreiros surgiu ao longo dos caminhos pelos quais passavam os tropeiros. O ofício, baseado em técnicas metalúrgicas portuguesas e africanas, garantiu emprego e sustento de muitos homens livres não proprietários de escravos.

Como tropeiro, desde os 17 anos Francisco Paulo se movia numa correia transmissora de mercadorias, e, sobretudo, de informações. O ir e vir entre a capital e o interior, os pousos nos diferentes ranchos, os contatos nas diferentes cidades faziam do tropeiro um arquivo de notícias: o que se disse na Assembleia? O que contam os jornais da corte? O fazendeiro X agastou-se com o Y? Quem está devendo dinheiro? Alguma terra à venda? A demanda por produtos de abastecimento cresceu, a agricultura se diversificou e as capitais incharam. O processo se autoalimentava, e os produtores mineiros emergiram nos primeiros anos da Regência, não só no comércio, mas também na política. Nesse palco de oportunidades oferecidas aos comerciantes e atravessadores, o jovem tropeiro não deixaria passar sua chance.

Das tropas aos negócios

Junto com o vaivém das tropas, as flores brancas dos cafeeiros em flor cobriam as terras do Vale do Paraíba e escalavam os morros do sul de Minas. É difícil saber quando o café deixou de ser plantado em roças para ser cultivado em fazendas, pois isso variou regionalmente. Mas sabemos que, entre 1790 e 1830, o café, que representava 1% ou 2% das exportações, passou a ser responsável por 40% ou 45% delas. A lavoura devorava florestas inteira. A coivara era o principal instrumento das frentes pioneiras. Como mostrei em *Uma história da vida rural no Brasil*, após a destruição das matas, o café era plantado na clareira enegrecida pelo fogo. Dentro das covas eram plantadas as mudas, mais fáceis de pegar do que as sementes. Em pouco tempo, tropas também carregavam caçuás com café para o porto do Rio de Janeiro.

As invernadas, comuns no sul de Minas, eram um ótimo lugar de negócios. Ali, o "ponteiro" ou atravessador podia comprar a mercadoria vinda de longe por um bom preço e levá-la até a corte, onde seria revendida pelo dobro. Muitos esticavam a permanência do gado no pasto para forçar a alta dos preços.

Uma das figuras mais conhecidas no ramo foi o branco Domingos Custódio Guimarães, nascido em São João del-Rei e futuro barão de Rio Preto. Junto com o sócio, José Francisco de Mesquita, futuro marquês de Bonfim, fundou a sociedade Mesquita & Guimarães. Seu negócio rendoso consistia em vender escravos para o interior e comprar algodão e gado. Guimarães passou a comprar terras na região do rio Preto, tornando-se um dos maiores produtores de café da região. Francisco Paulo, que já conhecia Mesquita, aproximou-se da firma Mesquita & Guimarães como prestador de serviços.

Paralelamente, Francisco Paulo consolidou fortes laços de amizade e confiança com o fazendeiro Domiciano Ferreira Souto e sua esposa, dona Umbelina. Ao morrer, o casal lhe encarregaria da tutoria dos filhos, Joaquim e Domiciano Filho. No comando da firma do falecido Domiciano, Francisco Paulo desenvolveria bem-sucedidos negócios de importação e exportação com a firma Mesquita & Guimarães.

Pouco a pouco, de simples zona de passagem, o Vale do Paraíba se transformou em tabuleiro onde pequenas e grandes propriedades disputavam o abastecimento da capital. Terras devolutas foram distribuídas num sistema de toma lá dá cá a altos funcionários da corte ou a comerciantes de destaque. Junto com os cafezais, erguiam-se engenhos para a produção de açúcar, rapadura e aguardente, valiosos para a compra de escravos, pois entravam como artigos de troca. Consertar e abrir estradas, construir pontes, participar de obras públicas, como fez Custódio Ferreira Leite, futuro barão de Aiuruoca, oriundo de São João del-Rei, também foi uma forma de obter terras. Outra maneira era descobrir terras sem dono ou cujos donos não tinham como mantê-las. Graças às várias viagens que levavam do interior ao litoral, verdadeiro corredor de notícias, as ofertas chegavam mais rápido aos donos de tropa, que aproveitam para fazer sua colheita de novas oportunidades na compra de terras.

Tanto Custódio Guimarães quanto Francisco Paulo passaram de tropeiros a fazendeiros graças ao conhecimento e ao acúmulo de capital obtido no comércio de gêneros e tropas. E o avanço da elite cafeeira fez alguns se esquecerem de sua origem no lombo das mulas. Francisco Paulo foi desses. E como fazendeiro se beneficiou de um conjunto de mudanças que catapultou os cafeicultores ao centro do dinheiro. A abertura das estradas do Comércio, em 1813, e da Polícia, em 1820, garantiu o escoamento da crescente produção. A fundação, em 1832, da Sociedade Promotora da Civilização e Indústria, na freguesia de Vassouras; a elevação de Paraíba do Sul, Valença e Vassouras à categoria de vila em 1833, quando esta última já contava com fazendas onde cresciam de 500 mil a 800 mil pés de café, tudo isso impulsionou a região. Entre 1840 e 1860, Francisco Paulo ficou rico.

De negociante a banqueiro

Em 1835, foi autorizada a concessão de privilégios para a construção de estradas de ferro por particulares; em 1842, não havia mais um pedaço de terra disponível na região; em 1852, foram inauguradas as primeiras linhas de telégrafos, e, finalmente, em 1854, a esperada estrada de ferro que ligou a região à capital e aos portos de embarque. Em 1851, abriam-se as sucursais do Banco Comercial e Agrícola em diversas cidades do vale; em 1861, a abertura da Estrada União Indústria facilitou ainda mais o escoamento da produção. Trocou-se a tropa de mulas pelos vagões de trem.

Francisco Paulo se beneficiou do contato quase familiar com os produtores e comerciantes alocados na região de São João del-Rei, onde era conhecido desde sempre. Segundo o historiador Miranda Neto, a primeira fazenda por ele adquirida foi a de São Sebastião do Rio Bonito, depois a de Santo Antônio e a seguir a famosa fazenda Veneza, todas na região de Valença e Conservatória. Em 1870, quando se tornou tutor dos filhos de Domiciano Ferreira Souto, assumindo a administração dos negócios da família, e já estabelecido como comerciante de vários produtos, adquiriu ainda as fazendas Santa Fé, que ficava entre Mar de Espanha e Chiador, Minas Gerais; Três Barras, em Três Rios, Rio de Janeiro; Boa Vista, em Paraíba do Sul, Rio de Janeiro; além de Santa Clara e de Piracema, ambas entre Belmiro Braga e Rio Preto, no sul de Minas Gerais.

Ao dinamizar a operacionalidade das invernadas, Francisco Paulo conseguiu controlar a oferta de gado, aumentando o lucro na sua comercialização. Ao mesmo tempo diversificava seus negócios investindo em gêneros alimentícios, açúcar e café. Ele se beneficiou de 18 anos de prosperidade, manipulando preços e informação sobre as oscilações do mercado cafeeiro para obter mais lucros. Conta Miranda Neto que, mesmo após a Lei Áurea, para cuidar de mais de 400 mil pés de café em sua fazenda Veneza, possuía cerca de 200 escravos, cuja maioria continuou trabalhando, tendo alguns até sido incluídos em seu testamento. Porém, nunca deixou de brigar por suas "propriedades". Em abril de 1876, ofereceu recompensa de 100 mil réis por uma escrava fugida e, em julho de 1883, foi à justiça numa contenda pela posse de escravos.

Os contatos estabelecidos ao longo das viagens, a camaradagem com outros fazendeiros e comerciantes fortaleciam seus negócios e laços de amizade, o que permitiu a Francisco Paulo exercer também um papel dominante nos municípios onde era proprietário. Aliás, a opção de diversificar sua produção e seus investimentos o salvaria mais à frente. Pois a partir de 1880 a cafeicultura fluminense entrou em franco declínio, tanto pela campanha abolicionista quanto pelo esgotamento dos solos e pela concorrência com a promissora produção do oeste paulista, cuja mão de obra de imigrantes revelava-se mais eficiente.

Nem Dias Ferreira nem Miranda Neto indicam a data de seu casamento com dona Brasília Eugênia da Silva Almeida, mulher branca, de tradicional família de Valença, com quem teve 19 filhos. Só dez sobreviveram até a morte do pai. Cinco do sexo masculino: Paulo, Artur, Mário, Francisco e Raul; e cinco do sexo feminino: Matilde, Adelaide, Cristina, Adelina e Serbelina. A todos deu esmerada educação. Aos 50 anos, quando recebeu a herança paterna, Francisco Paulo já não precisava mais de dinheiro e repartiu os 937.020 réis que lhe couberam entre as irmãs Romualda e Anita.

Seu pai, contudo, deixou-lhe um bem maior: a inserção na Irmandade de Nossa Senhora das Mercês, em cujos enterros, ainda menino, Francisco Paulo tocava violino. Os contatos ali desenvolvidos o levaram à poderosa Irmandade da Santa Casa de Misericórdia de Valença, que reunia os prestigiosos da região. Ali encontrou dois grandes aliados: o comendador Domingos Teodoro de Azevedo e José Ildefonso de Souza Ramos, o visconde de Jaguari, cuja esposa era madrinha de um dos filhos de Francisco Paulo, a quem legou inclusive parte de sua herança. O acesso às redes sociais e ao crédito sedimentava as relações de compadrio, vinculando indivíduos e famílias entre si. Ao falecer o visconde, Francisco Paulo deu toda a assistência à sua comadre na direção da fazenda das Três Barras. Posteriormente, adquiriu suas terras, instalando ali criações e moderno equipamento para a agricultura.

Em 1870, Francisco Paulo despiu definitivamente a capa de ex-tropeiro, estabelecendo-se como empresário na corte, à Rua Bragança, 31. Fazia então negócios de importação e exportação. Nesse escritório, tinha sociedade com outro fazendeiro da região de Valença: o capitão da Guarda Nacional, Domingos José da Silva Nogueira. Quando os trilhos da Estrada de Ferro de Santa Isabel do Rio Preto atravessaram suas terras em Valença, fez questão de doá-los, o que lhe valeu, mais tarde, uma estação ferroviária com seu nome. Devia gostar de dinheiro, o ex-tropeiro. Pois fazia contas de cabeça, acompanhava as oscilações do câmbio, entendia de letras e hipotecas, dominava os bastidores das sociedades concorrentes, estava sempre a par do que ocorria na praça, sabia quem prosperava e quem estava à beira da falência. Uma águia nos negócios.

Aliás, lembra Miranda Neto que, quando foi fundada a Companhia E. F. d. Pedro II, cujo primeiro presidente foi Christiano Ottoni, tendo sido a concessão desde 1852 entregue a Irineu Evangelista de Souza, futuro visconde de Mauá, o plano já era ligar o Rio de Janeiro ao Vale do Paraíba Fluminense e, posteriormente, a Minas Gerais por dois ramais distintos. Em 1869, foi iniciada a construção da primeira ferrovia de bitola estreita no Brasil, a União

Valenciana (Barra do Piraí – Ipiabas – Conservatória – Santa Isabel do Rio Preto), com ramal passando por Valença e Rio das Flores, cujo primeiro trecho foi inaugurado em maio de 1871.

Em 1878, d. Pedro II percorreu o Vale do Paraíba. De Vassouras, escreveu à imperatriz d. Teresa Cristina, entusiasmado com as festas às quais compareceu. Mulheres bem-vestidas, o som das valsas, a imponência das missas, tudo embalaria a farta distribuição de comendas, honrarias e brasões aos "barões de café". Francisco Paulo seria um deles. Fazendas cresciam ou se aprimoravam com as máquinas importadas da Inglaterra: moinhos, secadoras de grãos, torrefadoras. Estradas vicinais construídas pelos próprios fazendeiros cortavam a região. As cidades que pontuavam os caminhos ganhavam visibilidade. A necessidade de ferrovias para escoar o café se materializou e o chiado das locomotivas passou a cortar as noites do Vale. A serra foi vencida em 1863, quando os trilhos chegaram a Barra do Piraí. E, em 1871, a Barra Mansa. E nos últimos anos do Império a Cachoeira de onde seguiria para o norte de São Paulo.

Cinco anos depois, em 21 de novembro de 1883, outro trecho foi inaugurado por d. Pedro II, com a presença de Francisco Paulo, acionista, junto com João Pereira Darrigue de Faro e Domingos Custódio Guimarães, barão do Rio Preto. Era a chamada Rede Mineira da E. F. do Rio Preto. A atuação de Francisco Paulo dominou a área do médio Vale do Paraíba até o sul de Minas ao permitir e incentivar ramais ferroviários em suas fazendas com apoio dos barões de Três Barras, Rio Bonito e Rio Preto. A Estrada de Ferro d. Pedro II contou com o barão de Mauá, as famílias Ottoni, Faro e Teixeira Leite como pioneiros para atender às demandas da cafeicultura a partir de Vassouras. A Estrada de Ferro do Médio Vale do Paraíba também teve Francisco como acionista. Ele seguia aumentando sua influência através de intensas parcerias, já frequentes desde seu envolvimento no comércio, na agropecuária e também nas irmandades religiosas.

Envolvido com famílias e clãs que exerciam papel dominante na política dos municípios depois de proclamada a República, Francisco Paulo associou-se ainda a Marcelino de Brito Ferreira de Andrade, visconde de Monte Mário, rico fazendeiro de café, coronel da Guarda Nacional, fundador do Banco de Crédito Real de Minas Gerais e vereador em Juiz de Fora, e a José Júlio Pereira de Morais, visconde de Morais, fidalgo da Casa Real, grã-cruz da Ordem de Cristo e do Mérito Industrial, comendador da Ordem da Rosa, presidente do Real Gabinete Português de Leitura e chefe da colônia portuguesa na capital para a constituição do Banco Territorial e Mercantil de Minas Gerais em 1887. Associou-se ainda ao comendador Domingos Teodoro de Azevedo Júnior, genro do visconde de Rio Preto e membro da Irmandade da Santa Casa, presidente da Estrada de Ferro Rio das Flores e, ainda, ao amigo de Carlos Justiniano das Chagas, que assinou a primeira constituição republicana, em 1891, explica Dias Ferreira.

A consagração veio com a eleição para provedor, mais alto cargo da Irmandade da Santa Casa de Misericórdia de Valença, quando substituiu o sócio Domingos Teodoro e colaborou para a criação da farmácia e do laboratório da instituição. À época, recebeu a visita da princesa Isabel e do conde d'Eu, e Francisco Paulo passou a desfrutar de contato com a família imperial nas solenidades filantrópicas. Aliás, se quisesse frequentar a corte, cruzaria sem problemas com outros homens negros, como o engenheiro André Rebouças e o jornalista José do Patrocínio. Ou ainda Franklin Dória, o barão de Loreto, casado com a melhor amiga da princesa, Amanda Paranaguá, ou João Maurício Wanderley, o barão de Cotegipe, ambos conhecidos como "barões de chocolate".

Em setembro de 1887, Francisco Paulo foi agraciado por decreto em carta régia assinada por Sua Alteza Imperial a princesa Isabel, com o título de barão de Guaraciaba "por merecimento e dignidade". A despeito do prestígio e da honra de portar um título de nobreza, Francisco Paulo, como qualquer outro barão, visconde, conde ou marquês, pagou pelo seu: 750 mil contos de réis. Fora as despesas com a papelada e o brasão.

Apesar do advento da República, Francisco Paulo continuou a ser tratado como barão e adquiriu, em 1891, da viúva de Carlos Mayrink da Silva Ferrão, uma das mais belas residências de Petrópolis: o Palácio Amarelo, que ele revendeu à Prefeitura para ali instalar a Câmara Municipal. O prédio hoje é sede da Prefeitura de Petrópolis. Seus filhos, como muitos meninos de famílias abastadas, foram enviados para estudar na França, para onde Francisco Paulo viajava constantemente. Sua esposa, d. Brasília, faleceu em 1889. Apesar do novo regime e da crise financeira que o acompanhou, ele seguia são e salvo à frente de seus negócios. Entre 1890 e 1891, investiu na Companhia Agrícola e Industrial de Minas Gerais e na Academia de Comércio.

Incansável e poderoso, Francisco Paulo ainda investiu na Companhia de Juta – para sacaria de café –, na Cooperativa Construtora de Minas Gerais e no jornal *Diário de Minas*. Sua última aquisição foi a fazenda Pocinho, dos antigos sócios Faro, situada entre Vassouras e Barra do Piraí, já no Rio de Janeiro. No dia 9 de fevereiro de 1901, o gigante que passou de moleque de tropa a um dos maiores empresários no país fechou os olhos na Rua Silveira Martins, 81, na casa de sua filha Adelina. E foi às filhas que legou as fazendas Pocinho e Santa

Fé. Aos filhos, médicos renomados, coube dinheiro em espécie. O que mais impressiona em sua história não é que ela tenha acontecido. Mas o quanto durou. Francisco Paulo soube aproveitar todas as oportunidades que lhe foram oferecidas. Sem queimar etapas, soube atravessar todos os obstáculos que lhe foram impostos até atingir uma situação estável e nela se manter. Ele poderia ter ficado às margens de Lagoa Dourada tocando violino ou envelhecer docemente fazendo joias. Se nada disso aconteceu foi porque ele exerceu seus talentos num mais vasto e formidável cenário: o do Segundo Reinado.

O barão de Guaraciaba: exceção ou apenas a ponta de um iceberg que falta conhecer? Outros empresários mestiços ou pretos são pouco ou nunca estudados, ocultando a mobilidade e fluidez da sociedade brasileira. Enquanto eles ascendiam, muitos brancos desciam. Quantos cafeicultores com a crise do produto e a Abolição não ficaram de pires na mão? Que o diga o repente publicado, em 1891, no único número do jornal cearense *O Borges*, encontrado pela professora de literatura Lizir Arcanjo: "A mulata diz que tem/ Dinheiro como farinha/ Para comprar moça branca/ E botá-la na cozinha". "E quantos brancos não têm na gaveta fotos de avós pretas, mulatas, pardas ou cafuzas?", pergunta-se o africanólogo Alberto da Costa e Silva. Cabe aos historiadores mostrar que o desenvolvimento do Brasil não foi feito de duas, mas de muitas cores.

8

Nas cidades

A esfinge

Um protagonista que esteve em meio a todos os "fogos da República" – como dele disse seu biógrafo – foi uma "esfinge". A história de Eduardo Gonçalves Ribeiro precisa ser mais conhecida. Homem de poucas palavras, mergulhado num passado opaco, cioso de sua privacidade, ele nasceu pobre e negro. Descendente de ex-escravos do Maranhão, filho de mãe solteira e, dizem alguns, pai mentalmente desequilibrado, o menino era excepcionalmente dotado de qualidades intelectuais. Porém, não pôde contar com a família. Sua brilhante carreira e ascensão dentro do Exército se deu por esforços próprios e méritos acadêmicos. Não de armas. Ele usou suas brilhantes faculdades intelectuais para deixar para trás o mundo asfixiante e fechado onde nasceu. O estudo e as redes de sociabilidade em seu caso, como já vimos em outros, foram fundamentais. Mas nada impediria seus adversários políticos de o acusarem de ter "nascido em meio abjeto" ou de "ter vindo ao mundo com a alma formada pela fatalidade atávica".

Nasceu em São Luís, em 18 de setembro não se sabe se de 1853, 1855 ou 1862 – há divergências sobre o ano. Vale lembrar que a cidade possuía uma população negra, majoritariamente livre, que era quase o dobro da população branca. Conta-nos a historiadora Geisimara Matos que seu assento de batismo assinado pelo vigário Pedro Nicolau Ribeiro indica, primeiro, ausência de pai, o que faz crer tratar-se de um filho bastardo. A criança batizada, Eduardo, não apresenta sobrenome, o que pode indicar que tivesse ascendência escrava. E, finalmente, o sobrenome de Eduardo Gonçalves Ribeiro não é compatível com o da mãe.

Até seu nome de família é um enigma. Não há referência à sua cor, pois, como explicou a historiadora Hebe Mattos, a partir da segunda metade do século XIX criou-se a "ausência de cor" em atestados de batismo e outros.

Muito jovem, ligou-se ao movimento republicano, cujo partido foi fundado, em 1870, por liberais radicais que tinham se convencido da impossibilidade de realizar as reformas que defendiam dentro do regime monárquico. Nesse momento em que a vitória na Guerra do Paraguai concedia aos militares um lugar mais visível na sociedade brasileira, o contato com os ideais positivistas revestia o grupo de uma função significativa na política brasileira. Os valores difundidos pelo positivismo de Augusto Comte advogavam a necessidade de uma "ditadura dos mais capazes", como uma instância fundamental ao progresso do país. Segundo a ótica dos militares, ninguém seria mais capaz que as próprias forças armadas para assumir a liderança do Brasil.

O *Manifesto* do partido manteve-se como o documento básico da propaganda até a implantação do novo regime, em 1889. Falava em "direitos da nação", "opinião nacional", "soberania do povo", "causa do progresso", "liberdade individual", "liberdade econômica", "voto do povo", entre outras expressões. Como informa o sociólogo José Murilo de Carvalho, de 1870 a 1889 o partido teve vida irregular e muito diversificada geograficamente. A capital e a província de São Paulo abrigaram os principais núcleos do movimento, mas, em menor escala, surgiram grupos e imprensa republicana no Rio Grande do Sul, Minas Gerais, Pernambuco e Pará. Os meios utilizados na propaganda eram os mesmos dos partidos monárquicos: imprensa, livros e panfletos e conferências públicas – arma política popularizada pelos radicais.

Sobre o entorno de Eduardo Gonçalves Ribeiro, a historiadora Geisimara Matos acrescenta que, na edição de 8 de junho de 1880 do jornal *Diário do Maranhão*, numa "lista geral da qualificação de votantes da paróquia de S. João Baptista" da capital São Luís, Ribeiro aparece listado no número 897 do 17º quarteirão e, aos 26 anos, residente à Rua de São Pantaleão, sem indicação do número da casa. Ambas, a paróquia e a rua, localizavam-se na região que compreendia a freguesia de Nossa Senhora da Conceição. Dos 41 homens listados no 17º quarteirão, 21 deles tinham apenas o nome da mãe indicado ou apresentavam "filiação ignorada". Trinta sabiam ler. A localidade era conhecida por ser bairro de pardos e pretos livres.

Ali, encontravam-se profissões diversas, que iam de advogado e funcionário público a barbeiros, sapateiros, pescadores, entre outras. A ocupação de Ribeiro indicada na lista é a de "agência", difícil de classificar. No século XIX, "viver de agência" significava "viver de seu próprio negócio, de seus próprios recursos". Ele não fazia, portanto, parte da classe mais pobre da cidade, embora tenha nascido, segundo o *Diário Oficial* de 1895, "em uma casinha de aparência mais que modesta". Sua mãe, Florinda Maria da Conceição, era uma negra que, segundo informação não confirmada, "vendia bolos, doces e peixe frito na rua de S. Pantaleão".

O historiador Matheus Gato reproduz o trecho de uma ficção do escritor José do Nascimento Moraes que bem descreve a cidade que Eduardo Ribeiro quis deixar para trás:

> Em São Luís, a sociedade estava dividida em castas, bem caracterizadas, pelos recursos, pelo traje, pela habitação e pelos bairros. Os indivíduos dessas castas eram plenamente convencidos da sua condição. O operário estava conformado com a sua pobreza e não procurava sair dela. O que ganhava dava para suas despesas. Era feliz por isso. Os filhos frequentavam uma escola primária, e depois aprendiam um ofício qualquer, e por vezes, o próprio ofício do pai. Só envergava paletó e calçava sapatos ou botinas aos domingos, dias santos ou feriados. E assim mesmo esses eram os mais graduados. Os mais eram descalços e em manga de camisa. Traziam chinelo de couro cru nos mesmos dias em que vestiam o paletó. Os funcionários também viviam modestamente. Esses não tinham outra ambição que não fosse esperar que o mais graduado morresse ou se aposentasse. Pela sua pouquidade de recursos materiais, viviam encostados, numa atitude de inferioridade aos ricaços da Praia Grande, padrinhos de seus filhos, e que por isso lhes dispensavam alguma consideração e lhes faziam pequenas dádivas, ou abastados lavradores ou criadores, chefes de partidos políticos, ou figuras altamente representativas da pública administração da província. Havia os "camisas fora da calça" e os "camisas curtas", ambos descalços, que não eram operários propriamente ditos, mas artesãos, trabalhadores de serviços pesados, carregadores de móveis e bagagens, que não tinham direito a coisa alguma e moravam em mansardas, em baixos de sobrados, em casebres dos bairros mais inóspitos. Os pobres não podiam levantar a cabeça diante dos ricos. Os ricos olhavam com desprezo para a pobreza. Os simples levantavam-se a passagem de um rico. Um da arraia miúda, ao passar diante de um potentado, cumprimentava-o.

E sobre o bairro da Conceição, Matheus Gato descreve as

> casas de morada inteira, meia-morada, porta e janela, nas ruas de Santana e São Pantaleão. As palhoças e casebres não autorizados pelo Código de Posturas marcam a região da Madre Deus. Os moradores vão enegrecendo cada vez mais. Os sinos que tocam o tempo católico da vida diária também são outros. Não se ouve mais o tom harmonioso e solene dos sinos da Catedral da Sé, marcando a entrada dos bispos e os grandes ritos da igreja no Largo do Palácio, nem a barulheira álacre dos sinos da Carmo na Praça João Lisboa. Os sinos daqui são os da igreja de São Pantaleão, que dobram em deferência aos enterros que passam rumo ao cemitério da cidade. Uma cidade mais escura durante a noite, porque essas ruas não possuíam lampiões. Também não possuíam o calçamento nem as pedras de cantaria da Rua da Estrela, no bairro comercial. Eram ruas estreitas de terra, enlameadas quando das chuvas de março e abril, poeirentas durante todo o resto do ano. Governavam os seus muitos moleques, ambulantes, ganhadeiras, chinfrins e pagodes de canto, a vida social daquela porção mais ao sul da cidade, em contraste ao poderio incontestе da casa, do sobrado, nas áreas mais nobres de São Luiz.

As pesquisas de Geisimara Matos revelam que a irmã de Eduardo Ribeiro, Cezarina Hercilia Ribeiro, parece ter feito parte de um meio social mais abastado na cidade de São Luís. Jornais de época publicavam nota de felicitações por ocasião de seus aniversários, mas sobretudo noticiavam sua ligação estreita com a Irmandade do Senhor Bom Jesus da Coluna. Ao que tudo indica, ela teve uma vida religiosa bastante ativa, contribuindo, seja para a irmandade, seja para a igreja de Nossa Senhora da Conceição, no centro da cidade. Como em outros casos de mobilidade de pardos e negros, as irmandades tinham papel fundamental de elevador social.

Mas quem foi a "esfinge" que quis romper as barreiras de casta? Seu biógrafo, Mário Ypiranga Monteiro, descreve-o como "baixo e entroncado, a cabeça inteligente quase enterrada nos ombros".

Aos 16 anos, bateu à porta do professor particular Manuel de Béthancourt. Queria aprender francês e matemática. Sua intenção: cursar a Escola Politécnica do Rio de Janeiro. Nas palavras do professor, era "um rapaz de estatura mediana, magro, de voz abaritonada, fluente no dizer e rápido na emissão do pensamento". O fato é que, em 1879, Ribeiro entrou para o Liceu Maranhense, no curso de humanidades. A instituição – que nasceu em 1838 e foi o primeiro colégio público de nível secundário no Maranhão – tinha como modelo o Colégio Pedro II do Rio de Janeiro. Dirigido pelo gramático Francisco Sotero dos Reis, era exclusivo para o sexo masculino e funcionava na parte inferior do Convento do Carmo. O Liceu funcionava como uma espécie de curso preparatório para o ingresso dos filhos da alta sociedade maranhense no ensino superior, e gozou durante décadas do prestígio de ser um espaço formador de intelectuais.

Como sublinha Geisimara Matos, um dos famosos professores do Liceu Maranhense era o próprio Manoel de Béthancourt, que assumiu a cadeira de Filosofia e era encarregado de reunir seus jovens alunos para debater assuntos relacionados às humanidades. Béthancourt foi um dos responsáveis pela idealização do jornal *O Pensador*, periódico do qual Ribeiro participou e que tinha orientação positivista.

Ali, o jovem conheceu outros estudantes, todos envolvidos com as belas letras e a maçonaria: Pedro Freire, um leitor de Victor Hugo; Pacífico Cunha, leitor de Ernst Haeckel, naturalista e médico divulgador das teses de Darwin; Domingos Machado, apaixonado por gramática e filologia portuguesa; e Paulo Pereira, poeta e versejador. O jornal também se envolveria na briga entre a Irmandade de São Benedito, protetor de mulatos e escravos, contra a de Santo Antônio de Lisboa, santo dos portugueses e dos padres jesuítas, conta-nos Ypiranga Monteiro. As irmandades não pisavam as mesmas calçadas, e os membros d'*O Pensador* apoiavam o fato de a de São Benedito ter fundado uma sociedade para libertar escravos na festa de seu padroeiro. A animosidade entre os dois grupos chegou a envolver força policial com episódios de insultos e violência contra membros do clero.

Vez por outra, Ribeiro cruzava com o grupo "Os pensadores", de Aluísio de Azevedo, desde sempre abolicionista e que, no romance *O mulato*, trataria de um assunto que o perseguia: o preconceito racial no Maranhão. Azevedo era o presidente da pequena academia literária que o grupo formava, conta-nos Ypiranga Monteiro. Juntos, escreviam no jornal *O Pensador*, onde martelavam a importância da ciência. Não à toa, dizia-se "órgão da sociedade moderna". O jornal, publicado três vezes ao mês, era conhecido pelos artigos de Azevedo. De caráter anticlerical, tinha como objetivo se contrapor às ideias do jornal *Civilização*, representante dos interesses da Igreja católica e de seu conservadorismo. Azevedo também publicou páginas louvando o positivista Auguste

Comte como "o maior benemérito da humanidade, depois de Jesus Cristo", o que contrariava a sociedade local.

São Luís, graças ao crescimento da cultura algodoeira, mandava os filhos das famílias ricas estudar na Europa. De lá, eles traziam modas e influências culturais. Os nativos recorriam à educação possível. E a ânsia por instrução foi destacada pelo *Diário Oficial* de 18 de setembro de 1895, por ocasião do aniversário de Eduardo Ribeiro. Como outros protagonistas, ele tinha consciência de que apenas pelos estudos poderia alcançar mobilidade e distinção sociais.

> Foi a escola que lhe temperou de aço a rigidez do caráter, que lhe tornou inquebrantável o ânimo e lhe preparou as armas para o grande combate da vida, fazendo dele um forte na acepção genuína do termo. Cedo, muito cedo [...] levado pelo veemente desejo de ser um homem, de fazer um nome, atirava-se aos poucos livros que com dificuldade adquiria, aproveitando-se para isso do pouco tempo que os afazeres diurnos roubavam. [...] Desamparado e sem meios, procurava muitas vezes, em longas horas de desânimo, abafar no peito, como a um sonho de quase impossível realização, o desejo imenso de, pelo estudo, conquistar uma posição condigna do talento que sentia borbulhar-lhe n'alma.

Como bem sublinha Geisimara Matos, a cor e a pobreza aparecem como um infeliz acidente, uma artimanha do destino. Distanciar-se delas justificou sua fuga da subalternidade. Ainda segundo a historiadora, mesmo dedicando-se aos estudos, sua infância não parece ter sido tranquila e cheia de brincadeiras, já que teve de trabalhar desde cedo, engraxando botas como ajudante de sapateiro, atuando como sacristão ou, ainda, como ajudante de vaquejada em Anajatuba. Mas, apesar das dificuldades – e contrariando todas as expectativas –, seus esforços, tão enfatizados na biografia do *Diário Oficial*, deram resultados. O ano de 1880 parece ter sido de muitas atividades para Ribeiro, que, mais precisamente em março, seria nomeado professor interino da 1ª freguesia da Capital do Maranhão.

A Escola Militar e o elevador social

Eduardo Ribeiro tinha a nobre ambição de se destacar e "fazer um nome", deixando para trás a freguesia de Nossa Senhora da Conceição. Natural, portanto, que alimentasse a esperança de se transportar um dia à capital brasileira. Fez isso "com meia dúzia de mil réis e grande soma de força de vontade".

A corte era o desejo de todos aqueles que queriam "aparecer, fazer um nome na ciência, na política, nas letras ou nas artes". Com a "alma sedenta de instrução" e "em busca de um futuro mais que duvidoso", Ribeiro se lançou, sem "medir sacrifícios" e "vencendo todos os obstáculos", informa sua biógrafa, Geisimara Matos. Conseguiu sentar praça em 24 de fevereiro de 1881 e matriculou-se nas aulas do curso preparatório da Escola Militar da Praia Vermelha. Na mesma data, jurou bandeira voluntariamente. O fato de ter jurado voluntariamente a bandeira indica sua percepção de que o Exército lhe daria a mobilidade social com que sonhava.

Ainda segundo Geisimara Matos, quando Eduardo Ribeiro se matriculou na Escola Militar, o regimento em vigor era o de 1874, segundo o qual os candidatos "deveriam ler e escrever corretamente o português, ter mais de 16 e menos de 25 anos de idade, ter prática nas quatro operações sobre números inteiros e gozar de boa saúde", verificada em uma inspeção. O regulamento não colocava barreiras sociais ou de condição social – livre ou escravo –, muito menos de cor para o ingresso. O regulamento "também não exigia atestados anteriores de origem, boa conduta ou de presença de militares na família". Em contrapartida, era bem possível que ter um pai com patente militar ou "conhecidos" dentro do Exército pudesse influenciar positivamente no ingresso do aluno na instituição. Longe de ser apenas uma escola para práticas militares, a Escola Militar era parte de uma tendência internacional que se consolidava desde a primeira metade do século XIX, ou seja, a da "profissionalização e burocratização da carreira militar", esclarece o historiador Celso Castro. O curso preparatório tinha a duração de três anos, mas os alunos que tivessem realizado disciplinas em algum preparatório anterior poderiam frequentar aulas em um só ano, o que parece ter sido o caso de Ribeiro.

Durante o curso na Escola Militar, a vida acadêmica de Eduardo Ribeiro foi excepcional. Aprovado em todas as disciplinas, muitas delas com o grifo "plenamente", seu desempenho permitiu receber as vantagens expostas no artigo 104, da seção VII, do Regimento de 1874. Ele previa: os alunos do terceiro ano com aprovações plenas receberiam as vantagens de 1º sargento e continuariam a receber os vencimentos mesmo que recolhidos aos seus respectivos corpos. Ainda segundo sua biógrafa, em 1882, foi aprovado solenemente nas disciplinas de aritmética, álgebra e trigonometria, concluindo assim o curso preparatório. Nesse mesmo ano, seria ainda nomeado sargenteante, em 24 de janeiro, sendo dispensado dos serviços a 26 de julho, por ter completado com bom aproveitamento o tempo de formação exigido por lei. Em

24 de fevereiro, foi louvado pelo "bom serviço" realizado durante o trabalho de que fora incumbido durante o carnaval daquele ano.

Ainda segundo Geisimara Matos, nos anos seguintes, o desempenho escolar de Ribeiro se manteve excepcional. Em 1883, recebeu distinção grau 10 na primeira cadeira, concluindo o curso de Infantaria e Cavalaria. Além do esforço nos estudos, executava serviços extraclasse, culminando no recebimento de vários elogios ("inteligente, leal, honesto") pelo comandante de sua ordem. Tudo indica que, em sua estadia na corte, ele não quisesse passar despercebido. Em 1884, por meio do decreto de 12 de janeiro, foi finalmente nomeado "alferes-aluno", um dos títulos mais ambicionados pelos estudantes, concedido somente àqueles que obtivessem aprovação plena em todas as disciplinas, inclusive em desenho e nos exercícios práticos, durante dois anos. Alcançar o posto também resultava em um aumento de ganhos e de modo muito significativo, já que o soldo passava de 3 mil réis para 70 mil réis, chegando a 120 mil réis no último ano do curso. Sempre bom lembrar que alunos pobres tinham que encontrar meios de se sustentar, sobretudo durante os anos de formação. Anos, diga-se, repletos de obstáculos e dificuldades.

Como definiu Celso Castro, a Escola Militar representou, no Império, uma rara possibilidade de ascensão social para pessoas que não pertenciam à elite tradicional e cujas famílias não podiam custear cursos superiores nas faculdades de Direito e Medicina. "[...] Muitas vezes encontramos nas memórias de ex-alunos o reconhecimento de que seguiram para a Escola Militar mais por necessidade que por vocação". A nomeação de Eduardo Ribeiro ganhou destaque no jornal maranhense *Pacotilha*, de 1º de fevereiro de 1884. A nota de quatro linhas deixa bem evidente a alegria com que os editores do jornal haviam recebido a notícia do seu "talentoso coprovinciano". Era geral o reconhecimento da importância do título.

No mesmo dia em que se tornou alferes-aluno, Eduardo Ribeiro foi promovido para a 1ª Companhia. Agora matriculado no terceiro ano do curso superior, seguiu para o Realengo de Campo Grande, no dia 3 de março, para ingressar na bateria de artilharia de alunos. Lá passou seis meses. Em 1885, fez parte da comissão de engenheiros nos exercícios práticos gerais realizados na Imperial Fazenda de Santa Cruz, tendo sido elogiado pelo seu bom serviço na referida comissão. Sua fé de ofício, pontuada por palavras como "zeloso", "inteligência", "dedicação", traz elogios rasgados de seus superiores.

Em 1887, chegou a Manaus como tenente do Exército, tendo declinado do cargo de professor da Escola Superior de Guerra, no Rio de Janeiro. Fugiu do Maranhão, mas o Norte o chamava. Enquanto isso, na corte, ao apagar das luzes do reinado de d. Pedro II, civis e militares se estranhavam. Os primeiros cavando posições de poder junto à coroa e os segundos questionando o governo e bebendo o ressentimento e abandono com que foram tratados depois da Guerra do Paraguai. Não demorou para que, unindo forças de terra e mar, desfechassem o golpe que exilou a família imperial e os permitiu assumir o poder.

Enquanto o destino da nação mudava, as secas ocorridas no Nordeste empurraram milhares de homens para os seringais amazônicos. De início, trabalhavam lado a lado com os índios. Mas depois seguiam sozinhos no árduo labor, enriquecendo os grupos locais. Escravos? Poucos. A mão de obra gratuita dos índios, conhecedores da selva, fez da escravidão negra um papel medíocre na Amazônia, explica o historiador Ypiranga Monteiro. Manaus era uma cidade rica graças ao comércio da goma elástica quando Eduardo Ribeiro lá desembarcou.

A opulência dos casarões azulejados e o luxo em que viviam os comerciantes de borracha era sustentado pelo trabalho semiescravo do seringueiro, no meio da selva. Os donos de palacetes afrancesados acendiam charutos com notas de cem mil réis. Navios ingleses, alemães e italianos enchiam a barra. O jovem militar teria cruzado nas ruas com imigrantes do mundo todo. A riqueza atraía orientais, mediterrânicos e europeus. O sino da igreja Matriz dobrava o *Angelus* à tarde. O fim do Segundo Reinado e a implementação do regime republicano aumentavam as expectativas da sociedade brasileira. No início do século XX, a borracha representava uma parcela importante das exportações brasileiras, sendo superada apenas pelo café.

A ampliação das redes de comércio com países europeus, as crenças nos ideais liberais, as conquistas materiais e tecnológicas simbolizavam o triunfo da burguesia manauara. Com pouco mais 20 anos de produção, exportação e preços em alta, Manaus se tornaria a capital mundial da borracha, acirrando uma forte concorrência com a cidade de Belém, no Pará. Apesar de algumas alterações urbanas ocorridas a partir de 1870, Manaus ainda conservava várias das características descritas pelos viajantes. Porto e pontes precários, ruas estreitas e esburacadas, ausência de redes de esgoto, de iluminação e de um exemplar estilo arquitetônico nos prédios públicos, explica o historiador Terence Andrade. A riqueza ainda não mudara o rosto da cidade.

Mas a chegada do militar maranhense à capital do Norte se deu num contexto complicado: entre lutas das oligarquias locais para se manter no poder, a falta de visibilidade de políticos do Norte no Sudeste e o início do fim da exportação do látex. Segundo historiadores, o estado estava mergulhado em desvios de finanças e jogos de interesses dos grupos dominantes.

Eduardo Ribeiro não era produto das tramas ardilosas que prepararam a chegada da República ao Amazonas, nem resultou da política puxa-saco que orbitava em torno do imperador. Sua trajetória foi diferente. Quando deixou a Escola Militar, foi lotado no 3º Batalhão de Artilharia a Pé, sediado em Manaus e onde servira Floriano Peixoto, futuro vice-presidente do Brasil. Segundo seu biógrafo, não consta sua participação nas campanhas pró-abolição e nada indica que fosse ferrenho adepto da República. Era um militar, representava sua patente e obedecia às ordens. Dois anos depois de sua chegada à capital do Amazonas, deve ter sabido da manifestação que fizeram os republicanos, impedindo ao conde d'Eu, marido da princesa Isabel, em visita às províncias do Norte, de desembarcar em Manaus.

Mesmo afastado das notícias que enchiam os jornais da época, a carreira da "esfinge" foi fulgurante. Capitão do Estado Maior do Exército, bacharel em Ciências Físicas e Matemáticas, recebeu, em 1890, um convite para ser chefe de gabinete de Augusto Ximeno de Villeroy, seu mentor e amigo, que em 4 de janeiro tomou posse como governador do Amazonas. Extremamente reservado, tido mesmo por misantropo, vivia, como tantos brasileiros, numa família plural: tinha uma companheira e um filho, dos quais nunca falava, tampouco moravam juntos.

O Haussmann mulato

A transição não foi tranquila. Se antes o regime monárquico exigia subordinação aos ministérios, na República as exigências se tornaram drásticas. Em 2 de novembro do mesmo ano, quando Villeroy deixou o cargo e se transferiu para o Rio de Janeiro, Eduardo Ribeiro substituiu-o no governo. No dia 4 de abril de 1891, poucos meses após tomar posse, foi afastado, mas retornou no dia 12, pela vontade popular expressa em manifesto assinado por 363 nomes entre os de maior influência em Manaus.

Permaneceu na administração até 5 de maio, quando o capitão de fragata José Inácio Borges Machado chegou a Manaus, vindo do Rio de Janeiro, com ordem de empossar o vice-governador, Guilherme José Moreira, barão de Juruá. Este deveria permanecer no governo até chegar um interventor federal. Em 1892, após uma fase de instabilidade em que se sucederam vários administradores, Eduardo Ribeiro foi reconduzido ao posto de governador com o apoio do então presidente da República Floriano Peixoto, substituindo José

Inácio Borges Machado, que por sua vez substituía interinamente Taumaturgo de Azevedo, intimado a deixar o governo no dia 26 de fevereiro. Empossado em 11 de março, Eduardo Ribeiro dissolveu o Congresso Legislativo e convocou novo Congresso Constituinte.

O Congresso teria poderes para eleger o governador e o vice-governador, e, terminada a missão constituinte, seus membros começariam o exercício de suas funções. Eduardo Ribeiro teve tempo para montar seu projeto de governança. Em suas diretrizes, "a esfinge" deixava claro seus objetivos: levar ao Amazonas a ideia de cidadania. Nivelar a todos respeitosamente. Esses eram ideais positivistas, característicos do Exército. Tanto é que incluiu no texto um "voto de admiração e respeito ao fundador da República dos Estados Unidos do Brasil, Benjamin Constant". Garantiu, também, a eleição de governador e vice-governador por sufrágio direto e voto aberto em todo o estado. Militar também foi a organização de seu governo, amparado numa máquina administrativa muito bem azeitada. Queria agilidade e eficiência. Como disse seu biógrafo, "os papéis de interesse coletivo não dormiam nas gavetas, não se procrastinava nos despachos". Cercou-se de engenheiros e burocratas para executar os planos que traçava.

Mas governou com mão de ferro. Unanimidade? Não. A edição do jornal *Operário* publicada em fins de 1892 contradita a história oficial, mostrando a figura de Eduardo Ribeiro muito próxima das práticas autoritárias características da política oligárquica da República Velha. Em artigos sequenciados, o jornal denunciava os empastelamentos feitos em sua administração e as prisões arbitrárias de jornalistas que lhe faziam oposição.

Também não faltaram ataques à cor de sua pele, como registrou Geisimara Matos. Na edição de 22 de maio de 1896 do periódico *A Federação*, foi publicado um artigo chamado "Represálias". Pelo conteúdo, trata-se da defesa a ataques pessoais feitos a Eduardo Ribeiro. Os ataques faziam menção à sua vida privada e analisavam sua origem e a da "pessoa que lhe deu o ser [...]" e, dessa forma, faziam

> pesar sobre um homem todo o preconceito do seu nascimento [...] fazendo disso cavalo de batalha, a pedra de toque por onde se pode avaliar dos merecimentos de um cidadão que tem valor real, intrínseco, por que tudo o que é deve aos seus esforços; descompõem em todos os tons, injuriam de todas as maneiras, apuram branquidade n'uma sociedade que ainda tem bastante nítida a mácula da escravidão. [...]

Acham razoável discutir a procedência do dr. Eduardo Ribeiro, que não é principesca.

Não era príncipe. E era pobre, negro e "estrangeiro", porque maranhense. Razões suficientes para a oposição feita por políticos amazonenses. Boatos incendiavam a cidade e vazavam para a imprensa. Em carta aberta publicada num jornal da oposição, o *Diário de Notícias*, um político afirmava:

> Ontem, por exemplo, andavam a dizer:
> a) Que recebestes pelo Pernambuco duas peças de tiro rápido.
> b) Que mandaste comprar a uma ou duas lojas de ferragens 3 contos de réis em rifles.
> c) Que tendes mandado comprar no Pará grande quantidade de armamento.

Pudera. Já existiam complôs para derrubá-lo em janeiro de 1893. E em fevereiro eclodiu a "revolução em Manaus", quando chefes do Partido Nacional e militares do 36° Batalhão de Infantaria organizaram-se para depô-lo, sem sucesso. O grupo de oposição era liderado por Constantino Nery, militar amazonense. Após um enfrentamento armado, Ribeiro conseguiu manter-se no poder e enviar alguns revoltosos para Belém. Nery permaneceu em Manaus e, bem depois do afastamento de Eduardo Ribeiro, fez carreira política, sendo eleito governador de 1904 a 1908.

Em paralelo aos problemas políticos, Eduardo Ribeiro tratou de governar. A emergência das reformas urbanas o incomodava particularmente. Em mensagem de 10 de julho de 1893, ele manifestava sua opinião a respeito da cidade. "De grandes melhoramentos materiais necessita Manaus para seu bem-estar e progressivo desenvolvimento. Pode-se dizer, sem exagero, que tudo está por fazer." Dessa forma, ele demonstrava que a capital não estava preparada para adquirir sua nova função de centro exportador de borracha e importador de produtos manufaturados. Se já fazia sombra às outras capitais, a ordem era ultrapassá-las. E não bastava parecer moderna. Era preciso ser moderna.

Transpor para o mundo a imagem de uma cidade civilizada passou a ser fundamental na atração de pessoas e investimentos. Para isso seria necessário garantir os rumos da expansão urbana através de mecanismos legais que visassem promover um melhor controle do espaço, além de nortear a ocupação de novas áreas. A iniciativa que começou em seu governo foi, depois, seguida por seus sucessores.

Aproveitando o *boom* da borracha e inspirado na ideia de progresso e nas feições que Paris adquirira com a urbanização do barão Haussmann, ele deu início a um ambicioso projeto de transformação da cidade. Entre as maiores necessidades foram destacadas a abertura de ruas, melhoramento dos portos e edifícios públicos, instalação de saneamento básico, eletricidade, transporte, coleta de lixo, entre outros. Todos os vestígios da antiga Barra de São José do Rio Negro – antigo nome de Manaus – deveriam ser apagados, criando assim condições para atrair aqueles que procuravam um centro econômico interessante para moradia e investimento. Um novo modelo urbanístico, baseado no formato de um tabuleiro de xadrez, passou a ser adotado. Dois patamares se estabeleciam. Um voltado para o rio e outro que dele se distanciava, incorporando as áreas de mata ao quadriculado do novo traçado urbano, explica o historiador Terence Andrade.

Para os novos bairros, foram previstas distinções em relação aos anteriores. A alteração dos antigos limites, que normalmente coincidiam com as formas dos rios, era uma delas. Além disso, o código municipal contribuía para que fossem afastadas do perímetro urbano atividades que evocassem o contato com a natureza, concentrando ali a realização dos negócios e da vida cultural da cidade. Ruas largas em traçado reto, canalização das águas, terraplanagem das colinas e aterro dos igarapés caminhavam junto com as grandes diretrizes, como explica o mesmo historiador. Um porto flutuante, construído com ferro importado da Inglaterra, saiu das águas. Durante sua gestão, também houve uma austera política de aumento da cobrança bem como da arrecadação de impostos, e Manaus passou a ser conhecida como a "Paris dos trópicos".

Considerada pobre e carente de educação, a população também recebeu atenção. Era preciso educá-la de acordo com princípios europeus, como demonstrou a historiadora Assislene Barros da Mota. Ribeiro criou então uma instituição direcionada ao ensino secundário, o Ginásio Amazonense, enquanto o ensino primário, criado no governo anterior, também se propagava pela cidade. Reorganizou a Biblioteca Pública. Fundou escolas públicas primárias em Manacapuru, Humaitá e Lábrea. Começou a construção do Instituto dos Educandos e do Palácio do Governo. Durante sua gestão, cresceu a valorização dos estudos científicos de cunho positivista, difundido pelos liberais republicanos, entusiasmados com a nova forma de governo. Nos jornais estudantis, martelava-se que a instrução era necessária ao homem e ao progresso do país. Nasceu o Instituto Benjamin Constant, que educava órfãs do estado. Letras, trabalhos de agulha, prendas domésticas preparavam as meninas até 18 anos.

Ele, que foi pobre, não esqueceu dos mais necessitados e distribuiu terras marginais da Colônia Maracaju e da estrada para Rio Branco aos pequenos agricultores. Criou ainda a Colônia Santa Maria do Janauacá, onde conseguiu implantar engenhos de moer cana, fazer açúcar e aguardente. Como sublinha Ypiranga Monteiro, que listou em detalhes outras tantas benesses deixadas pela "esfinge", a dívida pública que legou foi insignificante comparada aos desvios orçamentários de seus sucessores.

Ribeiro, o "Haussmann mulato", como ficou conhecido, foi o idealizador e o responsável pela modernização e pela reurbanização de Manaus. Historiadores, porém, chamam atenção para o fato de que a Manaus da *belle époque* foi construída sobre manobras políticas nada éticas junto ao Congresso. A execução dos projetos do governo era cercada de clientelismo, favores e corrupção. Como sublinha o historiador Bruno Miranda Braga, Eduardo Ribeiro teria aproveitado o momento economicamente favorável para levar adiante seu projeto embelezador de Manaus, com o apoio da pequena parcela de homens que lucravam com a produção de goma de borracha e que se deliciavam em ver a chegada da "cidade luz", ou seja, Paris, à selva.

Enquanto a exportação de borracha atingia seu mais alto volume, multiplicavam-se residências em estilo *art nouveau*, cópias quase fiéis dos *hotels* franceses ou das "vilas italianadas", erguidas com material importado: pedras, mármore, telhas, vidraças, rosáceas coloridas. Nos trilhos recém-instalados corriam bondes apelidados de "rangedor". As prostitutas francesas entretinham os coronéis do barranco. A luz de carvão acendia as ruas. As chatas, gaiolas e vaticanos, ao som das sinetas badaladas por um taifeiro que ia e vinha da proa à popa, desciam mansamente o rio. As quatro portas da Casa Canavarro, correspondente de bancos europeus, via passar os clientes apressados.

Foi também durante seu governo que as obras do Teatro Amazonas, paradas desde 1886, foram reiniciadas e fortemente impulsionadas. Construído com estruturas metálicas, mármores e cristais importados, grande parte de sua decoração interna, pintura do teto da sala de espetáculos e pano de boca eram do artista brasileiro Crispim do Amaral. Iluminados por lustres de cristal, painéis nas paredes deixavam entrever cenas bucólicas. Rapidamente seu palco foi preenchido por companhias estrangeiras que vinham cantar na selva. A inauguração do edifício ficaria a cargo do sucessor de Ribeiro, Fileto Pires Ferreira, orador de mão cheia, republicano de primeira hora e dileto aluno de Benjamin Constant. Sua emblemática imagem logo começou a figurar nos cartões-postais que levavam notícias da cidade para toda a Europa.

A presença do eficiente "estrangeiro maranhense", negro e sem raízes na terra, provocou tensões entre os partidos majoritários. O Democrático, que tinha órgão oficial no jornal *O Amazonas*, e a oposição, apoiada em Eduardo Ribeiro, então representando o jovem estado republicano, se digladiavam. Santo? Não. Ribeiro agia como soldado e como alcaide de obras, pisando na justiça e nos direitos dos povos. Juntou-se aos temidos irmãos Moreira, conhecidos por falcatruas eleitorais. Seu vice-governador também procedia do grupo onde imperava a malandragem política. Os jornais aproveitavam para mergulhar o governador em infâmias e injúrias. Algumas não tão inocentes, afirma seu biógrafo. Em pouco tempo, Ribeiro encontrou fundos com os quais dotar seu filho natural e comprou duas casas: uma na cidade, à Rua José Clemente Pereira, e a outra, uma mansão ou chácara chamada Vila Pensador, na estrada antiga de Epaminondas, hoje Avenida Torquato Tapajós. O rejeitado de uma família de gente pobre tinha deixado seu meio de origem para integrar-se aos privilegiados, dos quais adotou o modo de vida: ter empregados, comer em porcelana, ter mungunzá e sorvete de mangarataiá na mesa farta.

Em seu segundo mandato, que se estendeu de 1892 a 1893, Ribeiro ajudou a eleger a deputado federal pelo Amazonas Fileto Pires Ferreira, seu colega de farda e aliado. Aliado pois, quando da fracassada tentativa de golpe pelo coronel Bento Fernandes, Fileto defendeu o governo legal e esmagou o movimento. Em 1894, Ribeiro iniciou a construção do Palácio da Justiça, por meio de concessão à firma inglesa Moers & Moreton. A obra ficou paralisada durante alguns meses, até que um novo contrato, agora com José Gomes da Rocha, garantiu a inauguração em 1900. O segundo governo de Eduardo Ribeiro chegou ao fim em 23 de julho de 1896, e ele aproveitou para articular a sucessão.

Nesse mesmo ano, o amigo Fileto Pires Ferreira foi eleito governador do estado numa eleição articulada pelo próprio Eduardo Ribeiro, que tudo planejou para garantir sua vitória. Pires tomou posse em 23 de julho de 1896, e durante seu governo o Amazonas conheceu um dos momentos mais prósperos de sua história. A extração e comércio da borracha bombeavam o crescimento econômico. Pires Ferreira deixou o governo em 4 de abril de 1898, quando precisou retirar-se para Paris, ao que tudo indica para cuidar de problemas de saúde. Pretendia retornar e assumir novamente o cargo, mas soube que uma falsa carta de renúncia, supostamente postada em Paris, havia sido enviada à Assembleia Legislativa e imediatamente aceita. Amigos e protegidos tinham se tornado seus adversários políticos. Desse modo, seu governo chegou ao fim. Em seu lugar, assumiu o vice-governador, coronel José Cardoso Ramalho Júnior, que completou o mandato.

Também em 1886, Eduardo Ribeiro recebeu carta de seu amigo Aluísio de Azevedo. Filho de um vice-cônsul português, abolicionista convicto e crítico do Império – que acusava de desgovernado –, o escritor, caricaturista e recém-diplomata não sentiu na pele o problema do racismo, mas sofreu do preconceito de ter nascido numa família plural. Seu pai, viúvo de um primeiro matrimônio, nunca se casou com a mãe de Azevedo, separada do primeiro marido. Instalado no Rio de Janeiro, o escritor queixava-se "da terra em que, quando um homem não era empregado público, nem comerciante, nem traficante de negros ou coisa que o valha, não podia ser considerado independente". E aproveitava, com bajulação, para pedir um favor ao importante camarada:

> Desculpa que eu só agora te escreva, já em vésperas de deixar nossa terra e tendo, de mais a mais, de desvirtuar um pouco o espírito desta carta com um pedido que não posso deixar de fazer. Se, porém, não te tenho dado de mim sinal de vida, tenho ao contrário recebido as melhores e mais constantes notícias tuas, já pela imprensa e pelas pessoas que aqui chegam deste opulento Estado que governas com tanto brilho; e aproveito o ensejo para te enviar as minhas retardadas, mas profundamente sinceras felicitações. Por mais de uma vez o coração me tem querido saltar para o papel e enviar-te pelo correio saudades de nosso bom tempo e dizer o muito que ele te quer ainda, mas o demônio desta vida de escrevinhador fez-me de tinta preta e de folha branca os terríveis espectros do meu tormento; de sorte que escrever tem sido até hoje, aqui no Rio de Janeiro, a minha grilheta, muito pesada e bem pouco lucrativa, da qual livro pulsos e tornozelos sempre que posso. Todavia, como não são só o comer e o coçar que estão só no começar, conto seguro que continuarei a impingir-te cartas minhas do velho mundo que para mim vai ser o novo. Fui nomeado para o vice-consulado de Vigo e conto seguir para lá este mês. A isto se prende o pedido que espero realizado em honra de nossa velha amizade. É o caso que, sendo o ordenado de Vigo bem pouco animador, lembrei-me de arranjar contigo uma agência de imigração para o Amazonas, com os resultados da qual pudesse eu disfarçar pecuniariamente a precariedade de meu cargo...

O autor de *O mulato* e crítico do funcionalismo público mostrava a face do toma lá dá cá e das redes de ajuda que já infectavam o Estado brasileiro. Não se sabe se foi atendido.

Em 1898, Eduardo Ribeiro mantinha-se como líder do Partido Republicano Federal e assumiu o posto de presidente do Congresso Estadual, além do cargo de redator do jornal *A Federação*. Os desgastes políticos eram constantes e as críticas da imprensa à sua administração continuavam. Além disso, seus problemas de saúde ficaram mais visíveis. Ele concorreu para o senado, mas não se elegeu e, embora ocupasse a presidência do Congresso Amazonense, embarcou para a Europa em busca de tratamento para o "paludismo". Uma boa revista italiana, *L'Amazzonia*, registrou a presença do político no velho continente: *"Completamente ristabilito, col Rio Amazonas face retorno l'illustre nostro amico dr. Edoardo Ribeiro, Presidente del Congresso dello Stato del Amazzonas. Sua Eccelenza – ché a Pará fu affettuosamente visitado dal governatore di quello Stato e a Manaos accolto dalle autoritá tutte e da numerosa folla – riprendrá súbito il suo altíssimo ufficio. Nostre felicitazione"*.

Enquanto *A Federação* saudava seu retorno: "Restabelecido dos sofrimentos que determinaram sua viagem à Europa, sua excelência volta ao seio dos amigos, que ansiosos o esperam cheio de vida e disposto a dedicar toda a sua boa vontade e superior inteligência ao progresso do Amazonas, que lhe deve bons e reais serviços".

Ninguém sabia exatamente quais eram os incômodos ou enfermidade de Eduardo Ribeiro. Ele alternava melhoras com pioras. Qual a gravidade da doença? A incapacidade dos médicos de darem respostas eficazes contribuía para que as mais variadas interpretações se multiplicassem: melancólico? Louco? "Alienado"? Iam buscar na genética do pai desconhecido a explicação para que o político não estivesse em seu "juízo perfeito". Na falta de lesões cerebrais específicas, a hereditariedade poderia ser invocada como uma causa orgânica, afirmavam positivistas. Embora indefinida, tal "causa" implicava um comprometimento ou um estrago necessariamente sediado no organismo. O paciente alternava "estado de agitação", "desarranjos das faculdades" e "estado perfeito de lucidez", no jargão médico de então. Ou seriam os efeitos da temida sífilis? Afinal, havia cientistas que acreditavam no efeito tóxico de alguma substância de origem sexual sobre o cérebro. Entregue aos seus demônios, ele nunca pisaria no hospício que levaria seu nome, criado em 1894, pela Lei n. 65, de 3 de outubro de 1894, e instalado à margem esquerda do Rio Negro, na foz do Igarapé da Cachoeira Grande. Era destinado ao tratamento de alienados e permaneceu sob a administração da Santa Casa de Misericórdia até sua definitiva organização. Enfim, a doença seria o mistério da "esfinge" que quis abraçar a morte.

Sabe-se, graças a Ypiranga Monteiro, que, de volta ao lar, ficou aos cuidados de alferes da Força Pública para "garantir que não cometesse nenhum ato de insensatez". Ele se encontrava "profundamente abalado de suas faculdades mentais". Teria entrado em depressão ao deixar o governo? Abandonado pelos amigos e detestado pelos inimigos, cercado de poucos criados de confiança, sem família, Ribeiro vivia só em sua mansão. Durante a noite de 13 para 14 de outubro de 1900, mostrou-se agitadíssimo. Passara a noite em estado nervoso, pedindo isso e aquilo. Tirou as correntes da rede onde dormia, jogando-as umas contra as outras. O enfermeiro que o acompanhava tirou-as de suas mãos. Quando foi lhe buscar um copo de leite, Ribeiro aproveitou da ausência do auxiliar para tirar a própria vida.

> Suicidara-se no próprio quarto de dormir, uma sala junto à varanda, com janelas para quintal e pátio. Tinha enlaçado no pescoço uma corda de mosquiteiro – uma corda de cor verde – que pendia do armador. Eduardo Ribeiro jazia com a cabeça para o lado direito, sentado no soalho, a cabeça e o tronco apoiados na parede, as pernas estendidas ao comprido, os pés ligeiramente cruzados.

Foi o "mistério do copo de leite". Houve quem dissesse que ele tinha sido envenenado com ervas trazidas de Santarém ou por um charuto empeçonhado. Ou quem duvidasse que uma corda de mosquiteiro presa a uma pequena roldana pudesse sustentar um corpo. Teria sido "eutanasiado"? Corriam muitas versões... Ypiranga Monteiro cravou: "um médico italiano que vinha acompanhando o doente estranhou aquela cena tão pouco revestida de naturalidade, chegando ao clímax de suspeita de homicídio, de assassinato! Para escurecer ainda mais o episódio, o processo sumiu da polícia".

No ano em que a morte o levaria, uma imagem da Avenida Eduardo Ribeiro revelava seu brilhante legado ou a realização de um sonho: Paris na Amazônia. A constituição larga deixava rolar os bondes sobre trilhos. Nas laterais, se multiplicavam vários estabelecimentos comerciais com o que era considerado mais inovador e sofisticado: de confeitarias a lojas de vestuários da moda, restaurantes, bares, tudo direcionado às elites. Armazéns e ferragens, ateliês de modistas e de alfaiates, inúmeros hotéis e restaurantes "dos quais eram muito espaçosos e montados com luxo verdadeiramente europeu". O amplo calçamento era destinado não somente a ida e vinda de transeuntes, mas também a passeios regulares. Bancos dispostos no calçamento e voltados para a avenida convidavam à contemplação de vitrines e transeuntes. A arborização do calçamento sugeria uma tentativa de copiar o paisagismo da Avenida Liberdade, em Lisboa, como indica a edição de 17 de fevereiro de 1900 do jornal *A Federação*. O jornal ressaltava o embelezamento da cidade e os melhoramentos feitos à avenida com o ajardinamento, tornando-a a "rua mais pitoresca e aprazível de todas as cidades do Brazil"!

Longe dessa pujança, seu idealizador. Taciturno, introspectivo, estranho foram os adjetivos que acompanharam a "esfinge" ao longo de sua carreira política. Após sua morte, até hoje apresentada como um mistério, Ribeiro passou a ser visto como herói: o sujeito que trouxe a modernidade para o Amazonas. Seu enterro foi apoteótico e levou a população em tumulto até a Chácara Pensador. Chegaram os amigos, as autoridades e o subprefeito de segurança, que interrogou enfermeiros e fez o exame de corpo de delito. Acabadas as formalidades legais, deitaram Ribeiro sobre um sofá, vestido de terno preto de casaca e botinas de verniz. Eram seis horas da manhã quando a notícia começou a correr a cidade. O governo colocou à disposição do público 11 bondes, gratuitos, que ficaram lotados.

Às 15h30, o caixão foi colocado sobre um estrado para ser velado. Seu filho e a companheira não estiveram presentes. Houve encomendação do corpo ao som de soluços e muito choro dos presentes. Às 17h30 teve lugar o saimento do ataúde em coche fúnebre, seguido por figuras ilustres da cidade. Inúmeras coroas de flores atapetavam o campo santo quando ele chegou. Havia tanta gente pelas aleias que com muita dificuldade o cortejo pode acercar-se do túmulo. Era o enterro do herói. Herói de carne e osso, como bem disse Geisimara Matos. O mundo das letras, o poder político, as elites, mas, sobretudo, o povo se despedia desconsolado enquanto a imprensa construía um panteão ao administrador. Partiu o "grande e querido cidadão", "o grande espírito". Comparado a Abraham Lincoln, o jornal *A Federação* lembrava que Ribeiro fizera brilhar um Amazonas antes obscuro e selvagem. A morte não seria o fim de suas realizações.

No seu inventário, apenas a mãe, dona Florinda, herdeira única e universal. Nada para o filho. Seu espólio foi desbaratado por amigos e a casa, também. Até um piano sumiu. Deixou uma lanchinha a vapor, Florinda, com que percorria os igarapés próximos à cidade e alguns terrenos e casas. Foi-se o "Haussmann mulato", e veio o começo do fim do famoso ciclo da borracha. Alguns anos antes, o inglês Henry Wickham levou embora sacos com sementes e cultivou artificialmente seringueiras na Malásia. Em menos de 20 anos, Manaus derreteria, voltando aos tempos que antecederam a chegada de Ribeiro.

A inserção de um homem negro e pobre em um círculo intelectual branco demonstra que os homens negros livres tiveram papel de destaque muito antes e muito depois da Abolição no Brasil. Vale lembrar, porém, como bem sublinhou Roberto Guedes, que o sucesso os embranquecia. Ypiranga Monteiro publicou duas fé de ofício arquivadas na Secretaria Geral do Ministério do Exército. Numa, Eduardo Ribeiro é descrito como "de cor branca, olhos verdes, cabelos castanhos anelados" e filho de pais reconhecidos. E noutra "de cor parda, cabelos crespos e filho de Florinda Maria da Conceição". E o biógrafo se pergunta: era preciso eliminar o negro para que sua carreira seguisse ascendendo?

Se ao longo de suas trajetórias tais protagonistas enfrentaram racismo e preconceitos, eles conseguiram ultrapassá-las, desmobilizando, em muitos casos com altíssimo custo pessoal, os estigmas da cor e da escravidão.

9

Entre os homens de branco

Precoce e genial

Como temos visto, a educação era obrigatória na gramática da ascensão de negros e pardos. Coroava o caminho, o brilho e as competências de cada um. E alguns deles, graças à excelência de seu próprio talento, tiveram presença internacional. Foi o caso de Juliano Moreira. Quem sabe, se o tivesse conhecido, Eduardo Ribeiro teria tido outro fim...

Nascido a 6 de janeiro de 1872, na freguesia da Sé, no centro de Salvador, Bahia, Juliano era filho de Galdina Joaquina do Amaral e de Manoel do Carmo Moreira Júnior. Seu pai era inspetor de iluminação pública, ou seja, inspecionava o acendimento dos lampiões nas ruas, e a mãe trabalhava como doméstica na casa do médico e professor Luís Adriano Alves de Lima Gordilho, o barão de Itapuã. O barão era obstetra famoso na cidade, além de conselheiro de d. Pedro II e padrinho do pequeno Juliano. Padrinhos, é bom lembrar, tinham o papel de segundos pais.

Como em muitas situações semelhantes, ele não só se afeiçoou ao menino como garantiu-lhe os estudos no Colégio Pedro II, fundado para formar uma elite nacional e instalado num belo casarão na antiga Rua Larga, atual Rua Marechal Floriano, no Rio de Janeiro. Conforme decreto de 1843, o colégio era o único a conferir o diploma de bacharel em Letras aos formandos, tornando-os aptos a ingressar nos cursos superiores sem a prestação dos exames das matérias preparatórias. Juliano terminou os estudos no Liceu Provincial. Seus biógrafos não explicitam se no Liceu no Rio ou em Salvador, mas é mais provável que tenha sido em sua terra natal. O currículo era enorme: filosofia racional e moral, aritmética, geometria, trigonometria, geografia, história, gramática filosófica da língua portuguesa, eloquência e poesia, análise e crítica dos clássicos, desenho, música, gramática latina e grega, além de francesa e inglesa.

Precoce e brilhante, aos 13 anos Juliano entrava na Faculdade de Medicina da Bahia, na mesma época em que se reformava o antigo colégio dos jesuítas no Terreiro de Jesus para receber os recém-criados laboratórios de química e biologia, fisiologia experimental, física médica e histologia, além de um museu de anatomia e de um patológico.

Como já foi dito, as faculdades estavam abertas aos estudantes e professores negros, e é bom conhecê-los. Na de Medicina da Bahia, em Salvador, os irmãos José e Domingos Melo estão entre os pioneiros clínicos e mestres. Professor também foi Luís Anselmo da Fonseca. Nascido em Santo Amaro, em 1853, conjugava os saberes médicos com as letras, como era comum entre os doutores da época. Além dos livros sobre medicina, escreveu trabalhos historiográficos. Já o médico, deputado e professor Salustiano Ferreira Souto tinha um alto cargo entre os malês da cidade. Vindo do interior – Vila Nova da Rainha –, formou-se logo nas primeiras turmas da faculdade, em 1840, e, em seu concorrido consultório, atendia igualmente a pobres e abastados. Solteirão, dedicava-se nas horas vagas a estudos religiosos, além de dirigir, por 10 anos, o Passeio Público e promover encontros sociais em sua casa, reunindo convidados como Castro Alves e Rui Barbosa.

Outro médico ilustre dessa época foi o filho da escrava liberta Rita Brasília dos Santos e do alfaiate português Gaspar Rebouças: Manuel Maurício Rebouças, irmão do conselheiro Antônio Pereira Rebouças e tio dos engenheiros André e Antônio Filho. Após ter trabalhado ao lado do irmão como escrevente num cartório, lutado nas batalhas da Independência e procurado "em vão por um emprego público", foi para a França. Morou e trabalhou lá por sete anos, conseguindo estudar letras, ciências e medicina. Como cientista e apoiado em teses higienistas, Maurício Rebouças produziu o mais importante trabalho de um brasileiro sobre enterros nas igrejas. Vivos e mortos conviviam nas missas, os primeiros sendo infectados pelas doenças dos segundos, enterrados a sete palmos do chão e cobertos, muitas vezes, por um simples assoalho de madeira. Usando os métodos de investigação da literatura médica francesa, provou que a decomposição dos cadáveres produzia gases pestilenciais que atacavam a saúde dos vivos: era a teoria miasmática.

O trabalho de Rebouças atualizou os baianos sobre a questão, respeitando, contudo, as tradições religiosas. Com espírito conciliador, ajudou a resolver o impasse convidando a população a transferir seus mortos para cemitérios fora do perímetro urbano. Que eles descansassem em lugares elevados e arejados, cercados de árvores frondosas que ajudassem a limpar o ar, longe de fontes de água potável e fora da rota de ventos que soprassem sobre a cidade. Dois outros destaques na família Rebouças são os seus irmãos José, que se formou em Regência na Itália, e Manuel Maria, que, além de músico, foi pedagogo. Maurício Rebouças foi ainda professor de Botânica e Zoologia e conselheiro de d. Pedro II. Como diz Gilberto Freyre, "todos letrados, todos doutores, todos aristocratas em face da plebe iletrada que olhava para eles com olhos de quase devotos para figuras de quase santos".

Mas voltemos à história de Juliano Moreira. Em 1887, ele estava matriculado no 2º ano do curso médico. Ainda como acadêmico do 5º ano, em 1890, foi aprovado em concurso para interno da Clínica Dermatológica e Sifilográfica. Ali, seria o mais jovem professor admitido, com apenas 23 anos. Em 1891, Juliano se formou, e sua tese inaugural *Etiologia da sífilis maligna precoce* foi aprovada com louvor. O texto era erudito, recheado de citações de mais de uma centena de autores em seis línguas vivas, além do latim. Moreira explicava no prólogo que não o fazia por erudição gratuita, mas por honestidade intelectual: era preciso "fazer justiça aos que a ela tem direito", bem como "não perverter a sua expressividade com tradução menos boa". Pontilhou suas considerações médicas com citações de Balzac, Victor Hugo, Shakespeare e Darwin, revelando erudição humanística. O texto chegou ao conhecimento de especialistas franceses, que o elogiaram em revistas médicas, entre outros o *Journal des Maladies Cutanées et Syphilitiques*.

Vamos por partes. Por que a terrível sífilis e não outro assunto? Ah, um mal sexualmente transmitido, um monstro em forma de mulher, a sífilis era a bela que se transformava em fera. Gilberto Freyre, em seu clássico *Ordem e progresso*, faz uma lista extensa de políticos, intelectuais e empresários atingidos por ela nessa época. O assunto estava em toda a parte, pois a doença matava assustadoramente. E, na segunda metade do século XIX, o número de prostitutas tinha aumentado exponencialmente. Na capital, o renomado médico dr. Lassance Cunha as classificava enquanto as estudava: as aristocráticas ou "*demi-mondaine*", em geral estrangeiras, as "de sobradinho", também prestadoras de serviços e trabalhadoras pobres, e "a escória", cujo destino era a miséria e a morte precoce. Pouco se falava de maridos que transmitiam a doença às suas esposas. Mas falava-se, e muito, em "sifilização" das grandes capitais. Morriam pessoas conhecidas, e seu fim, entre delírios e dores, era

Entre os homens de branco   209

comentado à boca pequena. Descreviam-se obsessivamente os sintomas da doença nos rins, no fígado e no sistema nervoso, criando uma angústia surda em torno do assunto. Multiplicavam-se os manuais de venereologia, e os jornais bombardeavam anúncios de remédios milagrosos. Na tradição cristã, as meretrizes eram associadas à sujeira, ao fedor, à doença e ao corpo putrefato. Agora seriam associadas também à cor da pele. A "escória", as mais pobres e desvalidas eram negras.

Mas havia outra razão. Até os anos 1930, comunidades médicas e acadêmicas de diversos países insistiam que a elevada incidência e mortalidade de sífilis entre os negros e afrodescendentes era a prova de sua inferioridade biológica. O propósito de Moreira era então discutir esse assunto, e não outros. É, portanto, possível imaginar o desafio que enfrentou o precoce acadêmico de medicina ao escolher esse tema para sua tese inaugural, lembrou o historiador das ciências Ronaldo Jacobina. O racismo era mal igual ou pior do que a sífilis.

Segundo o mesmo autor, a "tese doutoral" exigida ao diplomado era antes privilégio de filósofos e advogados. Jacobina lembra que, em sua análise da "sociedade patriarcal brasileira", Gilberto Freyre expôs que a doença deve ter sido trazida para o Brasil pelo colonizador europeu, que, devido ao regime escravista, "sifilizou" o negro. Citou, entre muitos exemplos, o da crença de que "para o sifilítico não havia melhor depurativo que uma negrinha virgem". É famoso o seu jogo de palavras sobre o tema: "O Brasil parece ter-se sifilizado antes de se haver civilizado". Ao final do século XIX e na primeira metade do XX, discutia-se abertamente a questão de a gravidade da sífilis ser superior em países de clima quente, além da crença, nem sempre confessada, da malignidade e precocidade nas pessoas da "raça negra".

O objetivo do jovem médico foi, pois, desconstruir a ideia de influência do clima e da raça na malignidade da doença. E não perdeu tempo nem economizou espaço. Inicialmente, apresentou uma exaustiva revisão bibliográfica, ilustrando seu trabalho com casos clínicos. Acusou a literatura médica de usar "noções vagas" e "desordens" na definição das causas do mal. Ao exibir um vasto conhecimento sobre geografia médica, acabou com a tese de que a doença incidia sobre países quentes. Localizou em toda parte sífilis benigna e maligna. E perguntava: longe de ser o clima, cujas variações não explicavam contágios, qual seria o "terreno propício" para o desenvolvimento da doença? Resposta: as más condições de higiene, a presença de outras doenças, como tuberculose e impaludismo, as verminoses, a falta de acesso precoce ao tratamento, a miséria, a desnutrição, o alcoolismo. Enfim, a desigualdade.

O cenário explicava em parte a escolha de Moreira. O crescimento das cidades, o aparecimento de indústrias de tecelagem ou caseiras, as oportunidades de trabalhos para ex-escravos, a multiplicação de favelas e cortiços, as doenças que arrasavam as capitais à beira-mar, tudo resultava num caldo onde cozinhavam os grupos mais desfavorecidos. Eles se apertavam em antigos casarões do século XIX, redivididos em inúmeros cubículos, em condições de extrema precariedade e sem infraestrutura. Uma latrina comum e um tanque eram o máximo do conforto. A promessa trazida pela iluminação, os veículos automotivos, a seringa hipodérmica, a anestesia, a penicilina, os novos ramos metalúrgicos, o desenvolvimento das áreas de farmacologia, medicina, microbiologia e higiene nunca bateriam às suas portas. A revolução científico--tecnológica que invadia com imagens os jornais não era para todos. Só para as elites que insistiam na abertura completa da economia, na industrialização e na modernização imediata do país. E Moreira concluía: eis por que a "malignidade" se encontrava com facilidade nas classes sociais subalternas. Ou seja, entre os pobres que pululavam nas cidades oitocentistas, afastados de todas essas conquistas.

Sensível aos debates em curso e pronto para enfrentar o preconceito caucionado no discurso científico sobre a inferioridade biológica da "raça negra" e dos trópicos, Moreira citou até um trecho do historiador Capistrano de Abreu, publicado num prefácio dois anos antes da defesa de sua tese. Nele, o autor provocava: "o clima ardente a que tantas responsabilidades se atribuem em todos os nossos defeitos, o que sabemos de sua ação?".

Mas não era a única crítica que faria à academia. No prólogo do trabalho, Moreira não mediu palavras e afirmava que teve esperança de que, com a instalação da República, em 1889, e a necessária reforma do regimento das faculdades de Medicina, fosse abolida a exigência da tese obrigatória. Isso pois a instituição era incapaz de oferecer as condições para que o aluno produzisse um trabalho de qualidade. A exigência foi mantida, embora o aluno tivesse a liberdade de escolher o tema numa lista de pontos.

E ele explicava:

> Tratei de analisar as minhas condições e achei-as precárias: não tinha onde bem observar, não sabia nem podia experimentar, não tinha estudos, não possuía onde adquiri-lo: os livros, e não contava com o tempo; somente sobrava-me a obrigação, em vista da qual, lá fui ver como cidadão obediente que esmero-me em ser, a lista dos pontos da tese.

Sem condições de realizar "estudos sobre o sangue dos sifilíticos" – uma "veleidade de experimentalista", como ironizou –, aproveitou para escrever um trabalho que consolidasse seu posto como interno na Clínica Dermatológica e Sifilográfica da Faculdade de Medicina. Quantas vezes viu passar os que chamava de "recidivistas das salas do hospital", pacientes tratados sem maior atenção, que não tinham prontuário único e cujas sequelas eram confundidas com "cancros"? Optou, pois, pela observação acurada. Procurava explicações para a doença. E não simplesmente descrever seus sintomas. Debruçava-se especialmente sobre a população carente, uma vez que os ricos, os "civis", tinham tratamento discreto e diferenciado. E, a partir do contato com a gente miserável, ele defendia seus pontos de vista: "De fato, aí onde não há higiene, onde há incúria, onde não há sã alimentação, onde não há conveniente tratamento, onde há um organismo assolado por propatias anemiantes é que a sífilis é grave, e não somente onde existe uma temperatura alta ou um frio extremo". O problema não eram os trópicos ou a raça. Era social. Era a pobreza gritante.

O catedrático da cadeira era o professor Alexandre Cerqueira que já viajara ao Velho Mundo, conhecedor de Paris e Viena, a quem Moreira agradeceu na tese, demonstrando que laços de orientação ligavam o mestre ao aluno. Mais tarde, os contatos de Cerqueira na Europa seriam úteis ao jovem médico.

Lembra Ronaldo Jacobina que, naquele momento, a questão das raças acendia os debates. No discurso médico brasileiro de fins do século XIX, a questão da raça – de forma mais específica, a da mistura das raças – era apresentada como o nosso maior mal. Na análise da antropóloga Lilia Schwarcz, a relação entre raça, saúde e nação era tematizada nos principais centros de formação médica do período, como a Faculdade de Medicina da Bahia e a Escola Médica do Rio de Janeiro:

> Na Bahia é a raça, ou melhor, o cruzamento racial que explica a criminalidade, a loucura, a degeneração. Já para os médicos cariocas, o simples convívio das diferentes raças que imigraram para o país, com suas diferentes constituições físicas, é que seria o maior responsável pelas doenças, a causa de seu surgimento e o obstáculo à "perfectibilidade biológica".

A partir da década de 1880, a teoria da degeneração se tornara hegemônica no país como metáfora de explicação da sociedade, explica Lilia Schwarcz.

Associada muitas vezes à teoria poligenista, que definia diferentes raças humanas em diferentes patamares evolutivos, o conceito de degeneração passou a ser a chave para o diagnóstico e a previsão dos riscos para o processo civilizador da população "mestiça" e "bárbara", indicando severos limites para a modernização da nação. Por vias distintas, ambas as escolas chegavam a conclusões semelhantes: era necessário cuidar da nação. Nação e raça eram quase sinônimas. E os médicos cuidariam de ambas.

E Juliano Moreira cutucava: "Quantas são as raças? Onde termina a raça branca? Onde começa a amarela? Onde acaba? Onde começa a preta?". Novamente, sua consciência étnica contrariava o coro dominante: "Que abismo entre o aspecto físico e a inteligência de um zulu e a repelente catadura do russo Samoieda!". Ele ainda não tinha dados sobre os avanços da revolução genética, mas estava no caminho certo, explica Jacobina. Pois, citando vários autores, Moreira sustentava que "os grupos étnicos não são do ponto de vista somatológico se não combinações, em proporções diversas de um certo número de tipos ou variedades de gênero humano". Atualmente, graças a estudos genéticos, sabemos que uma pessoa de "raça negra" pode ter no DNA uma ancestralidade mais europeia do que africana. Mais de uma década depois, ainda vinculado à teoria da degenerescência, ele voltaria a criticar a questão racial como fator causal na luta contra as degenerações nervosas e mentais.

Anos mais tarde, num debate travado entre ele e seu colega da faculdade, o renomado professor Raimundo Nina Rodrigues, especialista em medicina legal, Juliano teve oportunidade de reforçar suas teses iniciais. Discutiam ambos o caso de "um mestiço alienado com paranoia querelante", filho de um italiano e de uma negra baiana. Rodrigues "achou no caso mais uma prova de que a mestiçagem era um fator degenerativo". Moreira discordou da apreciação do mestre e insistiu ter sempre se oposto "a esta maneira superficial de ver o problema". E, num artigo publicado no Rio de Janeiro, explicou: ele aproveitou uma longa estadia na Europa para visitar a Itália. Lá, numa pequena cidade, localizou os parentes do pai de seu paciente mestiço. Parentes que tinham "ficado livres da tal mestiçagem", ironizou. E foi na família branca do dito mestiço que Moreira encontrou vários casos de transtorno mental, como epilepsia, imbecilidade e alcoolismo. A mestiçagem não tinha nada a ver com loucura, cravava. A causa de problemas com alcoolismo ou distúrbios mentais não era absolutamente a raça negra.

Enquanto ele ascendia, seu padrinho, o barão de Itapuã, que lhe foi de grande ajuda, descia aos infernos. Afastado da docência por aposentadoria, viu a clientela da clínica pouco a pouco se afastar. Além de perder pacientes, o doutor ensurdecia. Para piorar, perdeu um filhinho de febre amarela, doença que acreditava ter lhe transmitido depois de atender a um doente. Brigas na família levaram o barão às barras dos tribunais. Os escândalos abalaram Salvador, e a vergonha o envenenou. O barão começou a sofrer de alucinações auditivas e visuais. No dia 18 de outubro de 1892, se trancou no quarto, obstruiu o buraco da fechadura com uma folha de papel e cortou a própria garganta com uma navalha. A família percebeu o terrível ocorrido pelo sangue que gotejava, através do assoalho, no andar inferior.

Quem fez sua autópsia foi Nina Rodrigues, que registrou: "um caso clássico e banal de suicídio pela secção do pescoço". E aproveitou para dar uma lição de moral: a trágica morte do barão deveria ser vista pela mocidade como uma lição, sem que a consternação e o luto poluíssem a memória do médico emérito, conforme anotou o historiador José Ferreira Antunes. Os colegas tentaram ocultar o drama. Não se sabe se o afilhado acompanhou a dolorosa via-crúcis e até que ponto os distúrbios mentais do padrinho influenciaram suas escolhas futuras.

Mestiçagem e medicina

Na época em que Moreira começava a brilhar na constelação dos médicos conhecidos, a "raça" era um argumento de verdade biológica e natural. Esse discurso absurdo caucionava até diferenças anatômicas de inserção muscular. Ele não admitia esse tipo de ilação. Sobre a possível diferença anatômica que existiria entre as raças, o jovem formando respondeu sem meias-palavras: "À raça negra, para citar apenas um exemplo, tem-se querido dar até diferenças anatômicas; é assim que já se disse que o esternomastoide se inseria diferente nos negros". Outros autores referiam-se às modificações de sangue segundo as diferentes raças. Moreira respondeu com suas próprias observações feitas a partir de autópsias de negros e mestiços na Bahia: "Nas múltiplas ocasiões que tenho tido de ver tais inserções, sempre as achamos de acordo com as clássicas descrições de Suppey, Gray, Quain etc., que foram estabelecidas com indivíduos de raça branca". Ou seja, normais.

Em debate com um médico da Faculdade de Medicina do Rio de Janeiro, dr. Cristiano Braune, que insistia serem os negros vítimas mais frágeis de "complicações" e que a "cicatrização e a cura" neles seriam mais difíceis, deu nova bordoada: "Desde que frequento a clínica hospitalar, desde que vejo, dentro e fora do hospital, indivíduos de ambas as raças que povoam o nosso solo, que os casos por mim vistos autorizam-me a não estar de acordo com asseverações do ilustre médico fluminense". Detalhe: Moreira começou a clinicar aos 16 anos. O que não lhe faltava era experiência. E sobre a influência do clima em estados mentais, rebatia:

> O clima não influi em nada sobre os sintomas de diversas psicoses. É no grau de instrução do indivíduo que reside a causa das diferenças que podem se apresentar. O descendente puro de dois caucasianos, igualmente puros, criados no interior no meio de pessoas ignorantes, apresentam os mesmos delírios rudimentares que os indivíduos de cor desprovidos de instrução.

Conta-nos ainda Jacobina que ele nunca abandonou qualquer oportunidade de ironizar sobre o racismo. Aos 23 anos, quando médico e "preparador" da cadeira de Anatomia Cirúrgica da Faculdade de Medicina da Bahia, apresentou-se ao concurso para professor substituto, quase sendo eliminado por preconceitos da banca examinadora. Seguindo a velha tradição nepotista das academias, os examinadores já tinham seu candidato, gente da elite baiana. Os estudantes, liderados pelos sextanistas, entre os quais se destacava Afrânio Peixoto, acompanharam vigilantemente o concurso. Juliano Moreira confirmou o seu talento, obtendo de cinco examinadores a nota dez "com distinção" nas três provas.

Num discurso de agradecimento aos estudantes, o recém-aprovado professor não mastigou as palavras, dirigindo-se ironicamente "a quem se arreceie de que a pigmentação seja nuvem capaz de marear o brilho desta faculdade" para cravar: "só o vício, a subserviência e a ignorância são que tisnam a pasta humana quando a ela se misturam, ganhando-lhe o íntimo e aí inviscerando o mal". O mal não era a cor, mas a estupidez.

Mas qual o pano de fundo para a ascensão e ao mesmo tempo a corajosa luta antirracista de Juliano Moreira? Como bem explica a historiadora Carolina Vianna, a introdução das teorias raciais evolucionistas e a intensificação dos debates sobre mestiçagem ocorreram a partir da segunda metade do século XIX. Pairava então uma questão: que tipo de cidadania teriam os ex-escravos? A discriminação dos não brancos doravante não se apoiaria na diferenciação racial, mas em argumentos biológicos. Surgidos a partir da Europa e dos Estados Unidos para explicar a origem dos seres humanos, tais argumentos vão inspirar, a partir de 1870, intelectuais, juristas e médicos. Eles associavam características físicas, morais e culturais, como a cor da pele, a forma do nariz, a textura do cabelo, os modos de vestir, cantar e cultuar, à capacidade mental e ao nível civilizatório dos indivíduos e grupos. A Europa era considerada modelo de superioridade e os povos africanos e indígenas, inferiores e atrasados. Para quem adotava tais teorias ficava a pergunta: se o Brasil tinha tantos negros e pardos, como poderia progredir?

Ao viver em meio a cerca de 58% de uma população que se dizia negra ou parda, intelectuais como Sílvio Romero, Afrânio Peixoto e João Batista de Lacerda enalteciam a mestiçagem como instrumento de assimilação racial dos grupos ditos "inferiores". A mistura permanente faria embranquecer o Brasil. Não por acaso, importavam-se imigrantes europeus encarregados de ajudar nessa tarefa. Outros nomes, como Manoel Bomfim e Alberto Torres, criticavam duramente as teorias racistas, enquanto Juliano Moreira, o deputado Monteiro Lopes e o professor Hemérito dos Santos defendiam publicamente suas posições antirracistas.

E baianos como o próprio Moreira, Manuel Querino e, mais à frente, Edison Carneiro tinham especial disposição para estar no meio do debate, pois a Bahia, durante o século XIX, recebeu um contingente importante de escravizados vindos do Golfo do Benim. Ao fazer a defesa da genética africana, ao protestar contra as teses de inferioridade do africano e ao valorizar a contribuição do negro à prosperidade do Brasil, Querino, que tinha grande visibilidade por sua ação política e jornalística, podia estar falando de Moreira quando disse: "Sobre homens como ele, originários do encontro de negros e brancos, [...] plêiade ilustre de homens de talento que, no geral, representaram o que há de mais seleto nas afirmações do saber, verdadeiras glórias da nação".

Em meio à leva de intelectuais pessimistas, explicações começaram a ser buscadas nas primeiras décadas do século XX. E foram apoiadas pelas novas descobertas de Louis Pasteur, suas pesquisas de prevenção contra doenças, o desenvolvimento de vacinas, e por pesquisas experimentais em torno de um projeto educativo e profilático, que as respostas para a regeneração dos doentes de sífilis foram gestadas.

Na Bahia, onde Moreira começou sua carreira, a nacionalidade africana definia muitos grupos, separando os nascidos no Brasil e na África, explica a historiadora Kim D. Butler. A maioria dos libertos, cujas alforrias aumentaram nessa época, eram africanos. Muitos iam e voltavam das cidades no Oeste do continente, dando início a dinâmicas trocas culturais, criando o que Kim Butler chamou de "comunidade transnacional da diáspora africana". Os viajantes mais conhecidos ajudaram, por exemplo, a fundar as casas de candomblé. Com a proclamação da República, além de Salvador ter perdido a influência econômica e política para o Centro-Sul, ainda tinha que se adaptar à proliferação de africanismos. As elites baianas reagiam. Afinal, tudo o que queriam era se europeizar. As reações choviam: o bispo proibiu a lavagem das escadas da igreja de Nosso Senhor do Bonfim pelas baianas. Os clubes de carnaval com desfiles de temáticas africanas foram proibidos e a capoeira, também. Incansável e violenta, a polícia dava batidas constantes nas casas de santo.

Da dermatologia à psiquiatria

Ainda que mergulhado nesse cenário antiafro-brasileiro, nada deteve a carreira do médico negro. Moreira seguia de vento em popa. Sem abdicar de publicações sobre a mais variada matéria, tratando de dermatologia a ortopedia, Juliano se tornou assistente da cadeira de Clínica Psiquiátrica e de doenças nervosas, dando início, em 1894, à sua jornada pelas doenças mentais. Algo a ver com o trágico fim do barão de Itapuã? No início do século XX, se tornou redator da *Gazeta Médica da Bahia*, principal publicação médica do estado e uma das mais importantes do Brasil, onde produziu inúmeros textos de resenha, artigos e editoriais. Escrevia e se projetava.

Junto à perda pessoal, outras mudanças convidavam a mudar de área. Acompanhando a forma de pensar de vários intelectuais, uma parcela dos psiquiatras passou a questionar o conceito racialista da degeneração, buscando novas soluções para o tratamento dos pacientes com doença mental, explicam os pesquisadores da Fundação Oswaldo Cruz, Nísia Lima e Gilberto Hochman. A novidade atraiu Juliano, que nela mergulhou de cabeça.

Em 1895, Moreira elaborou um relatório crítico sobre o Asilo São João de Deus, solar suburbano pertencente à família de Castro Alves e transformado em casa de saúde, onde "epiléticos, idiotas e imbecis" eram reunidos. Ele então já tinha emprego fixo e mantinha uma vida rotineira, sem nenhuma alteração nos seus hábitos sociais, porém desregrada na dedicação excessiva aos estudos e ao trabalho. Visitava diariamente as dependências do asilo, onde realizava aulas práticas. Até o anoitecer, podia ser encontrado em uma das salas da instituição ou em uma de suas várias enfermarias, discutindo sobre questões médicas com colegas e alunos. Apesar de a prática ocupá-lo intensamente, não parou de colaborar com revistas científicas nacionais e internacionais. Mais tarde, a instituição, que tinha vista para a baía de Todos os Santos, ganharia o nome de Hospital Juliano Moreira.

No dito relatório, e com a aprovação de uma comissão, Juliano sugeriu a criação de um novo asilo nos moldes das modernas clínicas psiquiátricas da época. Clínica em vez de hospício: a palavra dava medo. Um lugar sem futuro. Pior, roubava a esperança de cura. Era o "cemitério dos vivos", como o chamou o escritor Lima Barreto. No Rio de Janeiro, já existia um, "o palácio dos loucos", que funcionava desde 1854 num bairro salubre e cercado de montanhas e palmeiras. Só para loucos? Não. Ali se internavam todos aqueles que, na visão das autoridades da época, perturbassem a ordem pública, o que incluía epiléticos, ninfomaníacas, histéricas e bêbados. O Regimento Interno da Santa Casa exigia: recebia loucos, mas "só os curáveis". Alcóolatras também entraram na mira das campanhas moralistas e da "guerra eugênica". A noção do alcoolismo como doença e não mais problema moral começava a se construir. Até então, o ébrio era considerado um marginal e descrito pelos médicos como "apático, indiferente, sem iniciativa e sem energia, pusilânime, descuidado de seus próximos e de si próprio, se arrastando de deboche em deboche, reduzido à miséria e não recuando mesmo diante do crime para satisfazer sua paixão [...] era o homem transformado em álcool". Não faltaram eugenistas a dizer que os negros eram mais dados ao álcool do que brancos.

Como lembra o historiador Rodrigo de Oliveira Andrade, o hospício d. Pedro II, presente do imperador à capital, se manteve vinculado à Santa Casa até 1890, quando, com a proclamação da República, passou à administração federal, sob jurisdição do Ministério da Justiça e Negócios Interiores. Antes, era uma instituição caritativa. Não tinha instrumentos médicos para diagnóstico de patologias mentais. Não tinha serviço sanitário. Não tinha estatísticas sobre os doentes. Não tinha tratamentos terapêuticos. Era, segundo seu ex-diretor Teixeira Brandão, "uma anomalia lastimosa". A partir de então, teve o nome mudado para Hospital Nacional de Alienados, e o trabalho das irmãs de caridade que insistiam em cantar hinos religiosos, misturando suas vozes aos gritos dos loucos, foi suspenso e substituído por enfermeiros e alienistas.

A separação entre o hospício e a Santa Casa não foi suave. Debates explodiram na Câmara e no Senado. Na ordem do dia, o direito que o Estado teria de intervir em um assunto espinhoso como a loucura ou os loucos. A psiquiatria contra-atacava, acusando os opositores das instituições e, portanto, do governo. A estatização era legítima e a intervenção do Estado necessária.

Nessa época também houve mudanças no cenário. Um Brasil desconhecido seria revelado a partir de expedições de órgãos do governo, como as de Cândido Rondon, do Mato Grosso ao Amazonas. Ou, em 1907 e 1908, as expedições científicas de Arthur Neiva e Belisário Pena rumo ao Nordeste, com o objetivo de conhecer doenças, realizar diagnósticos e levar atendimento à população do interior do país. A famosíssima frase do médico Miguel Pereira, "O Brasil é um imenso hospital", virou a marca desse movimento. A recriminação à mestiçagem e ao nosso clima tropical cedeu lugar à condenação ao governo por abandonar as populações interioranas; seu atraso passou a ser atribuído ao isolamento geográfico e às infestações por doenças parasitárias, especialmente o "amarelão" e a doença de Chagas. Ao mesmo tempo, intensas campanhas sanitárias contra a febre amarela e contra a varíola, doenças que espantavam muitos visitantes e imigrantes do Brasil, eram coordenadas por Oswaldo Cruz. A doença tornou-se a chave para explicar o atraso do Brasil e a higienização, sua possibilidade de redenção. A ciência, mais especificamente a medicina, passou a representar o desejo de uma nova nacionalidade e da modernização do país.

Mas voltando a Juliano Moreira, conta o historiador Estênio El-Bainy que, em novembro de 1902, ele se licenciou na faculdade e viajou ao Rio de Janeiro para participar do ato de embalsamento do cadáver do professor Manuel Vitorino, renomado médico baiano e vice-presidente da República, de quem sempre se declarou um admirador. Não mais voltaria a terra baiana. Dias depois, Rodrigues Alves tomou posse como presidente da República e nomeou o baiano José Joaquim Seabra como ministro do Interior e Justiça. Homem de visão, Rodrigues Alves faria um governo de grandes reformas.

Amigos desde os tempos de estudantes, Afrânio Peixoto viajou com Juliano, indo ao Rio com a intenção de fazer concurso para professor substituto da seção de Higiene e Medicina Legal na faculdade local. Sempre que possível, gozava da intimidade de J. J. Seabra. A roda do destino fez Antônio Dias de Barros, médico conceituado, deixar de ser diretor do Hospital Nacional de Alienados, pois a nomeação como professor de Histologia da Faculdade do Rio não o permitia acumular cargos no governo. Afrânio Peixoto não perdeu tempo. Costurou o cargo para o amigo que tanto admirava.

Mas houve, também, outro motivo. A nomeação de Moreira serviu para contornar os impasses políticos internos entre os médicos do hospício e os da Faculdade de Medicina do Rio de Janeiro. Afinal, ele estava fora das disputas científicas e políticas do estado. Sua indicação adveio de sua posição científica afinada com o novo modelo de Estado que se instalou com Rodrigues Alves. O presidente eleito, que lutou contra a epidemia de varíola em São Paulo e perdeu no Rio de Janeiro um filho para a febre amarela, apostava na ciência e na modernização das cidades. Na capital federal, a 25 de março de 1903, pouco depois de comemorar seus 30 anos de idade, com porte de príncipe e modos de um fidalgo, Juliano Moreira tomou posse como Diretor do Hospital Nacional de Alienados.

Vale lembrar que entre 1895 e 1902 – antes, portanto, de sua nomeação –, Moreira fez uma série de viagens à Europa para tratar-se de tuberculose contraída pela rotina desregrada e pela dedicação intensiva aos estudos, revela a historiadora Ana Teresa Venâncio. Infecção tão antiga quanto a humanidade, ela permitia que o sangue se alojasse nos pulmões. Ele tossia, tossia, tossia. A tuberculose era a Peste Branca, sinônimo de morte certa e lenta. Moreira nada tinha a ver com a imagem romântica do tísico poeta melancólico, que encontrava na doença o alimento para o seu processo criativo. Ao contrário, representava a imagem do tuberculoso vítima de um meio desfavorecido. Como homem da ciência, havia de querer tratamentos modernos para os suores noturnos, a forte dor de cabeça e o aumento de escarros. O Sanatório de Cladavel, na Suíça, era o destino de quem tinha dinheiro. Acreditava-se que os bons ares da montanha ajudavam a limpar os pulmões. Era a "utopia da viagem salvadora", como bem denominou a historiadora Ângela Porto. Mas as viagens de Moreira não o redimiram.

Nesse período, ele teve contato com as ideias de Emil Kraepelin, criador da moderna psiquiatria, e Sigmund Freud, criador da psicanálise. Embora divergissem entre si, Moreira foi um dos primeiros a divulgar as ideias de ambos no Brasil. O primeiro porque defendia que as doenças psiquiátricas eram principalmente causadas por desordens genéticas e biológicas, enterrando definitivamente qualquer interpretação ligada à raça. Após demonstrar a inadequação dos métodos antigos, Kraepelin desenvolveu um novo sistema diagnóstico que separava a psicose maníaco-depressiva da esquizofrenia. Suas teorias psiquiátricas dominaram o campo da psiquiatria no início do século XX. De Freud, bebeu nas técnicas de hipnose para o tratamento de pacientes com histeria como forma de acesso aos seus conteúdos mentais. Seu espírito aberto e inquieto não ignorou os autores ou suas obras, e, dominando a língua alemã, pôde adaptá-los para a realidade brasileira.

Em 1920, em resenha na qual elogiou o livro *O pansexualismo na doutrina de Freud*, do neuropsiquiatra Franco da Rocha, como ele um pioneiro em tratamentos humanitários, Moreira informou que a Sociedade Brasileira de Neurologia vinha promovendo palestras de divulgação da psicanálise. E comentou, com sua ironia peculiar, que esta era pouco conhecida no país porque "No

Brasil, em geral, os colegas, em obediência à lei do menor esforço, aguardam que as ideias e as doutrinas passem primeiro pelo filtro francês para que nos dignemos a olhá-las contra a luz [...]".

Apontava, desse modo, a forte influência da cultura científica que a França ainda exercia no país, baseada em nomes como o de Jean-Etienne Esquirol, que separava doença mental e deficiência mental, ou seja, "idiotas" e "loucos". Segundo Esquirol, o que curava o louco era o hospício. Mas ele tinha morrido em 1840, e muita água rolou por baixo da ponte. Enquanto uma parte da psiquiatria resistia às ideias psicanalíticas, tal como acontecia também entre seus comentadores franceses, Moreira percebia que a hostilidade aos alemães desde a Guerra Franco-Prussiana era e seguiria forte na França. Era o país mais refratário à psicanálise, como o próprio Freud denunciou.

Para suplantar as resistências da psiquiatria local, Moreira incentivou a introdução do debate nas reuniões da Sociedade Brasileira de Psiquiatria, Neurologia e Medicina Legal pelos que começavam a estudar a obra freudiana. De acordo com ele, a psicanálise vinha conquistando "pouco a pouco novos cultores, não somente na Áustria como ainda na Alemanha, na Inglaterra e sobretudo nos Estados Unidos". Desse modo, afirmava, o Brasil não poderia ficar de fora deste movimento. Aos seus esforços iniciais se uniram os psiquiatras Antônio Austregésilo e Henrique Roxo. Com o apoio de fontes documentais, Rafael Castro e Cristiana Facchinetti afirmam ser Juliano Moreira um dos primeiros psiquiatras brasileiros a se debruçar sobre a psicanálise, sendo ela objeto de seus estudos e debates desde 1910, período em que a técnica psicanalítica foi introduzida no Hospital Nacional, servindo ainda de base teórico-metodológica para teses de estudantes de Medicina.

Numa tese, um dos alunos de Juliano, Genserico Pinto, revelou a história de um caso atendido pelo mestre: o de madame X. A tal senhora se achava gravemente doente, apresentando "vômitos incoercíveis, estado vertiginoso intenso, anorexia absoluta, cefaleia etc. Era o quadro clínico perfeito do tumor cerebral, e tal diagnóstico ainda mais se impunha pela presença de um exame de sangue". Mas Juliano Moreira, "com a argúcia de psicanalista, desconfiou do caráter funcional da doença, e, com muita paciência e muita habilidade, conseguiu pôr a descoberto a realidade".

E Genserico contou:

> Eis o fato: Mme. X, embarcara com seu marido para a Europa por motivo de tratamento de saúde. Aí chegados, Mme. X teve de se recolher a

um hospital com o fim de sofrer uma operação importante dos órgãos genitais. O marido, assim privado do convívio de sua esposa, resolveu tomar uma amante, fato este que depois de algum tempo chegou ao conhecimento de Mme. X. Esta resolveu então, muito naturalmente, apressar a sua volta ao Rio de Janeiro, para assim evitar os desgostos que lhe dava o marido infiel. A sua rival havia, entretanto, recebido instruções para embarcar no paquete seguinte para a capital do Brasil, onde a esperaria o marido de Mme. X, disposto a reatar os seus amores ilegítimos. O resultado funesto da aventura não se fez esperar; um dia, ao passar de automóvel por uma rua da cidade, ela viu, com horrível surpresa, o marido a conversar em uma esquina com uma mulher, precisamente a mesma que conhecera na Europa, e que tanta dor lhe causara. Pode-se imaginar então a intensidade do traumatismo; teve apenas força para ordenar ao *chauffeur* que seguisse para casa. Aí chegando, recolheu-se ao leito, muito mal, tendo daí em diante apresentado os sintomas acima referidos. O professor Juliano Moreira estabeleceu o tratamento psicanalítico e a doente acha-se em via de cura.

No retorno da Europa depois do tratamento para a tuberculose que o castigava, Juliano Moreira visitou as instituições psiquiátricas de todos os estados brasileiros, publicando, na *Gazeta Médica da Bahia*, um panorama da medicina geral e da psiquiatria nacional entre os anos de 1901 e 1902. Nesses artigos, Moreira fustigava que só havia um único hospital com laboratório em todo o país. E reclamava urgência em ter instituições equipadas com "máquinas do trabalho científico", laboratórios experimentais, e a favor do ensino médico articulado à pesquisa clínica. Suas críticas foram transcritas em várias outras publicações científicas, fazendo com que ganhasse maior notoriedade.

Oito anos depois da nomeação para a direção do Hospício Nacional de Alienados, foi indicado para diretor-geral de Assistência a Alienados, cargo que ocupou até 1930. Como grande propagador das "clínicas alemãs" e liderança de diversos grupos no Brasil, Moreira conseguiu apoio para reformas na instituição. Foi o responsável por diversas transformações no modelo de atenção psiquiátrica no Brasil. Até então, o país fazia uma simples reprodução da escola francesa, sem levar em consideração as diferenças culturais.

Durante os 27 anos em que esteve à frente do Hospício Nacional de Alienados, Juliano Moreira instaurou com ideias e práticas novas a psiquiatria como especialidade médica no país. Inspirado na Clínica de Munique, na Alemanha, dirigida por Emil Kraepelin, aboliu as camisas de força e retirou as grades de ferro das janelas. Uma das suas atitudes que chamaram muito a atenção foi que, pouco depois de assumir o cargo de diretor do hospital, ele desistiu da sala destinada à direção, no segundo andar, e fez de uma saleta no térreo o seu gabinete, à esquerda da entrada principal do prédio, sempre de portas abertas, onde atendia a todos que o procuravam, sem agendamento ou hora marcada.

Como descreveu alguém, ele era

> o homem que afetuosamente sorria à aproximação dos insanos, realizando, desde o primeiro momento, a sua espontânea terapêutica pelo afeto. Ouvia os delírios dos loucos com redobrada paciência, ternura e desvelada consideração, escutando as queixas dos melancólicos e as exaltadas narrativas dos agitados.

> Ele desmistificava a doença mental, de um lado igualando-a a outras doenças e, de outro, reconhecendo que, havendo respeito, estímulo e cuidados, poder-se-ia evitar a cronificação de muitos pacientes.

Juliano teria lido Sandór Ferenczi, psicanalista e colaborador de Freud que, em seu *Diário da Clínica* dizia: "Só a simpatia cura"?

Juliano Moreira inventou um modelo de atenção mais humano e adequado às características culturais do Brasil do início do século XX e não parou de inovar. Criou o Pavilhão Seabra — amplo prédio que abrigava diversos equipamentos trazidos da Europa que auxiliavam no funcionamento de oficinas de ferreiro, bombeiro, mecânica elétrica, carpintaria, marcenaria, tipografia e encadernação, sapataria, colchoaria, vassouraria e pintura –, onde os assistidos realizavam atividades que auxiliavam em sua recuperação e lhes traziam alguma renda; passou a implantar a música nos corredores do hospital, como terapia; trouxe para o Brasil a clinoterapia, um tratamento com demorados banhos mornos de banheira, por considerá-los eficientes nos tratamentos, como pôde conferir em Munique; tornou o hospital um centro cultural, trazendo professores, cientistas e trabalhadores, e implantou oficinas artísticas, antecipando-se à posteriormente criada terapia ocupacional.

Mergulhado no trabalho, empenhado em transformar os serviços do hospício, Moreira viu a capital mudar também. Decidido a sanear e modernizar a cidade, o então presidente da República, Rodrigues Alves, deu plenos poderes ao prefeito Pereira Passos e ao médico Oswaldo Cruz para executarem um grande projeto sanitário. O prefeito pôs em prática uma ampla reforma urbana, que ficou conhecida como "bota-abaixo", em razão das demolições dos velhos prédios e cortiços, que deram lugar a grandes avenidas, edifícios e jardins. Milhares de pessoas pobres foram desalojadas à força, sendo obrigadas a morar nos morros e na periferia. Oswaldo Cruz, convidado a assumir a Direção Geral da Saúde Pública, criou as Brigadas Mata-mosquitos, grupos de funcionários do Serviço Sanitário que entravam nas casas para desinfecção e extermínio dos mosquitos transmissores da febre amarela. Iniciou também a campanha de extermínio de ratos, considerados os principais transmissores da peste bubônica, espalhando raticidas pela cidade.

A resistência popular teve o apoio de positivistas e dos cadetes da Escola Militar. Os acontecimentos, que começaram com uma manifestação estudantil, cresceram consideravelmente quando uma passeata se dirigiu ao Palácio do Catete, sede do Governo Federal. Logo depois, o centro do Rio transformou-se em campo de batalha: era a rejeição popular à vacina contra a varíola, que ficou conhecida como a Revolta da Vacina. A população exaltada depredou lojas, virou e incendiou bondes, fez barricadas, arrancou trilhos, quebrou postes e atacou as forças da polícia com pedras, paus e pedaços de ferro. A reação popular levou o governo a suspender a obrigatoriedade da vacina e a declarar estado de sítio. A rebelião foi contida, deixando mortos e feridos. Centenas de pessoas foram presas, e, muitas delas, deportadas para o Acre.

Graças à união de Pereira Passos com o jovem médico Oswaldo Cruz, as epidemias estavam sob controle. O famoso "bota-abaixo", com o qual o prefeito aboliu um labirinto de ruas coloniais no centro da capital para abrir a Avenida Central, expulsou por sua vez a população pobre, negra, parda e imigrante para os morros. Estes, por sua vez, cobertos pelas recentes favelas, estavam na mira do saneamento. Discutia-se, em âmbito governamental, uma política habitacional que garantisse a ambição saneadora da época. Pelos jornais e rádios apregoava-se a necessidade de livrar as cidades de seus "convívios patológicos", num tipo de medicina urbana que expulsava os que não se enquadrassem no tipo de vida burguês. Muitos deles eram encaminhados ao hospício. Pacificada e com a varíola erradicada, a cidade que se queria uma espécie de Paris-à-beira-mar voltou à normalidade. Multiplicavam-se as atrações enquanto os bondes elétricos cruzavam a cidade. Salas de cinema atraíam com a música de pequenas orquestras que tocavam nos intervalos. Passeios na Rua do Ouvidor ou Gonçalves Dias levava os moradores às elegantes lojas e casas de chá, como a Cavé ou a Lallet.

Embora dedicadíssimo ao trabalho, Juliano Moreira era também sensível às artes e gostava de diversão. E o Rio era a cidade atraente onde corria o sangue do país, onde viviam poetas, escritores e jornalistas famosos, políticos que decidiam e boêmios que se reuniam nos quiosques para comentar o que ia nas alcovas, nos estádios, nas confeitarias, no Parlamento. Era o porto sul-americano onde desembarcavam de *cocottes* a doenças venéreas e papéis de parede. Era o lugar da glória cosmopolita que Moreira já adquiria. Ele era assíduo nos espetáculos das companhias líricas a que assistia no Teatro Municipal ou no Lírico, onde se exibiam grandes vozes da ópera, como Titta Ruffo e Caruso. O ponto alto da vida social era a passagem das companhias francesas de teatro, com os mesmos artistas que se exibiam em Paris. Moreira também apreciava os filmes de animação – como *As aventuras do príncipe Achmed*, da alemã Lotte Reiniger e do franco-húngaro Berthold Bartosch, história de um mago africano que cria um cavalo voador – e era frequentador dos espetáculos teatrais e circenses, sendo conhecido como grande admirador do famoso palhaço Benjamim de Oliveira. Seu ídolo nos palcos foi o primeiro palhaço negro, um ex-escravo forro que fugiu de casa aos 13 anos para integrar o Circo Sotero. Mas Oliveira foi além da vida sob a lona e escreveu diversas peças de sucesso, entre as quais *O diabo e o Chico*, *Vingança operária*, *Matutos na cidade* e *A noiva do sargento*. Atuou também como cantor nos entreatos, executando ao violão lundus, chulas e modinhas, principalmente as de seu amigo Catulo da Paixão Cearense.

Moreira combatia o uso dos termos pejorativos "maluco" e "doido". Repetia sempre que a maioria dos doentes mentais estava fora, e não dentro dos hospitais e sanatórios especializados. Em 1905, ao lado de Afrânio Peixoto, a quem chamava de "meu primoroso amigo", e outros colegas, fundou os Arquivos Brasileiros de Psiquiatria, Neurologia e Ciências Afins. No ano seguinte, instalou um laboratório no hospital, dando início às primeiras punções lombares e aos primeiros exames citológicos de líquido cefalorraquidiano para fins diagnósticos de sífilis cerebral, meningites e vários outros males.

Aonde fosse, fazia amigos e era prestigiadíssimo. Foi o que aconteceu em Lisboa, quando representou o Brasil no Congresso de Medicina de Portugal e fez amizade com o professor Júlio Xavier de Matos, fundador do ensino oficial de psiquiatria em Portugal. Em 1906 trocou cartas com o renomadíssimo Emil Kraepelin sobre a possibilidade de ele vir ao Brasil realizar estudos comparativos sobre índios, negros, mestiços e brancos:

> O ministro do Interior já está a par de vossos planos de viagem e a
> fim de possibilitar a sua realização resolveu convidar-vos numa carta

assinada por ele mesmo [...] No Rio de Janeiro temos um hospício de onde vos escrevo que habitualmente possui mil doentes [...] A 12 horas do Rio, na cidade de São Paulo, temos um excelente "Manicomium" onde vossa senhoria poderá ter também 900 doentes para observação.

E respondendo sobre o desejo do alemão de vir estudar a loucura entre os povos originários: "É praticamente impossível achar cem índios puros, mesmo se tratasse de saudáveis, ainda que se percorresse o Norte do Brasil, onde se encontra um enorme número deles. Eles vivem de fato no meio das florestas, onde praticamente nenhum homem civilizado penetra". Despedia-se com "saudações acadêmicas", prometendo-lhe que ficaria a salvo da febre amarela em bons hotéis nas "montanhas altas" da cidade. Por razões outras, Kraepelin nunca veio.

Em 1907, na cidade de Milão, no Congresso de Assistência a Alienados, Moreira foi eleito presidente honorário e indicado pela maioria dos congressistas para ser o orador na sessão de encerramento. Neste mesmo ano, também passou a fazer parte do Instituto Internacional para o Estudo da Etiologia e Profilaxia das Doenças Mentais. Representou, em 1909, o Brasil, no Comitê Internacional contra a Epilepsia em Viena. Logo depois, na Inglaterra, participou da assembleia geral da Associação de Psicologia Médica Real de Londres, onde foi eleito um dos 15 membros correspondentes no mundo.

A revista *Psychiatrische-Neurologische Wochenschrift*, de 3 de outubro de 1910, publicou a galeria dos proeminentes psiquiatras em todo o mundo. Somente Juliano Moreira representou as Américas. Sua presença na constelação de intelectuais internacionais era impressionante. Desde 1913, passou a representar o Brasil no Comitê Internacional da Liga Internacional contra a Epilepsia. Naquele período, foi realizado o Congresso Jubilar da Sociedade de Medicina Mental da Bélgica, em que foi aclamado, juntamente com os neurologistas e psiquiatras franceses Dupré e Lepine e o inglês Sir Frederick Walker Mott, especialista em neuropatologia, membro honorário daquela sociedade.

Mas ao lado destas viagens de estudos já era obrigado a procurar com frequência especialistas e clínicas para consultas sobre sua doença, relata El-Bainy. Com o corpo maltratado pela tosse persistente, o cansaço, dor no peito, a falta de apetite e o emagrecimento, obteve uma nova licença e viajou para o Oriente Médio, em 1911. Em busca de melhor tratamento, se internou num sanatório na cidade do Cairo. Além do clima excelente, no Egito nasceu o primeiro estudo sobre circulação pulmonar, e a tradição de saberes sobre medicina era conceituadíssima. No início do século XX, o número elevado de hospitais e médicos confluía para representar o país, que, em plena reforma de suas cidades, estava na ponta da medicina científica. O Cairo era também uma capital cosmopolita, terreno de experimentação de engenheiros e arquitetos vindos de toda a Europa. Era uma porta de entrada de inovações técnicas inspiradas no barão Haussmann, que mudou o rosto de Paris, e de ideias políticas que ensejaram a *Nahda*, ou Renascimento Árabe, que ganharia o Oriente Médio ao final do século XIX e início do XX. Foi lá que Moreira conheceu a enfermeira alemã, nascida em Hamburgo, Augusta Peick, sua futura esposa. Sua fluência na língua, seu conhecimento da cultura germânica, seus contatos com grandes médicos só podem tê-la impressionado. Gilberto Freyre lembra que, à época, não foram raros os brasileiros que esposaram europeias ou anglo-americanas.

Especialmente após o fim da Primeira Guerra Mundial, o movimento pelo saneamento rural no Brasil ganhou força. O Instituto Oswaldo Cruz adquiria renome internacional, e as pesquisas de Carlos Chagas e Adolfo Lutz recebiam aplausos. À frente de repartições públicas ou laboratórios, médicos concorriam para que a República, em seus primeiros decênios, mostrasse ser possível desenvolver um país agrário e industrial com ciência própria. A entrada maciça de imigrantes brancos também ajudou a mudar a toada. Doravante, em vez de acusar a mestiçagem pelos males do país, passou-se a apostar no branqueamento da população. Instalou-se uma política agressiva de "tornar o país mais claro", como explicou Lilia Schwarcz. Apostava-se numa miscigenação positiva, contanto que o resultado fosse cada vez mais branco. Embranquecer remetia a uma qualidade social, além de uma cor de pele. Significava também saber ler, ser mais educado, ter uma posição mais elevada. Mas, como já vimos anteriormente, isso não era nenhuma novidade.

A busca do corpo sadio, longe de doenças, se viu representada também na introdução dos esportes na classe média urbana. As preocupações com a saúde e o corpo incentivaram modalidades esportivas, que se organizaram com sucesso: turfe, remo, ciclismo e atletismo. Nas praias, homens desfilavam elegantes de camisa listrada e calças até o tornozelo. Senhoras e donzelas exibiam-se cobertas com grossas baetas azuis do pescoço ao tornozelo. Quadras de tênis eram construídas em clubes fechados. A partir de 1924, torneios se tornaram regulares. Era elegante jogar tênis, e era preciso ser elegante para praticá-lo. O lema era "Mens sana in corpore sano". A histeria podia até ser evitada graças ao ciclismo feminino, acreditava-se.

Moreira também pensava assim, e sua atuação foi coerente com essa visão. Para ele, o principal papel da psiquiatria estava na profilaxia e na promoção da higiene mental. Em que pese o caráter francamente intervencionista deste projeto médico, não se pode negar o brilhantismo, a coragem e a originalidade desse fundador da psiquiatria brasileira, explicam Paulo Dalgalarrondo e Ana Maria Oda.

Depois do casamento, o nome de Juliano Moreira só brilhou ainda mais. Sabe-se quase nada sobre a presença dessa companheira, mas ela há de ter ajudado o marido em suas múltiplas atividades. Poliglota, viajada e atualizada com os avanços da enfermagem, sua presença talvez não seja visível, mas ela estava sempre junto, nas viagens, na apresentação das pesquisas, sob a chuva de aplausos que Moreira recebia em suas apresentações. No ano de 1918, Juliano foi escolhido membro organizador do Congresso Internacional de Medicina, em Budapeste, em que se tratou da questão das doenças mentais e nervosas produzidas pela arteriosclerose. A especialidade ia se ampliando na direção de estudos sobre o mal de Alzheimer, que seu colega Kraepelin aprofundava junto com o médico que deu nome à doença. Depois, participou da Conferência Internacional para o Estudo da Lepra, na Noruega, recebendo do sábio Hansen, que batizou o nome da doença no Brasil, a incumbência de tratar da questão das doenças mentais nos leprosos, sendo posteriormente seus estudos publicados no *Zeitschrift für Psychiatrie*, na Alemanha.

Outra realização pioneira de Juliano Moreira foi conseguir apoio do governo para implantar, em 1921, o primeiro manicômio judiciário do continente americano. Chegando a 1922, foi eleito membro correspondente da Liga de Higiene Mental de Paris e do Comitê Internacional de Redação da Folha Neurológica, um importante órgão de Amsterdã para estudos de biologia do sistema nervoso. Presidiu os Congressos Brasileiros de Psiquiatria, Neurologia e Medicina Legal, de 1906 a 1922, e foi presidente de honra da Academia Brasileira de Ciências e da Academia Nacional de Medicina.

Em 1925, em visita ao Brasil, Albert Einstein quebrou o protocolo e aceitou o convite de Moreira para uma visita ao hospital. Moreira o recebeu com um discurso na Academia Brasileira de Ciências, e deixou o grande cientista encantado com as oficinas terapêuticas para os alienados. Ele ainda fundou uma biblioteca que incluía obras de José de Alencar, Castro Alves, Martins Pena, Machado de Assis, Olavo Bilac, entre outros. Algumas obras mereceram comentário de Lima Barreto, em uma de suas internações:

> Sentei-me na biblioteca e estava completamente desfalcada! Não havia mais o Vappereau. Dicionário das Literaturas; dois romances de

Dostoiévski, creio que *Les Possédés*, *Humiliés et des Offensés*; um livro de Melo Morais, *Festas e Tradições Populares do Brasil*. O estudo de Colbert estava desfalcado do 1º volume; a História de Portugal, de Rebelo da Silva, também, e assim por diante. Havia, porém, em duplicado, a famosa Biblioteca Internacional de Obras Célebres.

Devido a sua conduta ética, moral, seu incansável trabalho e suas associações com as diversas áreas do conhecimento, nosso Freud negro foi eleito membro de diversas organizações, tais como a Sociedade Médico-Legal, de Nova York; a Sociedade de Neurologia de Buenos Aires; a Sociedade de Psiquiatria de Buenos Aires; a Sociedade Antropológica, de Munique; a Sociedade de Medicina, de Paris; a Sociedade de Patologia Exótica; a Sociedade Clínica da França; a Sociedade Clínica de Medicina Mental; a Liga de Defesa Nacional; a Liga de Higiene Mental; a Academia Americana de Ciências Políticas e Sociais; a Sociedade Médico-Psicológica de Paris; o Instituto Histórico e Geográfico Brasileiro; a Academia de Letras da Bahia e o Instituto Brasileiro de Ciências, listou Ana Teresa Venâncio.

Em julho de 1928, começou uma longa viagem visitando cidades do Oriente como Tóquio, Quioto, Sendai, Hocaido e Osaka. Em solenidade no anfiteatro do *Diário Nishi-Nishi*, recebeu a insígnia da "Ordem do Tesouro Sagrado", entregue pelas mãos do próprio imperador do Japão e destinada aos "consagrados da ciência mundial". Já era mundialmente notória a sua luta contra o racismo, nesse momento direcionado aos imigrantes sino-japoneses que desembarcavam no Brasil. Chamados de "ameaça amarela", "suco envelhecido e envenenado", "constituições exaustas, degeneradas", "raça que faz degenerar", eram alvo de denúncias e perseguições. Até mesmo na Sociedade Nacional de Agricultura, em 1925, a questão da imigração oriental não era consensual. Sem sombra de dúvida, foi essa uma homenagem inédita e espetacular a um cientista brasileiro, combatente incansável contra qualquer forma de racismo.

Depois, Moreira seguiu para a Europa, onde se tornou membro honorário da Sociedade de Neurologia e Psiquiatria de Berlim e da Cruz Vermelha Alemã. Em Hamburgo, foi eleito membro da Sociedade de Neurologia e Psiquiatria, onde lhe foi conferida a Medalha de Ouro, a mais alta honraria prestada a professor estrangeiro. Uma de suas últimas falas públicas foi trazida aos brasileiros por sua esposa. Trata-se de um extrato da tese defendida pelo médico em 1929, na Faculdade de Medicina da mesma cidade, na qual reafirmava seu posicionamento contrário à ideia de degenerescência pela mistura entre as raças:

no Brasil não existem diferenças profundas entre os indivíduos de origens diversas. As diferenças por mim encontradas dependem mais do grau de instrução e de educação de cada um dos examinados do que do grupo étnico a qual ele pertence. Assim é que indivíduos pertencentes a grupos étnicos considerados inferiores, quando nascidos e criados em grande cidade, apresentavam melhor perfil psicológico, do que indivíduos mesmo provindos de raças nórdicas, criados no interior do país em um meio atrasado. É em todo caso certo que um indivíduo retirado cedo de um meio social inferior e levado a um ambiente melhor desenvolve-se de modo surpreendente se não houve em seu cérebro falha anatômica congênita.

Ainda em 1929, muito debilitado devido à tuberculose crônica, presidiu, no Rio de Janeiro, a Conferência Internacional de Psiquiatria. Porém, Moreira cedia. Recolheu-se à sua vida interior sem motivação para estudar e ler. Enfim, o tuberculoso crônico poupava-se ao máximo para sobreviver, sob a vigilância germânica de dona Augusta, sua inseparável companheira. Viajaram para Belo Horizonte em busca de melhoramentos para o seu estado de saúde.

A doença machucava o médico. Sons anormais no peito, rouquidão da voz, empelotamento da língua. A emergência da ideia de contágio trazia uma série de consequências morais e práticas para o enfermo. Como bem explica a historiadora Ângela Porto, ele se sentia culpado na medida em que expunha parentes e amigos ao perigo da contaminação. O contágio o transformava num ser pestilento, portanto, indesejável para o convívio doméstico. Seu isolamento começava dentro da própria casa: quarto separado, objetos pessoais tratados à parte. Ainda que pudesse contar com o carinho da esposa e dos alunos mais próximos, o regime de separação devia ser rigorosamente mantido. Na verdade, diz Porto, existia mais a preocupação de esconder a doença que deporia contra "o capital genético da família".

O sanatório era a forma de isolamento e fuga. Ali se vivia num ambiente monacal e carcerário, em contato permanente com as realidades da doença e a alucinação da morte. Por outro lado, a propaganda em torno das benesses da instituição garantia que a saúde só podia sair dali, onde as técnicas mais atualizadas eram usadas: aplicação de ouro intravenoso, drenagem do pneumotórax, teste diagnóstico por tuberculina e outros.

Em 1927, ocorreu a mudança da designação de alienista para psiquiatra por intermédio de uma lei sancionada por Washington Luís. Em 1929, durante a

Terceira Semana Alcoólica, promovida pela Liga Brasileira de Higiene Mental, embora adoentado, mas solerte, Moreira encontrou forças para defender a necessidade de clínicas especializadas para alcoólatras, por considerar o hospital psiquiátrico inadequado para dependentes químicos, os quais precisariam de um programa específico para a desintoxicação. E enfatizava: "De tudo isto resulta que os bebedouros habituais (alcoólatras) não recebem entre nós o conveniente tratamento que deveria ser prolongado e eficaz".

Negros bebiam mais? Resposta firme: não. O alcoolismo foi resultado da escravidão e da forma como africanos foram integrados à sociedade. O principal agente responsável pela exposição daquela população a hábitos "degenerantes" seria a própria colonização portuguesa, quando

> [...] foi buscar à África, às zonas de população mais embrutecida, milhões de negros com cujo auxílio explorou este país. [...] O álcool representou nesse bárbaro processo de colonização o maior papel imaginável. Com ele procuravam aumentar a pacatez das vítimas, mas simultaneamente foram-se-lhes infiltrando nos neurônios os elementos degenerativos reforçados através do tempo.

E fustigava: os que atribuíam à raça e à mestiçagem tais problemas "são todos aqueles que se não querem se dar ao trabalho de aprofundar suas origens".

Após uma posse festiva a 3 de novembro de 1930 o novo presidente – Getúlio Vargas – dissolveu o Congresso Nacional, as câmaras e as assembleias estaduais. Nomeou interventores nos estados e manteve seus compromissos com as oligarquias que o apoiaram. Juliano Moreira viu-se colocado em disponibilidade em virtude de uma nova política nacional resultado do golpe de estado, graças ao qual todos os cargos de chefia foram substituídos. O alienista preferiu se aposentar.

Enquanto isso, a doença avançava sem piedade. Miguel Couto, seu médico, decidiu encaminhá-lo para a Serra de Petrópolis. Hospedou-se na residência de Hermelino Lopes Rodrigues, um dos seus mais fiéis discípulos. Estava no fim: sofria de inchaço nos pés e nos joelhos, profusão de suor, unhas curvas e diarreia intensa. Eram os sinais. No dia 2 de maio de 1933, precisamente às 5 horas e 40 minutos, faleceu num sanatório em Correias, no interior do Rio de Janeiro.

Foi assistido até o fim por dona Augusta e seus colegas e discípulos Lopes Rodrigues e Gustavo Riedel. Após ser embalsamado, foi trazido para a capital, velado na capela do Hospital da Praia Vermelha. No dia 4, às 10 horas, seu caixão atravessou as ruas de Botafogo em direção ao cemitério São João Batista em grande cortejo.

A trajetória deste filho de uma doméstica e um acendedor de lampiões é de tirar o fôlego. Intelectual versátil, criativo e múltiplo, foi médico tropicalista, dermatologista e especialista em sífilis, neurologista e psiquiatra estudioso da epilepsia e da assistência aos alienados. Imenso sanitarista, atuou não só como higienista ao combater a epidemia da malária, mas também como estudioso e formulador em planejamento e administração de saúde, como visto na reforma do Asilo São João de Deus e do asilo-colônia em Juqueri, São Paulo, e na defesa da criação de laboratórios nos hospitais do país. Recebido no mundo inteiro como celebrado cientista, levava no porte uma elegância natural que só a doença roubou. Em todas as atividades, não calou sua cólera contra o preconceito. E, se condenava a desigualdade e o preconceito, inúmeras vezes tentou explicar suas raízes. Impossível não admirar e conhecer um homem que nos convida a pensar o mundo estranho e familiar de que somos herdeiros e que, em larga medida, nos fez quem somos. Com humanidade e virtuosismo, lutando contra o preconceito e o racismo, Juliano Moreira nos faz ouvir sua voz. E nos fala tão de perto que acreditamos ser nossa a sua voz.

10

Na presidência da República

O "mulato do Morro do Coco"

Seu mandato foi curto, de 1909 a 1910. Porém, ele teve carreira longa e chegou lá. Falo de Nilo Peçanha, nosso primeiro presidente negro. Como tantos afro-brasileiros que esperam para ser mais conhecidos, ele saiu da classe média e conquistou prestígio a partir de brechas que a sociedade oferecia. Se a cor da pele identificava a origem ou lembrava a escravidão de um longínquo ancestral, outras características serviram como elevador social: estudos, formação intelectual, comunidade de interesses, como irmandades, partidos políticos e maçonaria. E, sem nenhuma dúvida, os próprios talentos. Como Eduardo Ribeiro e Juliano Moreira, Peçanha teve que enfrentar preconceitos. E os enfrentou para chegar ao mais alto posto da República do Brasil.

Mas, chegando lá, o que encontrou? Que país era esse? Sua carreira política teve início num período difícil, desarranjado. Nos primeiros anos da República, enquanto Juliano Moreira assumia o Hospital Nacional de Alienados, o Brasil sofria uma desorganização econômica resultante da desordem da lavoura e da introdução do trabalho livre. Iniciou-se um período de jogatina desenfreada na Bolsa, com projetos de riqueza imediata nos quais se fizeram e se desfizeram fortunas inteiras. Era o "encilhamento", um conjunto de palpites frenéticos que quebrou muitos bancos. Em várias capitais, projetos de reurbanização em busca de melhor qualidade de vida para uns expulsavam outros dos centros superpovoados. Pobres escorregavam para a periferia e favelas. Havia um sentimento generalizado de que políticas públicas voltadas para o "saneamento" do país poderiam colocá-lo na rota do sucesso. Ou do progresso. Bastava europeizar-se. E implementar métodos científicos nas escolas, prisões, hospitais e cidades, como fez Eduardo Ribeiro em Manaus ou faria Juliano Moreira no Hospital de Alienados.

Os primeiros sinais de crescimento industrial podiam ser vistos nas chaminés das manufaturas têxteis, nas usinas de açúcar ou de tabaco, nas fabriquetas de sapatos e chapéus. Crescia a demanda por trabalhadores qualificados, assunto que estaria na pauta dos políticos, enquanto migrantes nacionais e estrangeiros se acotovelavam atrás das máquinas. Mas nosso anacronismo já se via ali: as concepções equivocadas das elites presas ao regime escravista dificultaram o surgimento de um ambiente econômico e educacional de valorização do trabalho e da inovação. Os conhecimentos técnicos eram adotados com atraso. Um pacto das mesmas elites em torno da cafeicultura e dos créditos internacionais garantiu, porém, a estabilidade econômica frente à grave crise internacional que ameaçava o financiamento dos estoques de café.

Ninguém melhor do que Lima Barreto, ex-paciente do Hospital de Alienados, para comentar o ambiente que se via no país. Num romance satírico, *Os bruzundangas*, compara-o a um país fictício cheio de problemas sociais e governado por pseudointelectuais, banhado no provincianismo e na mediocridade:

> A Bruzundanga, como o Brasil, é um país essencialmente agrícola; e, como o Brasil, pode-se dizer que não tem agricultura. O regime de propriedade agrícola lá, regime de latifúndios com toques feudais, faz que o trabalhador agrícola seja um pária, quase sempre errante de fazenda em fazenda, donde é expulso por dá cá aquela palha, sem garantias de espécie alguma – situação mais agravada ainda pela sua ignorância, pela natureza das culturas, pela politicagem roceira e pela incapacidade e cupidez dos proprietários. [...] Como os grandes agricultores e seus parentes são políticos, e deputados, e senadores, e ministros, logo que sentem o êxodo dos naturais, começam a berrar que há falta de braços.

Como explica o historiador João Tristan Vargas, durante a Primeira República o Estado brasileiro e suas principais instituições eram caracterizados por um tipo de privatização da esfera pública pela elite. E, portanto, qualquer tentativa de mudança na direção de direitos sociais mais amplos e na defesa de direitos civis da maioria da população implicaria uma desprivatização do Estado controlado por ela. Significaria também um combate a estas mesmas elites encasteladas no poder e detentoras de privilégios. O regime republicano federalista e presidencialista imposto a partir de 1889 durou até a Revolução de 1930. E, apesar do crescimento urbano, da expansão e da diversificação da indústria e do setor de serviços, ainda predominava uma sociedade de base agrária, de poucos recursos tecnológicos, além de uma realidade socioeconômica de pouquíssima mobilidade social na maior parte do país. E esse será o quadro para as lutas e o sucesso de Nilo Peçanha.

Longe da elite, Nilo Procópio Peçanha nasceu a 2 de outubro de 1867, em Campos de Goytacazes, Rio de Janeiro, filho de Joaquina Anália de Sá Freire e Sebastião de Souza Peçanha. Seu pai era um agricultor pobre, mestiço, proprietário de um sítio localizado no Morro do Coco, e, mais tarde, após vender a propriedade, comprou uma panificadora no centro da cidade, onde a família passou a morar. Virou "Seu Sebastião padeiro". Sua mãe era originária de uma antiga família de prestígio na política norte-fluminense, descendente de nobres portugueses instalados no Brasil desde meados do século XVIII. Passou a infância – foi Nilo quem contou – "comendo paçoca e pão dormido". Se Nilo não nasceu com colher de prata na boca, teve pais que, de acordo com Celso Peçanha, seu biógrafo, desde sempre investiram com especial atenção na educação do filho, "desejando para ele um futuro diferente: um anel, um diploma, o bacharelato. O sonho que o homem do campo, no Brasil, sempre alimenta para os filhos". E isso era possível?

Sim. Na edição de 1879 de *Brazil and the Brazilians*, o reverendo James C. Fletcher destacava o fato escandaloso para um norte-americano de ter encontrado entre os homens mais inteligentes que pode conhecer – homens formados em Paris e Coimbra – "descendentes de escravos". Segundo ele, no Brasil havia "mérito antes da cor" e, diferente da República americana, aqui, "se um homem tiver liberdade, dinheiro e mérito, não importa quão negra é sua pele, nenhum lugar na sociedade lhe é recusado [...] Nos colégios de Medicina, Direito e Teologia não há distinção de cor". E páginas adiante insistia que estavam abertas no Brasil oportunidades de ascensão a negros ou mulatos livres, algo que lhes era negado em sua terra natal: "quando a liberdade é obtida, é preciso dizer que nenhum obstáculo social, tal como há nos Estados Unidos, detém um homem de mérito". Pois estudar foi o caminho que Peçanha escolheu.

Instalado na cidade de Campos dos Goytacazes, Nilo concluiu o curso primário, finalizando o secundário em Niterói. Terminados os estudos, viajou para São Paulo. Não se sabe se tentou entrar nas famosas "arcadas" do Largo de São Francisco. Sabe-se, porém, que do Sudeste foi para o Nordeste,

Na presidência da República 235

e em Recife formou-se em Direito. Tanto a faculdade de São Paulo quanto a de Recife foram fundadas por d. Pedro I em 1827 e tinham por objetivo o desenvolvimento de uma autonomia nacional e da construção de uma identidade. Em busca de novas leis para o Império, pretendia-se formar uma elite intelectual independente das escolas jurídicas portuguesas e francesas. Gente capaz de analisar a realidade social de forma realista e não simplesmente ajustá-la às generalidades europeias.

Ao final do século, Recife era ainda uma capital muito influente: só perdia em importância político-econômica para o Rio de Janeiro. Na virada do século, a cidade pretendia tornar-se moderna tal como Paris. Começou reformando o porto e construindo largas avenidas, sem preocupação com a preservação dos edifícios históricos, muitos dos quais foram completamente demolidos. Como em todo o Brasil, a mudança na cara das cidades não afetou as graves diferenças sociais. Ao mesmo tempo, teve início um período de agitação cultural, e a *belle époque*, não tão bela, buscou novas linguagens para traduzir as velozes mudanças que chegavam com a tecnologia. Até então, os recifenses viviam sob forte influência cultural francesa.

As transformações afetavam também a estrutura social e econômica da província. A urbanização começava a produzir um grupo social separado do setor agrário. E, apesar de laços econômicos, políticos e familiares entre a cidade e o campo continuarem estreitos, a mudança estava no ar. Nas décadas de 1870 e 1880, muitos jovens estavam preparados para desafiar a cultura herdada de seus pais e o sistema político estabelecido. Se alguns tinham sido envolvidos e absorvidos pela estrutura do Império, outros passaram a criticá-lo fortemente. Muitos desses jovens fluíam das fazendas paternas. Outros vinham diretamente de meios urbanos. Por volta da década de 1880, tinham sido colhidos todos pelas marés convergentes do abolicionismo, do anticlericalismo e do movimento republicano, comenta o historiador Thomas Skidmore.

E os jovens foram se encontrar no meio estudantil. Impossível Peçanha não ter mergulhado de cabeça nas ideias da época. Todo o corpo da Faculdade de Direito do Recife estava envolto na crença de que a instituição era a detentora da vanguarda científica do país. Nos discursos de encerramento do curso, havia quem afirmasse: "O Brasil depende exclusivamente de nós e está em nossas mãos". A instituição era marcada pelo apoio ao darwinismo naturalista e social, mas é pouco provável que, com a presença massiva de alunos mestiços, pardos e mulatos, como demonstrou Gilberto Freyre, aderisse à crítica de uma sociedade miscigenada ou à visão preconceituosa contra afro-brasileiros. Pretendia-se uma nova visão laica do mundo, onde tudo cederia lugar às leis da ciência. A concepção positivista de Estado entendia que este teria um papel de direção e organização da sociedade, visando acelerar a sua transição para a "idade científica ou positiva". E, quando houvesse "necessidade social", o Estado republicano deveria sanar os males que tornavam o meio social brasileiro disfuncional e atrasado.

De cunho vanguardista, a *Revista Acadêmica* da faculdade clamava por uma nova Constituição, além de incitar a produção científica a criar laços entre instituições nacionais e internacionais. Era preciso abrir o Brasil. Desempoeirá-lo. Nas ruas, os jovens colhiam fundos para a emancipação de escravos, agitavam-se os membros do Club Abolicionista, fundado por estudantes de Direito, e ouvia-se o eco das vozes de homens como Joaquim Nabuco, Antônio de Castro Alves e o futuro estadista Rui Barbosa de Oliveira. Tudo confirmava a velhíssima tradição republicana de Pernambuco.

A mobilização popular e intelectual era enorme. Estudante ainda, Peçanha redigia panfletos e artigos para jornais. No Teatro Santa Isabel, na Praça de S. José de Ribamar, no Montepio Pernambucano, na Passagem da Magdalena, no Largo do Corpo Santo e no Campo das Princesas, discursos não falavam em outro assunto. Antes mesmo da assinatura da abolição em 13 de maio, em carta de 19 de novembro de 1887, Peçanha dizia ao pai fazer parte de um grupo de estudantes que estava "dando trabalho aos conservadores". Suas batalhas se inseriam no contexto "dos anseios revolucionários, da poesia social, engajada na luta pela abolição da escravatura e, mais tarde, pela proclamação da república". Desejava-se ardentemente o fim do período imperial ferido de morte pela luta abolicionista.

Havia nele idealismo e hedonismo. Em Recife, o jovem estudante aprendeu a se vestir bem: coletes, polainas, luvas, calças de listras, uma felpa de pera no queixo e alguns calotes nos alfaiates locais – reza a lenda. As becas bordadas aristocratizavam. Nada de usar fatos sovados ou jaquetão ruço. Gilberto Freyre manuseou os arquivos particulares das casas-grandes, encontrando cartas de alfaiates cobrando sobrecasacas feitas sob medidas para filhos de senhores de engenho. O nome de Peçanha não foi, portanto, exceção, e, sim, regra, quando os jornais publicavam a lista dos bacharéis devedores de dinheiro aos pacientes alfaiates.

Impregnado de novas ideias políticas, Peçanha voltou a Campos. Também na sua província, as circunstâncias iriam ajudá-lo a alavancar sua carreira profissional

Na presidência da República   237

e política. Embora pretendesse a integração do território e a construção de uma identidade nacional, o projeto modernizador tão discutido nos meios intelectuais da faculdade não resolvia as contradições e nem apagava os contrastes entre as cidades do litoral, prontas para receber o capitalismo, e aquelas situadas no interior do país, ainda ligadas à tradição agrícola. Campos situava-se entre estas duas realidades: a adequação a esta nova ordem – representada pela cidade – e a manutenção dos antigos modos de vida – representados pelo campo.

Com atraso e tropeços, a tradicional indústria açucareira do norte fluminense tentava se modernizar, pressionada pelas exigências do capitalismo. Ao mesmo tempo, a cidade ganhava equipamentos modernos e novos serviços graças à participação do capital inglês. Aos poucos, criaram-se bancos, companhias de seguro, companhias de navegação. Vitrines ofereciam todo o tipo de produto. Pântanos foram saneados, praças, niveladas, abriram-se novas ruas e surgiram as primeiras pavimentações em pedra de granito. A introdução de novas tecnologias e de produtos industrializados não só transformou o espaço urbano, mas também a vida das pessoas.

O advento das usinas provocou a perda definitiva do prestígio dos "senhores de engenho", já ameaçados pelo intenso movimento abolicionista. A competição ficava cada vez mais forte entre a produção industrial de açúcar em grande escala e a pequena, pois as usinas logo dominariam o cenário até a asfixia completa dos engenhos, cujo fim chegaria um pouco mais tarde. As oportunidades traziam habitantes da zona rural para a cidade. Ao final do século XIX, a sociedade estava em verdadeira transição. A antiga aristocracia foi substituída pouco a pouco por uma elite urbana emergente. Novos grupos, constituídos por comerciantes, investidores, industriais, profissionais liberais, intelectuais e altos funcionários públicos, se distinguiam na paisagem da cidade. Era a burguesia sucedendo aos tempos da escravidão, explica a historiadora Teresa Peixoto Faria.

E nesse cenário Peçanha faria toda a diferença, pois os advogados adquiriam cada vez mais reconhecimento no meio social e político. Eles ocupavam postos na administração pública local e nos organismos estaduais ou federais representados na cidade. Eles desenvolveram um papel considerável, pois a chegada de mudanças foi acompanhada de códigos de comportamento e de leis que regulavam o uso da terra, a criação de negócios e as construções na cidade. Não faltava trabalho para os "doutores".

Peçanha passou a atuar como advogado e jornalista. Sua posição contra a escravidão se radicalizou quando ele, secretário do Congresso Agrícola de

Campos, e Francisco Portela, médico que defendia a abolição imediata da escravidão, redigiram na ata do encontro a oficialização da libertação de escravos e ingênuos, a 18 de março de 1888. Um mês depois, os dois fundariam o Clube Republicano Campista, com Peçanha elegendo-se para a presidência com a benção de grandes nomes como Benjamin Constant, Saldanha Marinho e Quintino Bocaiúva.

Com a proclamação da República, em 15 de novembro de 1889, e a convocação de eleições para a Assembleia Nacional Constituinte, em 15 de novembro de 1890, a carreira política acenava para Peçanha. Sua popularidade na região de Campos já era visível. Ele se candidatou então a deputado pelo estado do Rio de Janeiro na chapa do Partido Republicano e foi eleito. Confundia sua história com a do nascimento da democracia. O Congresso se compunha principalmente de pessoal novo na política brasileira: republicanos históricos ou de última hora, muitos militares e alguns remanescentes dos partidos da monarquia, quase sempre discretos ou adesistas entusiastas. Depois de eleger o presidente do Senado e do Congresso, Prudente de Morais, o primeiro ato do Congresso foi reconhecer os poderes do Governo Provisório e prorrogá-los até que se promulgasse a nova Constituição.

Houve um acordo geral para que fosse imediatamente votado e aprovado o projeto do Governo. Depois de pouco mais de três meses, em 24 de fevereiro de 1891, foi solenemente promulgada a Constituição republicana. Ao fim dos trabalhos, Peçanha tinha se aproximado dos jacobinos cariocas e já era conhecido na imprensa por ser "brilhante figura". Seu mandato ia até dezembro de 1893. Quando o presidente Deodoro da Fonseca fechou o Congresso, em 3 de novembro de 1891, Peçanha se engajou na luta por seu afastamento – o que de fato ocorreu 20 dias depois, quando Deodoro renunciou – e apoiou fortemente o governo de Floriano Peixoto, vice-presidente que então assumiu o poder.

Diante da agitação política que marcou o governo de Floriano Peixoto, Nilo Peçanha se articulou com as principais lideranças republicanas para dar-lhes sustentação na repressão à Revolta da Armada, que eclodiu em setembro de 1893 na Baía de Guanabara e obrigou a mudança da capital do estado do Rio de Janeiro de Niterói para Petrópolis. A divergência política entre Marinha e Exército e a convocação de eleição para governadores que não fossem só militares acenderam a revolta sufocada por seis meses. Os militares gozavam de irrestrito apoio da população desde a Guerra do Paraguai e tinham, aos olhos dos civis, prestígio indiscutível. Políticos jovens como Peçanha viam no bom trânsito com o Exército oportunidades imperdíveis.

E elas chegaram. Sempre na legenda do Partido Republicano Fluminense (PRF) – que apareceu pela primeira vez com essa denominação em 18 de abril de 1892 –, Peçanha foi reeleito deputado federal nas legislaturas 1894-1896 e, depois, em 1897-1899.

A partir de 1899, Nilo Peçanha, Alberto Torres e as demais lideranças do recém-fundado Partido Republicano do Rio de Janeiro buscaram implementar propostas para minimizar a grave crise econômica que assolava o estado desde o fim do Império. A causa? As dificuldades da lavoura cafeeira. O encarecimento dos custos da produção, somado à queda do preço do café, fez o Rio de Janeiro perder espaço para São Paulo. São Paulo já tinha tudo: empresas industriais, população capaz de consumir dentro do próprio estado, portos estaduais para escoamento da produção de café e a lavoura básica para o país. Entre as novas propostas apresentadas para vencer a crise estavam o parcelamento da grande propriedade, o melhor aproveitamento da mão de obra nacional, a supressão de órgãos da administração, a contenção dos gastos públicos, o corte de pessoal, a ampliação da receita e a criação do imposto territorial rural.

Em 1898, elegeu-se Manuel Campos Sales, o quarto presidente da República, cuja cor de pele morena alimentou, aliás, muita discussão de seus desafetos. Advogado com larga experiência na vida pública, implementou uma política de relações de apoio mútuo e favorecimento político entre o governo central, os estados, representados pelos respectivos governadores, e os municípios, representados pelos coronéis. A autonomia e a independência dos governos municipais e estaduais seriam preservadas desde que os governos municipais apoiassem a política dos governos estaduais, e que, por sua vez, os governos estaduais apoiassem a política do governo federal. Instalava-se o sistema do toma lá dá cá em cascata. Conhecedor da terra, já velha raposa da política local e extremamente bem-sucedido em suas articulações, Peçanha se tornou defensor na Câmara da "política dos governadores" proposta pelo presidente.

A despeito do seu empenho em superar as dificuldades econômicas, as tentativas de salvar o Rio de Janeiro foram magras. Porém, a crise política foi equacionada graças à interferência de Peçanha. Para contornar os conflitos na sucessão do estado, o habilidoso jovem sugeriu a Campos Sales o nome do republicano histórico Quintino Bocaiúva. Além de seu protetor desde a fundação do Clube Republicano Campista, Quintino era figura de grande expressão, capaz de construir, na sucessão de Alberto Torres, um consenso para presidente do estado do Rio de Janeiro – nome que se dava ao atual governador. Aceita a proposição, Quintino logo angariou apoio nas hostes fluminenses e foi eleito. Empossado em 31 de dezembro de 1900, tinha uma dupla tarefa: solucionar a crise econômica e pacificar o estado. Mais uma vez Peçanha desempenhou um papel-chave, ocupando-se de resolver os problemas mais prementes e de preparar o terreno para sua própria candidatura como sucessor de Quintino. Tratava-se de enfraquecer as possíveis oposições provocadas pela volta da capital para Niterói e de realizar uma reforma constitucional que fortalecesse o Executivo estadual, explica a historiadora Marieta de Moraes Ferreira.

Em 31 de dezembro de 1903, já senador, foi empossado presidente do estado do Rio de Janeiro. A partir de então, dedicou-se à montagem de uma máquina política que lhe garantiria um longo período no poder. Conquistou grande autonomia na tomada de decisões, pois havia neutralizado completamente as oposições. Seu governo recebeu indistintamente adesões por meio de cooptação ou, se necessário, de coerção. E Peçanha teve a habilidade de não privilegiar nenhum setor da economia. Correspondia, assim, ao projeto de Campos Sales: a prosperidade estadual deveria se refletir na nacional, dando segurança a todos os brasileiros.

Entretempos, outra paixão invadiu sua vida: Ana de Castro Belisário Soares, também conhecida como Anita. Descrita como "de pequena estatura, mas elegantíssima e de cativante beleza", era, conforme contou o jornalista Brígido Tinoco, dona de

> fronte altiva e andar firme que revelavam rara personalidade. Talvez um pouquinho de orgulho... Dera-lhe o pai instrução requintada. Aprendera piano com o famoso professor italiano Carlos Reinolds; sua governanta, Augusta Jaeger, ilustre mestre de Hamburgo, ensinara-lhe alemão e francês e exercitara na equitação. Era campista do coração de Campos, pois nascera no solar do avô materno, o visconde de Santa Rita e à Rua Sete de Setembro.

À época, era preciso ter personalidade e coragem para casar-se com Peçanha. Pois Ana não hesitou. Saiu da casa paterna e foi morar com uma tia para se unir ao "pobre e mulato do Morro do Coco". Escândalo na provinciana sociedade. A cerimônia foi realizada na igreja de São João Batista da Lagoa e o oficiante, o vigário da paróquia de São Salvador de Campos, padre Pelinca.

Passaram a lua de mel no Hotel White, emoldurado por palmeiras imperiais, ao som do gorgolejo da Cascatinha, no Alto da Boa Vista. Foram muitas as represálias sofridas pelo casal. A baronesa de Monte de Cedro, Francisca Ribeiro de Castro, cortou relações com a prima e melhor amiga, sendo seguida pela viscondessa de Quissamã e pela condessa de Araruama. Mal sabiam que a produção de açúcar de beterraba, que prosperou na Europa e passou a concorrer com a dos países tropicais, esmagaria a economia do Norte fluminense, tirando-lhes toda a pompa e esvaziando os seus luxuosos solares, cofres e armários.

Não era só o fato de Peçanha ser "moreno escuro" que incomodava a decadente elite norte-fluminense. Mas o fato de ser um "homem do povo, partidário das mudanças, afeito à contestação, inconformado com o *establishment* – que contemporizava com a pobreza e com a ideia de um estado exclusivamente a serviço da elite econômica e social", explica seu biógrafo, Celso Peçanha. E Peçanha tinha razão em ter novas bandeiras políticas, pois no regime republicano que durou até a Revolução de 1930, ainda predominava a sociedade de base agrária, de poucos recursos tecnológicos, além de uma realidade onde a mobilidade social que ele representou foi pouca, na maior parte do país. Ainda assim, sobressaíam-se homens negros não apenas nas chefias políticas e administrativas, como também bacharéis em Direito, médicos, engenheiros, sacerdotes, miliares etc., e crescia a valorização de afro-brasileiros como indivíduos cultos e peritos em técnicas necessárias para a economia nacional.

Peçanha iria sofrer, portanto, intensa oposição das antigas elites rurais que viam com repulsa a ascensão de uma nova classe média e dos seus porta-vozes. Pior. A expansão agrícola em outros estados e a baixa de preços fizeram a produção açucareira no norte fluminense regredir. Escravos? Não havia mais. Enquanto o jovem político ascendia, os parentes de Ana decaíam. Aos 36 anos, muito bem-casado, Peçanha exercia cargo importante, frequentava a sociedade elegante, casado com uma fidalga branca. E, como presidente, inaugurou o Palácio do Ingá, antigo palacete do visconde de Sande, em Niterói. Uma ironia: o "mulato do Morro do Coco" morando na casa do visconde emigrado para Portugal. Peçanha era famoso. As fotos mostram o mulato garboso, excepcionalmente bem-vestido e seguro de si ao encarar o fotógrafo. Como Francisco Glicério ou Rui Barbosa, acusado também de ser neto de escrava, o sucesso embranquecia a todos.

Peçanha encontrou o estado falido e cheio de dívidas. Com o apoio de um forte grupo político em que figurava gente do quilate de Quintino Bocaiúva, e apesar de propostas reformadoras e de um projeto político-econômico não estritamente liberal, teve que encarar o mandonismo local e o coronelismo arraigado. Frente às resistências, ele contemporizava. Sabia negociar. Ouvia. Sua eficiente e bem-sucedida atuação à frente do governo estadual permitiu que buscasse novas articulações políticas. Pouco a pouco, ganhou espaço na esfera federal, transformando-se em liderança conhecida. Por isso mesmo, em 1904, tentou promover um congresso que iria reunir governantes de 17 estados brasileiros para discutir questões econômicas e administrativas. Ainda que a iniciativa não se tenha concretizado, ficou demonstrada a estratégia de Peçanha para conquistar posições na cena nacional. Em diversos momentos firmou acordos, articulou e até mesmo se submeteu às oligarquias mineiras e paulistas, mas isso não impediu que sua posição e a de seu grupo divergissem das orientações traçadas por Minas Gerais e São Paulo. Ao mesmo tempo, ele trabalhava as tentativas de aproximação com os estados da Bahia e de Pernambuco e, em certos episódios, até mesmo com o Rio Grande do Sul, buscando apoio para um projeto político que abraçasse o Brasil.

Ao assumir a chefia do Estado fluminense, Nilo Peçanha vinha de uma trajetória de lutas políticas que o identificavam com anseios de uma classe média urbana e forças progressistas. Foi oposição ao paulista Prudente de Morais, terceiro presidente da República, antagonista dos militares, mas, sobretudo, representante da cafeicultura paulista. Peçanha criticava também as enferrujadas soluções propostas por estes grupos aos problemas do país: o aumento de impostos sobre a produção e o constante apelo aos banqueiros internacionais por crescentes empréstimos, o que punha em risco as contas nacionais e o futuro do país.

Em discurso proferido durante a reunião de articulação política em torno de uma aliança com o senador gaúcho Pinheiro Machado, conhecido como "o condestável da República", mas, sobretudo, inimigo de mineiros e paulistas, o então já governador pediu-lhe que apoiasse um programa que, entre outras coisas, promovesse uma reforma eleitoral e a defesa de uma política protecionista condizente com um país que "ainda não teve meios de explorar as suas notáveis condições de riqueza". Num longo discurso preocupava-se com o destino de produtores e trabalhadores nacionais, que deviam ser protegidos para garantir a independência econômica do Brasil, além do fortalecimento da própria República:

> [...] seria preciso que deste banquete surgisse também a preocupação com a defesa da nossa produção agrícola e industrial à sombra de um

Na presidência da República 243

regime inteligente de proteção. Leiam a nossa legislação aduaneira e dir-se-á que o livre-câmbio é um princípio de direito internacional, como se nós não fôssemos o que desgraçadamente somos – colônia do mundo! Não é só o protecionismo a política de um país novo que não explorou, como o nosso, as suas condições de riqueza, é ainda ele a política dos mais velhos, como o palpitante exemplo da Alemanha, ainda em 1879 levantando muralhas à produção similar estrangeira, da Áustria-Hungria em 1883 com a sobrecarga de impostos de importação, com a Itália em 1884 em um aspecto francamente proibitivo; com os Estados Unidos com uma política de todos os dias; com Portugal, o velho e querido Portugal, buscando no regime protecionista o alento para o seu tesouro e a restauração da fortuna privada.

A República que herdou do Império um grande território e que, sem violências, nem usurpações, ditou-lhe as fronteiras, precisa iniciar uma política comercial enérgica para que emancipemos o trabalho e a produção. [...] É preciso a política enteada com as aspirações do bem público, com as necessidades gerais, de modo a tornar o atual regime radicalmente amado pelo povo brasileiro.

Como diz Marcelo Augusto Monteiro de Carvalho, ainda que sendo um republicano histórico influenciado por ideias protecionistas, quando na presidência do Rio de Janeiro e, pouco depois na do país, Peçanha buscou praticar um modelo administrativo que mesclava estímulo e protagonismo do governo nas atividades produtivas, principalmente na agricultura, com uma racionalização e maior eficiência da máquina pública. Ele teria também a preocupação de tornar o regime republicano mais "simpático" à população. Portanto, um regime mais popular, promotor do bem comum e do progresso econômico de toda a sociedade brasileira.

Porém, ele tinha que enfrentar o choque permanente entre caudilhos e líderes de formações regionais diversas, de ideologias antagônicas, de interesses e aspirações econômicas contrárias. Para ficar num exemplo, pense em Pinheiro Machado, caudilho valente, conhecedor de cavalos, amador de chimarrões e churrascos sangrentos, em contraste com Rui Barbosa, criado a chá, entre lições de gramática e latim, sublinha Gilberto Freyre.

Peçanha buscava o consenso e apontava as diretrizes e decisões de política econômica essencialmente para a diversificação da agricultura, sem deixar de apoiar a cafeicultura. Daí ter implementado um conjunto de medidas destinadas a incentivar a produção agrícola. Tentavam encontrar uma saída para o preço do "ouro verde", cujo valor despencava no mercado internacional. Ainda que fizesse restrições à política de valorização do café, participou, juntamente com os presidentes do estado de São Paulo, Jorge Tibiriçá, e de Minas Gerais, Francisco Sales, do Convênio de Taubaté, firmado no dia 26 de fevereiro de 1906, na cidade paulista de Taubaté.

O convênio tranquilizou tensões e estabeleceu as bases de uma política conjunta de valorização da economia cafeeira. Mas se Peçanha agia em parceria com outros estados, cuidava sobretudo da própria casa. Começou sua gestão promovendo uma reforma urbana em Niterói. Alargou ruas e avenidas, reconstruiu a Câmara Municipal, organizou o Horto, instalou a sede do governo no Palácio do Ingá, inaugurou o Teatro João Caetano, Teatro Municipal de Niterói, criou um centro de serviços municipais, substituiu a iluminação a gás pela eletrificação, introduziu bondes elétricos e modernizou a travessia marítima. Buscou enfatizar políticas que incentivassem a implantação de indústrias, pois acreditava que a reforma do estado deveria se dar através de princípios cientificistas, refletidos nos projetos e ações de saneamento e eletrificação da Baixada Fluminense. Tal orientação estaria presente em todos os seus governos, até mesmo quando assumiu a presidência da República, conta-nos a historiadora Marieta de Moraes Ferreira.

Ainda quando jovem deputado federal, Peçanha já revelava seu grande interesse por um tema que iria acompanhá-lo a partir daquele momento: a educação profissional e a chance de criar oportunidades de trabalho para jovens pobres. Essa ideia estava no ar desde o final do Império. Uma das noções das teorias do filósofo inglês Herbert Spencer, dileto entre intelectuais brasileiros, segundo a qual o progresso econômico e social passaria pela industrialização, induziu o francês Clóvis Arrault, um pintor estabelecido em Campos, a criar, em 1885, o Liceu de Artes e Ofícios da cidade. A iniciativa marcou Peçanha. Nos moldes de sua congênere carioca, a casa oferecia sólida aprendizagem técnica graças às aulas práticas ministradas em suas oficinas, mas também uma formação teórica de cunho humanístico, que contemplava o domínio das linguagens artísticas e o interesse pelas questões estéticas. A ideia que norteou a fundação dos liceus era de que as modernas cidades industriais precisavam se desenvolver incorporando princípios funcionais e estéticos à sua vida cotidiana, o que explica a ênfase dada em suas aulas à aproximação entre indústria e arte. Assim, ao mesmo tempo que oferecia aos seus alunos as disciplinas do ensino elementar (língua portuguesa, matemática, ciências naturais, história, geografia e línguas estrangeiras), o liceu elevava o desenho, em suas diversas modalidades (geométrico, industrial, artístico, arquitetônico), à condição de disciplina central na grade curricular da maioria de seus cursos, explica o historiador André Luiz Faria Couto.

Nilo Peçanha sabia, sobretudo, que era necessário desligar-se do regime escravista, expressão do mundo rural, para lançar o país em outra fase de desenvolvimento. As indústrias e o estabelecimento de ensino técnico permitiriam a valorização do trabalho remunerado e o aperfeiçoamento da mão de obra. E, de fato, no caso de Campos, a instalação de grandes estabelecimentos comerciais aumentou o número de trabalhadores urbanos sem qualificação que, formados pelos liceus, encontrariam inserção e mobilidade.

Peçanha não perdeu tempo e propôs um projeto de lei que previa o auxílio financeiro de 150 contos de réis para a reconstrução do Liceu de Artes e Ofícios, sob responsabilidade da Sociedade Propagadora das Artes, destruído por um incêndio. Fundada em 1858, numa das salas do consistório da igreja do Santíssimo Sacramento, a instituição oferecia ensino a livres e pobres, para que se tornassem úteis ao Brasil. Em 1878, entre os seus 1.049 alunos misturavam-se brasileiros, portugueses e, em menor número, franceses, ingleses, italianos, espanhóis, austríacos e até orientais. A preocupação com um número crescente de brasileiros capazes de substituir de modo geral e vantajoso os artesãos isolados, os práticos disto e daquilo, os mestres de obras e os escravos que entendiam de certas artes como a barbearia era constante nas pautas republicanas.

Explica o pesquisador Luiz Antônio Cunha que outra influência pode ter vindo da atuação missionária e pedagógica dos padres salesianos, fundadores do Instituto Profissional Masculino, cujas oficinas de alfaiataria, música e encadernação eram conhecidas por Peçanha. Sem contar o papel da educação na sua própria trajetória e a valorização que o tema tinha na maçonaria, da qual era membro ativo. Sobre esta última influência, vale a pena lembrar que a valorização da educação popular e o ideal de solidariedade entre os homens era um dos objetivos da irmandade secreta. Eis por que Peçanha trataria o assunto com especial carinho. Não como assunto filantrópico, mas, sim, como compromisso do Estado. Ademais, seu governo estava animado por um fervor progressista cuja preocupação com a desigualdade – embora a palavra não fosse usada – era evidente.

Peçanha e outros chefes políticos republicanos compartilhavam a crença da necessidade de o Estado republicano expandir, custear e fiscalizar o ensino primário e outras modalidades de aprendizagem. Queriam promover a regeneração da população pobre, resgatando-a da indigência e aparelhando-a para a civilização moderna. Mais: desejavam a valorização de técnicos afro-brasileiros. Porém, para realizar esse projeto, eram necessárias ações governamentais que iam além do convencional. Isso porque os minguados recursos financeiros e humanos voltados para a educação pública no início do século XX estavam expostos aos mecanismos do clientelismo praticados pelos poderes locais, entrincheirados cada qual no seu município. Além disso, qualquer reforma mais profunda da política educacional esbarraria no desinteresse do velho grupo dirigente fluminense que ainda seguia o conservadorismo herdado do período imperial.

Vale lembrar que a Primeira República pouco se interessou, nos primeiros anos, pela criação de universidades, sonhadas por um ou outro ideólogo, mas combatidas pelos positivistas mais ortodoxos. Seus dirigentes, Peçanha entre eles, pretendiam ser "homens práticos", alheios à "poesia". E por isso investiriam pesadamente no ensino quase exclusivamente profissional.

A maioria dos seus biógrafos concorda que o político fluminense não se acomodou aos ideários do liberalismo político clássico e da democracia representativa. Ao contrário, ele via o aparelho estatal como um instrumento para a correção dos antigos privilégios aristocráticos que mantinham o país atrasado. Suas origens sociais podem tê-lo sensibilizado a estas causas sociais, como indicou Celso Peçanha.

> Preocupado com a redução das despesas públicas, o governo não prejudicou, entretanto, o desenvolvimento da instrução primária no estado. Uma reforma desde logo era reclamada e o governo iniciou-a: a eliminação radical dos interesses políticos no provimento das escolas públicas. Destituiu, é certo, um grande número de professores sem concurso e sem diploma das escolas normais; em compensação, preencheu os claros aberto por eles, nomeando os que tinham curso regular e completo nos institutos superiores do estado.

Mais tarde, em 1906, já vice-presidente da República, criou três escolas profissionais, em Campos, Petrópolis e Niterói, e duas destinadas ao ensino agrícola, em Paraíba do Sul e Resende. Quando se tornou presidente, teve a ideia de uma rede federal de ensino profissional, pois queria inserir no planejamento estatal um conjunto de medidas que visavam a qualificação do trabalhador. Em 1909, já tinham sido fundadas dez escolas nas capitais de quase todos os estados da Federação, marcando a atuação direta do governo federal no ramo de ensino profissionalizante, pois como dizia Peçanha: "se torna necessário não só habilitar os filhos dos desfavorecidos de fortuna com o indispensável preparo técnico e intelectual, como fazê-los adquirir hábitos de trabalho profícuo, que os afastará da ociosidade, escola do vício e do crime...".

Como presidente do estado, mas, sobretudo, por experiência própria, Peçanha sabia que a educação era instrumento fundamental para combater problemas sociais. E não restringiu a ideia de ensino profissional exclusivamente à atuação do estado. Incentivou indústrias a implementar projetos para seus trabalhadores ou seus filhos, como se vê nas fotografias em que o presidente visita fábricas que patrocinavam projetos educativos.

Para ele, o ensino agrícola e a instrução profissional, entre outras coisas, também contribuiriam para um "espírito de associação" entre empresários e trabalhadores, propondo uma espécie de "paz social": "Ensinemo-los pois, criemos escolas, facilitemos aos desprovidos de recursos que frequentem as nossas escolas criadas por outrem, oficiais ou particulares, façamos tudo quanto nos seja possível para que o povo se instrua, porque esse é o nosso dever".

Inspirado em Alberto Torres, que o antecedeu na presidência do Estado, Peçanha também apostou na defesa intransigente de uma economia agrária composta por pequenos agricultores rurais e praticantes de uma agricultura diversificada. Como Torres, Peçanha via na fixação do homem ao campo um remédio contra a influência estrangeira, mais atuante nos centros urbanos, sobre os interesses nacionais. Também olhava com críticas as medidas que beneficiassem as indústrias em geral, com exceção do que chamava "indústrias naturais", isto é, as que prestigiassem os produtos do país, em oposição às "artificiais", ou seja, as estrangeiras. Sua intenção? Transformar o estado numa "imensa horta, celeiro e pomar do vizinho Distrito Federal [Rio de Janeiro], largo mercado consumidor".

Tomou então a iniciativa de financiar equipamentos agrícolas, doou mudas e sementes, criou impostos para a importação de produtos que eram produzidos no estado. Revitalizava e pluralizava, assim, a produção agrícola fluminense. Tentou plantar arroz nos charcos de Pendotiba, imediações de Niterói, o que lhe valeu alfinetadas preconceituosas do jornalista Fradique Mendes. Mais além, inspirava-se também em Torres no reconhecimento e na valorização da criatividade dos brasileiros, criticando os modelos e soluções importados do exterior.

Era contra o colonialismo cultural que dominava a elite e propunha uma nova consciência nacional, contrariando as ideias deterministas que atribuíam nosso atraso à questão racial ou geográfica – já fustigadas por Juliano Moreira.

Bem lembra o historiador Marcelo Augusto Monteiro de Carvalho que Peçanha se opunha à insensibilidade das autoridades frente à população empobrecida. Por isso, priorizou o aproveitamento do trabalhador nacional em lugar de gastarem-se recursos na importação de imigrantes. Como dizia: "cumpre acentuar que o Brasil é um país despovoado e um país onde o trabalho é difícil, onde o salário é barato, onde falta pão, onde é ridículo o mercado de gêneros, onde não se pode abrigar a esperança de atrair e fixar o imigrante. De outro modo, o ideal da civilização brasileira estaria nas aldeias sertanejas".

Peçanha valeu-se de uma rede extremamente eficiente, usada por vários antecessores: a maçonaria. Aliás, ele já pertencia a seus quadros desde que voltara de Recife abolicionista e republicano militante. Apoiado na ordem, não só conseguiu ter destaque frente a uma estrutura social conservadora, mas também opor-se aos desafetos com relativa proteção, uma vez que coronéis podiam ser terrivelmente violentos com seus adversários. Seu biógrafo Celso Peçanha acrescenta que, na maçonaria, o problema de sua cor desaparecia, como, aliás, se viu acontecer com Montezuma e Torres Homem. Muitos pardos, negros e mulatos eram maçons. Mais à frente, em 1821, o Episcopado brasileiro condenaria sua candidatura à reeleição, por seus laços com a instituição: "O senhor Nilo Peçanha é o grão-mestre da maçonaria, é maçom integral, anticatólico, portanto, aplaudir a candidatura de Nilo Peçanha é prestigiar conscientemente a política sectária de opressão ao catolicismo, de que é um dos representantes máximos o candidato dissidente", no caso, o piedoso mineiro Arthur Bernardes. Embora nunca tenha demonstrado hostilidade à Igreja, sendo antidivorcista e católico, Peçanha preferiu, enquanto na vida política, abandonar o cargo de grão-mestre. A revista *Careta* não o poupou de acusações de radicalismo, taxando-o de inimigo da fé católica quando se recusou a dar asilo diplomático a um grupo de clérigos. Mas a Igreja também se frustrou ao insistir junto a outras presidências sobre o retorno do ensino católico na rede pública. Nunca foi atendida.

Para trabalhar, Peçanha negociou a criação de novas prefeituras, reorganizou a comissão executiva do partido e puxou os fios das eleições estaduais e municipais de 1904. Empenhou-se também na promoção de sua administração em nível nacional, visando ir cada vez mais longe e mais alto nas esferas de poder, explica a historiadora Andréa T. Côrte. E conseguiu fazê-lo em contexto tumultuado.

Segundo Celso Peçanha, seu estilo de governo se queria promotor da diversificação e do desenvolvimento da produção nacional, ao mesmo tempo que protecionista e de feroz controle sobre os gastos públicos. Sua doutrina econômica poderia ser resumida em alguns pontos de incrível atualidade: a diminuição dos custos de frete ou transporte da produção; redução de impostos sobre produção doméstica; contenção de despesas públicas, especialmente com o pagamento do funcionalismo; incentivos à diversificação agrícola e impostos territoriais sobre latifúndios improdutivos; ação estatal para proteção da cafeicultura fluminense e investimento na educação popular, especialmente nos cursos primário, profissionalizantes e agrícolas, além de cursos para formação e capacitação de professores da rede pública.

Em 1905, a crise política chegava ao auge. Com a morte de Silviano Brandão, em 1902, Afonso Pena se tornou vice de Rodrigues Alves. A indicação de Bernardino de Campos para vice de Afonso Pena não foi aceita pelos mineiros. Em setembro de 1906, como desdobramento de sua projeção no cenário nacional, Nilo Peçanha foi indicado para concorrer a vice-presidente da República na chapa do mineiro Afonso Pena. Um manifesto com a assinatura de líderes políticos confirmava a adesão da maior parte dos estados. Foi eleito com estrondoso apoio – na época, os vices eram eleitos separadamente –, com 272.529 votos, contra apenas 618 dados ao seu opositor. Seu nome, sustentado pelas articulações do senador gaúcho Pinheiro Machado, ganhou densidade em virtude de suas tradições republicanas, numa chapa em que o nome principal era o de um antigo monarquista.

Nilo transmitiu o governo fluminense ao primeiro vice-presidente, Oliveira Botelho, em 1º de novembro e tomou posse na vice-presidência da República no dia 15 de novembro. Os primeiros resultados da chapa vencedora Afonso Pena e Nilo Peçanha apareceram nos dois anos seguintes: estabilização da moeda e solução de vários problemas econômicos. A partir do governo Afonso Pena, mineiros, fluminenses e gaúchos, entre outras oligarquias que buscavam espaço, numa aliança frágil também sob a liderança do senador Pinheiro Machado, superaram por breve tempo a hegemonia política da oligarquia paulista no plano nacional. Porém, os cafeicultores paulistas ainda obtiveram do governo federal a fiança pelos empréstimos externos das operações de valorização do café, para o financiamento da armazenagem para vendas futuras daquele produto. Outro ponto que provocou celeuma, mas teve o apoio de Peçanha: a reorganização do Exército que sempre apoiou e sempre o apoiaria.

17 meses de muito trabalho

Passados três anos, em 14 de junho de 1909, uma pneumonia levou Afonso Pena em apenas 30 dias. Rumores correram. Especulou-se que sua morte teria como causa um "traumatismo moral" por conta da morte recente de seu filho Álvaro. Comentava-se também que o mal se teria originado dos dissabores nascidos com a crise sucessória. O velório foi realizado no Palácio do Catete e, dois dias depois, o corpo enterrado no cemitério São João Batista. Peçanha assumiu em seu lugar. Era a primeira vez em nossa história que um presidente não terminava o mandato e assumia o vice. Sua posse foi vastamente comentada. Tinha 42 anos. Em todos os jornais sua biografia destacava o abolicionista, a formação na faculdade de Direito, a vida política etc. Não se falava de sua cor. Ao assumir, prometeu um governo de "paz e amor". *O Malho*, a revista ilustrada de circulação semanal mais lida na capital, apoiou: "O sr. Nilo Peçanha, que subiu à presidência da República neste momento doloroso da sua vida, saberá, estamos certos, praticar o governo de paz e amor, de que falou [...]".

Nilo tinha percorrido uma carreira política de sucesso em seu estado natal, tendo sido eleito várias vezes deputado federal e senador e aprovado por sua administração competente quando governador. Ademais, tinha apoio e trânsito livre entre importantes lideranças políticas da República. Como cravou Monteiro de Carvalho, Nilo obteve sucesso ao incorporar nas suas administrações os símbolos dominantes da modernidade europeia exigidos dos cidadãos que aspiravam o poder político. "Ordem e progresso" era o lema que pretendia estender ao proletariado urbano e trabalhadores rurais, até então excluídos das preocupações dos governantes. De maneira pragmática ele iria conjugar o projeto agrário que desenvolveu como governador, com o incentivo à indústria nacional.

O mandato do sétimo presidente da República foi de apenas 17 meses, mas ele conseguiu realizar muita coisa. Para começar, rompeu com o governo anterior e renovou todo o ministério, com exceção de Alexandrino Faria de Alencar, da Marinha, e de José Maria Paranhos Júnior, o barão do Rio Branco, que, à época, negociava a posse do Acre com o Peru. Foi criado um ministério novo, o da Agricultura e Comércio, entregue ao engenheiro Cândido Rodrigues. Ex-secretário de agricultura em São Paulo, o engenheiro e militar tinha extração tão simples quanto a de Peçanha e era tão "moreno" quanto ele.

O Malho aplaudia:

> Sem favor e com inteira justiça, pode-se considerar boa política aquela que os atos do novo presidente da República demonstraram, já

Na presidência da República   251

escolhendo com muito acerto os quatro ministros substitutos dos que houveram por bem não continuar a prestar serviços à causa pública, já criando o utilíssimo Ministério da Agricultura. E nomeando titular desta parte um emérito especialista de comprovado valor.

Era a chegada da classe média ao poder, sob aplausos da imprensa mais lida na época. A revista também publicou uma charge em que Nilo, capitão de um barco, leme nas mãos, dirigia seus ministros em boa direção. E o texto com breve elogio da figura da República diz: "Graças a Deus, a maruja é de mão cheia e tem homem ao leme".

Vale lembrar que a criação desse último ministério se relacionava com um projeto alternativo para além da cafeicultura de exportação. E coroava as iniciativas dos grupos ruralistas presentes na Sociedade Nacional de Agricultura, que defendiam uma regeneração da agricultura nacional com base em métodos científicos e na educação do homem do campo. E Nilo justificava: "Sendo o Brasil um país agrícola por excelência, é do maior alcance a criação de um centro administrativo que cuide especialmente deste magno assunto e o impulsione por meio de órgãos competentes, como acontece na maior parte das nações modernas". Sem descurar da cafeicultura, principalmente a paulista, ele não abriu mão de ajudar outros estados.

Peçanha apresentou-se ao eleitorado republicano como um líder "branco" e sintonizado com as novidades da civilização moderna. Muitos biógrafos destacam, porém, que, apesar da adaptação aos valores da elite, nunca negou sua origem simples. Para escândalos dos conservadores, introduziu no Palácio do Catete o uso do violão, instrumento musical considerado popular. Introduziu também práticas de marketing político em suas campanhas eleitorais, quando este tipo de técnica ainda não era usada nas disputas eleitorais. Saía de automóvel pelo interior, abraçando e falando com as pessoas e, sobretudo, ouvindo pedidos e queixas. O arquivo do Museu da República, no Rio de Janeiro, guarda centenas de cartas com pedidos ou felicitações ao político popular e querido.

E a imprensa, qual sua relação com Nilo? Numa charge intitulada "Peão campista", a revista *O Malho* o apoiou. Ele aparecia montado em um cavalo selvagem cujo pescoço ostentava a inscrição "Anarquia". E a legenda: "Com a ascensão do dr. Nilo Peçanha à cadeira presidencial abrandaram e quase desapareceram os sintomas de anarquia política que vinham perturbando a vida nacional". Embora o cenário fosse tempestuoso e uma nova eleição se aproximasse, ele saberia "domar" os problemas brasileiros.

Em julho de 1909, os deputados não trabalhavam. Só discutiam a futura eleição de 1910. *O Malho* trouxe uma charge intitulada "A pior greve": aquela dos "senhores deputados que só se preocupavam com suas carreiras". Segundo seus editores, a Câmara não discutia mais assuntos importantes para o país, como a questão orçamentária, limitando as reuniões a negociatas partidárias. Em destaque em meio a todos os políticos Peçanha é descrito pelo articulista como alguém preocupado exclusivamente com o futuro do país. Alheio a conchavos. Mantinha-se fora da "politicagem eleitoral", embora fosse partidário de Hermes da Fonseca. No número de dezembro do mesmo ano da revista, Peçanha é retratado conversando com uma sedutora mulher em cujo vestido está grafado "politicagem". Em sua fala, a mulher o chama de "insensível qual bloco de gelo". Insiste. Tentaria nova aproximação. E Peçanha: "é muito feia!".

Enquanto, na campanha, Rui Barbosa caricaturizava Hermes da Fonseca como um sargentão que só devia merecer o desprezo dos civis cultos e lúcidos, Peçanha seguia trabalhando e consolidando seu nome como político sagaz e competente. No posto, procurou implementar algumas medidas que expressavam sua crença na diversificação da produção. Segundo Marieta de Morais Ferreira, "o capital investido na indústria passou de 12,4% para 18,5%, e chegou-se a um total de aproximadamente 3.424 empresas no território nacional". Peçanha via no desenvolvimento econômico "a base material para o pleno exercício do regime republicano, e por isso defendeu o quanto pôde as forças de produção, que considerava fatores propulsores da riqueza nacional".

Ainda que durante seu governo no Rio de Janeiro tivesse defendido uma política de controle de gastos e saneamento financeiro, "na presidência da República sustentou que a emissão de papel-moeda e a elevação dos impostos de importação poderiam ser um impulso para o parque manufatureiro nacional". Ele buscou até atrair capitais, visando a implantação de uma siderúrgica nacional. Planejava a consolidação de uma infraestrutura capaz de assegurar o tão almejado desenvolvimento econômico, que marcasse a real independência do país, como relata Marieta de Morais Ferreira.

A mesma historiadora esclarece que uma das questões a que Peçanha se dedicou foi "a resolução dos problemas concernentes à abertura e à ampliação das estradas de ferro". Ele "reorganizou e ampliou a rede ferroviária da Bahia, levando suas linhas a novas regiões do próprio estado e a Minas Gerais, ampliou as estradas da Paraíba, de Pernambuco e de Alagoas, e construiu a rede do Paraná e de Santa Catarina, ligando-a à rede do Rio Grande do Sul".

O estado do Rio de Janeiro também foi beneficiado pelo aumento do número de linhas férreas.

Por meio do Ministério da Agricultura, Indústria e Comércio, foram fundados diversos serviços que Peçanha considerava essenciais para seu projeto de desenvolvimento nacional. Entre eles estavam o Serviço de Inspeção Agrícola, a Diretoria da Indústria Animal (destinada a vulgarizar os processos modernos da indústria de laticínios e a promover a organização de cooperativas para a fabricação de manteiga e queijo, além de realizar o estudo experimental da alimentação do gado), a Diretoria de Meteorologia e Astronomia, o Serviço de Publicações e Biblioteca, o Serviço de Distribuição de Plantas e Sementes, o Serviço de Consultas e o Serviço de Inspeção, Estatística e Defesa Agrícola.

Peçanha buscou também realizar algumas reformas nas Forças Armadas, a quem estava aliado desde o início do movimento republicano. Houve, assim, "um incremento das linhas de tiro, que proporcionavam treinamento militar a todos os cidadãos, tornando-os soldados sem necessariamente tirá-los do trabalho ou de casa para o quartel", segundo Marieta de Morais Ferreira. A ideia era aumentar o potencial militar do Brasil e integrar todos os cidadãos na tarefa da defesa nacional. Nessa época criou-se também o Serviço de Proteção aos Índios, cujo primeiro presidente foi o então general Cândido Rondon.

Embora tenha governado por um período relativamente curto, Peçanha proporcionou o crescimento de diversos setores de atividade, como lembra a mesma historiadora:

> decretou a reforma dos Correios e Telégrafos, reduziu as taxas postais e construiu 1.556 quilômetros de linhas telegráficas; abriu uma linha de navegação entre o Rio de Janeiro e Lisboa; modernizou o fornecimento de luz elétrica às ruas do Rio de Janeiro, como, em 1905, havia feito em Niterói, reduzindo as taxas para o consumo de energia pelo público. Iniciou também as obras de saneamento da Baixada Fluminense; promoveu a desobstrução e a drenagem de vários rios que desembocam na Baía de Guanabara; restaurou o parque da Quinta da Boa Vista; iniciou as obras da Lagoa Rodrigo de Freitas e construiu o Sanatório Naval de Nova Friburgo. Criou a Bolsa de Corretores e, ainda em 1909, determinou o pagamento antecipado das dívidas externas, quando estas só expirariam em 1911, recuperando assim certa independência financeira para o Brasil, o que por sua vez representou uma posição vantajosa para a negociação de novos empréstimos.

Como bem sublinha o historiador Fábio Genésio dos Santos Maria, as disputas eleitorais se acirravam. Em quase todo o território nacional pipocavam movimentos pró e contra a candidatura de Hermes da Fonseca. Rui Barbosa e a Campanha Civilista, segundo o historiador Hélio Silva, representavam o primeiro esforço da democracia republicana no sentido de debater seu programa político com os eleitores, forçando seu adversário a fazer o mesmo. Rui Barbosa não se insurgia contra a recusa da candidatura do militar, mas contra o sistema que fraudava a mais importante das escolhas. Com a agitação eleitoral que crepitava, a neutralidade de Peçanha foi colocada em dúvida. Estava entre dois fogos e tinha que se manter imparcial. *O Malho* acompanhava e, num número de outubro de 1909, retratou Nilo Peçanha entre duas facas: as duas candidaturas. E incentivava o presidente a manter sua neutralidade.

Embora o período pré-eleitoral fosse atravessado por ataques e tensões, Nilo buscava animar o povo a participar da campanha. Apostava em eleições democráticas. Sua posição durante os conflitos "civilistas" foi exemplar. Atacado com termos ultrajantes por seu colega de faculdade Rui Barbosa e seus seguidores, nunca desanimou. Aos insultos democráticos acudia com atos de isenção. *O Malho* apoiava: "[...] o sr. Nilo Peçanha deu provas de estar animado do desejo sadio de fazer, tecnicamente falando, um governo forte e seguro, ao mesmo tempo imparcial e conciliador, pela expressão política das suas unidades [...]. A declaração de neutralidade na luta que vem travada a propósito das candidaturas foi outro ato acertadíssimo".

De fato, ele não permitiu que fosse restringido o direito da propaganda, como lhe propunham os hermistas exaltados. Nos comícios, compareciam policiais zelosos, para a garantia da manifestação de pensamento. Ao menor abuso de um subordinado, exonerava-o. A imprensa, acobertada de qualquer atentado, nunca foi tão livre. Com um governo conturbado, Nilo Peçanha chegou ao término de seu mandato aplaudido. Mesmo com o desgaste causado pelos ataques partidários devido à campanha política, sua gestão foi avaliada como positiva tanto pela população como por seus pares, crava o historiador Hélio Silva. Em seu número de outubro de 1910, de forma humorada em sua capa, a revista homenageou a despedida do presidente. Na charge, Nilo confessava ao personagem Zé Povo que estar na presidência da República era estar no verdadeiro inferno. Fazia menção, certamente, aos ataques sofridos durante seu mandato.

De fato, os tempos eram de tumultuada disputa eleitoral na sucessão de 1910. Por isso mesmo, Peçanha escolheu o tema "paz e amor" para governar até o fim do mandato. Muitos dos seus detratores o ridicularizaram. A mensagem, porém, era clara: a ordem republicana só podia ser conservada se respeitadas as regras constitucionais e se o presidente cuidasse em atender as demandas da população. E, com "paz e amor" ele conseguiu manter a ordem, inserir inovações administrativas e realizar obras públicas, garantindo com tranquilidade a sucessão presidencial.

Nem tudo foram flores. Como demonstrou Marcelo Monteiro de Carvalho, as charges e artigos publicados em *O Malho* eram quase sempre elogiosas à sua gestão. Mas a revista *Careta*, por exemplo, usou a sátira para criticá-lo, sublinhando sempre suas características étnicas – "os grossos beiços de mulato" e "a farta carapinha" – ou sua origem: "Vou de novo vender pão em Campos". Por sua juventude, foi apelidado de "moleque presepeiro", numa clara alusão ao "negrinho ladino, armador de presepadas", quando suspeito de acordos duvidosos com empresas ferroviárias da época. Seus críticos não se esqueciam de lembrar à opinião pública as características populares do líder campista, para esvaziar o sucesso de suas iniciativas.

Ataques, muitos deles, abafados pela presença de Anita, que desde a posse do marido participou das obrigações que o mundo social e político lhe impuseram. Era extremamente companheira, e o historiador Francisco Ribeiro de Vasconcellos lhe atribui parte do sucesso da carreira de Peçanha. Juntos, passaram um único verão no Palácio Rio Negro, entre dezembro de 1909 e janeiro de 1910. Anita estava "adoentada". Não se sabe se pela perda de um dos quatro filhos que faleceram logo ao nascer, os pequeninos Íris, Nilo, Zulma e Mário Nilo. A *Tribuna de Petrópolis* registrou na coluna "Ecos e fatos":

> O Excelentíssimo senhor dr. Nilo Peçanha, ilustre presidente da República subirá para esta cidade a fim de que sua digna consorte convalesça aqui da grave enfermidade de que a distinta senhora acaba de ser acometida [...] Sua Excelência só descerá ao Rio de Janeiro para dar audiências públicas, realizando despachos coletivos do Ministério nesta cidade no Palácio Rio Negro.

No dia 7 de março de 1910, o casal abriu as portas do palácio para cerca de 300 convidados, incluindo a tradicional sociedade petropolitana, entre os quais se encontravam ministros, membros do corpo diplomático e famílias importantes. A banda do Corpo de Bombeiros e a Orquestra dos Marinheiros animaram o evento.

Numa época em que parte da ciência defendia a superioridade da raça branca, *O Malho* construiu uma imagem positiva do presidente negro. Como bem mostrou Fábio Genésio dos Santos Maria, durante todo o período analisado, a revista, verdadeira formadora de opinião, construiu uma imagem de Nilo como sendo uma pessoa íntegra, honesta, honrada, avesso à politicagem. A revista ainda o mostrou próximo ao povo ao retratar em suas páginas charges em que aparece caminhando pela praça ou mesmo conversando com a população. No entanto, houve silêncio sobre a questão racial do presidente. Como tantos protagonistas de sucesso, Nilo embranqueceu.

Preocupou-se também com questões higienistas que permeavam o período de grandes reformas urbanas, como vimos Eduardo Ribeiro fazer. O saneamento era visto como força civilizadora capaz de transformar um espaço contaminado por miasmas em um local limpo e seguro para a sociedade. Ele também levou a "fada eletricidade" para a capital federal, negociando preços baixos para a população pobre, junto à Companhia Light and Power. *O Malho* ofereceu-lhe uma capa onde aparecia como "anjo de luz" e o Zé Povo demonstrando-lhe "eterna e grata admiração".

Suas ideias de modernização ajudaram sua imagem política. Pois o historiador Fábio Genésio dos Santos Maria não encontrou, entre 1909 e 1910, nenhum fragmento da revista *O Malho* que discutisse a cor do presidente. Apenas uma coluna da revista, intitulada "Respostas-do-sabe-tudo", no número 177, de fevereiro de 1906, publicada durante o início da campanha eleitoral ao lado de Afonso Pena, ao responder a uma leitora de Campos, desenhou Nilo como sendo um "rapaz moreno de cabelos negros". O autor do texto seguiu falando de sua capacidade administrativa: "Quanto à feição política, tem a de quem muito confia no futuro, se no presente se tratar de resolver os problemas administrativos no terreno prático, de preferência". E encerrava, indagando ácido: "Mas por que tanta curiosidade?".

Terminado o mandato presidencial, Peçanha retornou ao Senado em 1912, elegendo-se novamente presidente do estado do Rio de Janeiro. O Partido Republicano Conservador Fluminense (PRCF), criado por Pinheiro Machado, em 1910, visava promover a união das elites dominantes e dos militares numa agremiação política de caráter nacional que, sob sua direção, apoiaria o governo de Hermes da Fonseca. Nilo Peçanha se engajou nessa articulação, mas sua aliança com Pinheiro Machado não foi duradoura. A interferência federal, seja através de Hermes da Fonseca, seja através de Pinheiro Machado, nos negócios internos fluminenses acabaria por promover uma nova cisão no grupo apoiador de Peçanha e sua ruptura com as lideranças do PRCF.

As divergências aumentaram em 1913, quando estava sendo escolhido o candidato à sucessão presidencial no ano seguinte. Enquanto Hermes da Fonseca, Pinheiro Machado e Oliveira Botelho apoiaram a candidatura do então vice-presidente da República, o mineiro Venceslau Brás, Peçanha mostrou-se neutro. Como lembra Marieta de Morais Ferreira, "a tentativa de atuar como uma força política independente iria lançá-lo contra o governo federal, terminando por levá-lo ao isolamento e a dificuldades na manutenção de seu domínio na política fluminense".

Assim, em 1914, Nilo Peçanha enfrentava momentos difíceis: "sem aliados na esfera federal e traído pelos correligionários em seu estado natal, parecia que sua carreira estava esgotada". Mas seria dessa vez que perderia definitivamente o controle do Rio de Janeiro. Embora sem contar com o apoio dos governos federal e estadual, que apresentaram a candidatura do então prefeito de Niterói, Feliciano Sodré, à presidência estadual, teve seu nome lançado para presidente do estado por parcelas do PRCF. A disputa eleitoral foi bastante acirrada, "contrariando a prática usual na Primeira República, quando as oposições, diante de poucas chances de vitória, aderiam à situação dominante". Com uma campanha "voltada para a defesa da autonomia fluminense", Nilo percorreu o estado fazendo comícios e passeatas, inovando na forma de fazer política, quando abraçava crianças, apertava mãos de gente do povo, tomava café no botequim.

O resultado foi sua reeleição para presidente do estado. No entanto, sua posse, em 31 de dezembro de 1914, gerou contestações. Como aponta ainda Marieta de Morais Ferreira,

> A facção política liderada por seu ex-aliado Oliveira Botelho, e apoiada por Pinheiro Machado, não acatou a vitória e considerou eleito Feliciano Sodré, instaurando uma duplicidade de poderes e reivindicando a intervenção federal. Esse processo perdurou durante todo o ano de 1915, tendo ficado conhecido como "O caso do Estado do Rio". Contudo, o interesse do presidente Venceslau Brás (1914-1918) em esvaziar o poder de Pinheiro Machado e em controlar a política fluminense acabou por enfraquecer o líder gaúcho e as pretensões dos opositores de Nilo. O desfecho dessa longa disputa permitiu assim a consolidação do poder nilista.

Nesse segundo mandato, Nilo colocou em prática um programa pouco popular de reequilíbrio orçamentário, reduzindo os cargos públicos e as repartições. Além disso, elevou os impostos estaduais e suspendeu verbas na área da saúde, da educação e da infraestrutura. Ao mesmo tempo, "manteve-se fiel às ideias agraristas, por meio da implementação de um programa de incentivo à lavoura, de diversificação agrícola e de divisão das terras em pequenas propriedades". No entanto, Peçanha não concluiu seu mandato, pois foi convidado por Venceslau Brás a assumir o Ministério das Relações Exteriores. Assim, em 7 de maio de 1917, renunciou ao cargo de presidente estadual. O fato mais marcante registrado durante sua passagem por essa pasta foi a declaração de guerra do Brasil à Alemanha, em 26 de outubro desse ano. Em 1918, foi novamente eleito senador. Na maçonaria seu prestígio seguia intocado. Manteve-se como grão-mestre do Grande Oriente do Brasil de 23 de julho de 1917 a 24 de setembro de 1919, quando renunciou ao cargo.

Depois de encerrado seu período no ministério, quando o governo Venceslau Brás chegou ao fim, Peçanha partiu com Anita em viagem pela Europa, em novembro de 1918. Eles só retornariam em junho de 1921. Durante o período em que esteve fora, continuou acompanhando de longe a política fluminense e nacional. Na disputa pela presidência da República entre Epitácio Pessoa e Rui Barbosa, em 1919, apoiou fortemente o político baiano, que acabou derrotado. Ainda assim, sua posição na política fluminense manteve-se inalterada através do controle do governo do aliado Raul Veiga (1919-1922). Como afirma Marieta de Morais Ferreira, a sucessão de Epitácio Pessoa, em 1922, "revestiu-se de um caráter peculiar, já que pela primeira vez o confronto entre os grandes estados e os estados intermediários se colocou claramente numa disputa sucessória, revelando as tensões das diversas elites regionais e desnudando as contradições do federalismo brasileiro". Esse confronto assumiu sua forma plena com a formação da chamada Reação Republicana, em junho de 1921, movimento que lançou a chapa de Nilo Peçanha e J. J. Seabra em oposição à candidatura oficial de Artur Bernardes.

O movimento era formado por representantes dos estados de segunda grandeza – Rio de Janeiro, Pernambuco, Bahia e Rio Grande do Sul –, desfavorecidos pela política da Primeira República, que privilegiava os dois grandes estados de São Paulo e Minas Gerais. A ideia era protestar contra o imperialismo dessas elites, investindo em uma candidatura de forte apelo popular. Para muitos biógrafos, a prática de Peçanha inaugurou um novo jeito de fazer política, o chamado "nilismo", que rompia com os velhos modos de fazer política baseados nas oligarquias rurais estaduais. Pesquisas mais recentes, no entanto, chamam a atenção para compromissos do político com as classes dominantes e o caráter limitado das reformas pretendidas pela Reação Republicana. Ainda assim, a penetração do nome de Nilo Peçanha nas camadas urbanas foi sensível, devido, sobretudo, à sua grande capacidade de comunicação com tais setores. Entre 24 de junho de 1921 e 1º de março de 1922, Peçanha percorreu todo o país em uma crescente e moderna campanha que contava com viagens, forte propaganda, comícios, faixas e distribuição de brindes, e por isso mesmo ganhou repercussão em todos os jornais.

Em seu primeiro discurso como candidato, Nilo definiu a Reação Republicana como um movimento "de defesa dos princípios republicanos", organizado para que as "decisões políticas nacionais saiam do terreno das convergências regionais para horizontes mais iluminados de crítica e liberdade, e que do choque das ideias postas a serviço da emancipação política dos estados se possa caminhar para a formação de partidos que serão a alma da República". Com isso, Nilo "aprofundava as críticas às desigualdades do regime federalista, chamava a atenção para a importância da institucionalização dos partidos e já anunciava suas preocupações com a situação de desprestígio que vinham enfrentando os militares", explica Marieta de Moraes Ferreira.

O arquivo de Nilo Peçanha revela informações significativas acerca de suas ligações com seus velhos apoiadores ao longo de todo o segundo semestre de 1921. Há inúmeras cartas de militares, de diferentes estados do país, declarando apoio a Nilo e relatando suas iniciativas para a criação de comitês eleitorais. A imprensa nilista também fazia questão de enfatizar o apoio dos militares ao candidato oposicionista, como demonstra a notícia de novembro de 1921 pelo jornal *O Imparcial*: "Nilo Peçanha desce de bordo do *Iris* nos braços de um general e de um almirante – o Exército e a Armada se confraternizam com o povo para glorificar o grande líder democrático". O Exército, desde sempre um espaço de mobilidade para negros e pardos, não podia deixar de apoiar Nilo Peçanha ou de ter no político um interlocutor.

Conta-nos Marieta de Moraes Ferreira que, apesar do clima de intensa agitação política nos primeiros meses de 1922, as eleições presidenciais realizaram-se na data prevista, 1º de março. Os resultados eleitorais oficiais deram a vitória a Bernardes, com 446 mil votos contra 317 mil de Nilo Peçanha. Mais uma vez, "o esquema eleitoral vigente na Primeira República funcionou para garantir a posição do candidato oficial". Diferentemente dos pleitos anteriores, porém, não houve aceitação do resultado eleitoral pela oposição. A Reação Republicana, além de reivindicar a criação de um tribunal de honra que arbitrasse o processo eleitoral, desencadeou uma campanha para, de um

260   À procura deles

lado, manter a mobilização popular e, de outro, aprofundar o acirramento dos ânimos militares. Ao longo de todo o primeiro semestre de 1922, e em especial após as eleições, "a imprensa pró-Nilo assumiu uma postura panfletária, denunciando diariamente as punições sofridas pelos militares antibernardistas". Além de fazer esse tipo de denúncia, "as lideranças da Reação Republicana radicalizavam suas posições, abrindo espaço para a possibilidade de intervenção armada na decisão do conflito político". Em meio a essa intensa agitação, os militares começaram a intervir de fato em disputas políticas locais em favor de seus aliados civis.

Esse momento é considerado o ponto culminante da carreira política de Peçanha. Apesar da força do nilismo, o político não conseguiu estruturar uma organização partidária própria. Seu personalismo não favoreceu esse processo. Sem contar que, dentro dos padrões políticos da Primeira República, ser candidato da oposição significava enfrentar todo tipo de dificuldade. As regras de funcionamento da política dos governadores garantiam a perpetuação das situações no poder, e a sorte dos oposicionistas parecia já estar traçada antes mesmo da disputa eleitoral. As candidaturas morriam ao nascer. No plano nacional, a corajosa posição de Peçanha se mostrou uma alternativa à preponderância de São Paulo e Minas Gerais. Mas ele não foi bem-sucedido nas urnas e foi derrotado pelo mineiro Arthur Bernardes.

Por ocasião da posse de Bernardes, em 15 de novembro de 1922, Nilo Peçanha voltaria a se pronunciar publicamente, lançando um manifesto à nação. Nesse documento, ele resumia os pontos básicos do programa da Reação Republicana e defendia a regeneração da República. Peçanha não só retomava ideias centrais defendidas desde o começo de sua carreira política – como a diversificação da agricultura e uma política econômico-financeira ortodoxa – mas também "se engajava na defesa de novos pontos, como a reforma constitucional e o voto secreto para todos os cidadãos alfabetizados". Além disso, ele defendia uma representação mais igualitária dos estados no Congresso, representação essa que atenuasse a preponderância que a antiga divisão das províncias do Império havia determinado em favor das grandes unidades, e que tornava cada vez mais precário o equilíbrio da Federação.

> O povo brasileiro, esse grande paciente insensível e tutelado, se levanta e já compreendeu que o Brasil lhe pertence; as velhas máquinas da compreensão se desconjuntam e se despedaçam aos primeiros atritos da opinião pública! [...] Não é mais possível nenhum governo brasileiro

deixar de respeitar, dentro da ordem, a liberdade operária, em toda a amplitude da nossa Constituição, como não é mais possível deixar de ver, nos dias de hoje, ao lado da velha economia política de ontem, uma nova economia social a disciplinar centenas de instituições de ideias e de forças até aqui inertes e ignoradas.

Após a derrota, Peçanha afastou-se definitivamente da cena política do país, até falecer, em 1924. Ele foi um dos maiores políticos brasileiros do século XX e é considerado o maior estadista fluminense da República. Hábil com as palavras, sua arte política foi descrita por Gilberto Freyre como a de um jogador de futebol que se vale da malícia e do drible para ganhar o jogo. Defensor apaixonado da liberdade, a trajetória de sua vida privada e pública foi marcada pela luta contra o racismo e a inserção de trabalhadores pobres. Nilo foi também aclamado, teve partidários dedicados e fiéis e ganhou o respeito dos fluminenses. Porém, como tantos outros homens públicos negros, pelo sucesso e poder que acumulou, Nilo acabou embranquecendo.

Anita, sua esposa, manteve-se afastada da mãe racista até a morte desta última, mas sempre ao lado do marido que adorava. Nos contextos das disputas políticas, o advogado era constantemente descrito como "mulato", motivo pelo qual foi ridicularizado e atacado em charges. Não foi o único. Segundo Alberto da Costa e Silva, para fugir das críticas, outros presidentes como Campos Sales, Rodrigues Alves e Washington Luiz esconderam na gaveta seus ancestrais africanos. E nunca é demais lembrar: ninguém foi mais achincalhado do que o branco Hermes da Fonseca.

Nilo Peçanha faleceu em 21 de março de 1924, vítima da doença de Chagas, segundo o historiador Luciano Urpia. Onde, quando e como teria contraído o mal, não se sabe. Na escalada de negros de sucesso, ninguém chegou tão alto quanto ele, que deixou para a história as marcas de uma trajetória e personalidade excepcionais.

Epílogo

Vamos recapitular alguns pontos deste livro. Primeiro: ninguém nega que o racismo é uma estrutura trans-histórica, como diz o filósofo Achille Mbembe. Estrutura que feriu, maltratou e matou de fome e dor milhares de seres humanos. Ninguém nega que racismo e escravidão são as duas caras de uma mesma moeda. Tampouco, ninguém aceita que os escravismos, ou seja, as diferentes formas que tomou a escravidão no Brasil – a do tropeirismo, a da cana, a da criação de gado, a da mineração etc. –, tenham sido fórmulas fechadas. Estáticas e impenetráveis. Ninguém nega também que, em cada região e situação, os escravizados e seus descendentes encontraram brechas no sistema que os oprimia. Eles usaram tais brechas para lutar, resistir e se libertar. E também para se inserir e se adaptar a uma sociedade em permanente transformação.

Afinal, nossa sociedade é "o mundo que o africano criou", como diz o historiador A. J. R. Russell-Wood. Nesse mundo, afro-brasileiros ganharam um rosto, provando como souberam lidar com condições de vida terrivelmente desiguais. Pois foi de alguns deles, e das brechas encontradas nas suas adversidades, que tratamos aqui. Procuramos descrever espaços, momentos e situações onde a tradição afro-brasileira alimentou a mestiçagem e onde, como diz Joel Rufino dos Santos, "a produção da mão, do cérebro e da alma negras exibe como negro quem negro foi", contribuindo para a construção da cultura brasileira.

Mas houve outro lado da questão também. O grande Joel Rufino dos Santos, que tive a honra de conhecer e admirar, dizia que uma forma de invisibilizar o negro era a supressão de sua identidade, pelo ocultamento de sua biografia e pelo seu progressivo branqueamento. Citava especialmente os casos de Nilo Peçanha e Juliano Moreira. Ao final da leitura, fica a questão: o branqueamento foi uma solução ou uma forma de sobrevivência? Foi um ato de resiliência? Qual a consciência da "negritude" no passado? Acredito que as respostas virão em novas pesquisas. Mas vale sublinhar: a mestiçagem – um inegável legado histórico de entrelaçamentos culturais – não invisibilizou os afro-brasileiros. Ao contrário, nos ajudou a enxergar suas trajetórias, as escolhas que fizeram, as direções que tomaram.

Nas últimas décadas, os trabalhos sobre escravismos ocuparam grande parte de nossos historiadores, iluminando temas como família escrava, alforria de familiares, mobilidade social de mulheres. Recentemente, novas pesquisas se debruçaram sobre o pós-escravidão, demonstrando que afro-brasileiros buscaram o letramento e a vida política, participaram da vida da corte no Primeiro e no Segundo Reinado, onde se descobriram outros rostos, novas trajetórias e muitas histórias de sucesso. A mão dos afro-brasileiros ergueu templos, decorou igrejas, pintou paisagens e retratos. O crescimento das cidades e o aparecimento de uma incipiente classe média, graças aos serviços e ofícios, também contaram histórias de quem tomou o elevador social. Suas vozes se ergueram contra o tráfico de escravos, pela educação e pela inserção profissional para todos, ecoando nos tribunais, no Senado e na Presidência da República. Eles responderam com talento e determinação ao racismo de que foram alvo.

Acredito que mais e mais historiadores irão revirar arquivos e procurar os afro-brasileiros onde eles *não pareciam estar*: nos salões do Império, nas faculdades de Direito e Medicina, nas Academias de Belas Artes e na imprensa. Isso porque, se continuarmos a consultar apenas listas de escravos nos testamentos e certidões de nascimento dos arquivos eclesiásticos, só veremos escravidão. Se seguirmos examinando processos-crime, só veremos brutalidade. Afinal, são os documentos que orientam e constroem a interpretação do historiador.

Doravante, será preciso reunir material e construir consensualmente uma história que conte como muitos homens e mulheres venceram o preconceito e a desigualdade. Como cavaram brechas. Como lidaram com a violência e conseguiram se tornar vencedores. E, além de responder a essas perguntas, será preciso lutar por uma sociedade onde cavar brechas não seja nunca mais necessário. Onde afro-brasileiros encontrem todas as portas abertas. Pois há uma luz no fim do túnel da história das escravidões, e achá-la é o desafio de todos. Luz que ilumina as faces pretas e pardas tão importantes quanto as brancas para a história do Brasil. Luz que revela onde estão os protagonistas que construíram um país. Onde estão eles? Respondo: ao nosso lado.

Referências

ALANIZ, Anna Gicelle Garcia. *Ingênuos e libertos*: estratégias de sobrevivência familiar em épocas de transição 1871-1895. Campinas: CMU/Unicamp, 1997. (Coleção Campiniana 11.)

ALBUQUERQUE, Wlamyra Ribeiro de. *O jogo da dissimulação*: abolição e cidadania negra no Brasil. São Paulo: Companhia das Letras, 2009.

ALENCASTRO, Luiz Felipe de. Vida privada e ordem privada no Império. *In*: ALENCASTRO, Luiz Felipe de (org.). *História da vida privada no Brasil*: Império: a corte e a modernidade nacional. São Paulo: Companhia das Letras, 1997. v. 2. p. 11-93.

ALVARENGA, Thiago. *Ato de poupar dos escravos*: poupança de escravos no Rio de Janeiro ao longo do século XIX. 2016. Dissertação (Mestrado em História) – Universidade Federal Fluminense, Niterói, 2016.

AMANTINO, Márcia; FREIRE, Jonis. Ser homem... ser escravo. *In*: PRIORE, Mary Del; AMANTINO, Márcia (org.). *História dos homens no Brasil*. São Paulo: Unesp, 2013. p. 15-48.

ANDRADE, Débora El-Jaick. Semeando os alicerces da nação: História, nacionalidade e cultura nas páginas da revista *Niterói*. *Revista Brasileira de História*, São Paulo, v. 29, n. 58, dez. 2009.

ANDRADE, Rodrigo de Oliveira. Aos loucos, o hospício. *Pesquisa Fapesp*, 263, p. 90-93, jan. 2018.

ANDRADE, Terence Keller. Da emergência à modernização: os primeiros lugares turísticos de uma cidade Amazônica. 2010. halshs-00583789

ANTUNES, José Leopoldo Ferreira. *Medicina, leis e moral*: pensamento médico e comportamento no Brasil 1870-1930. São Paulo: Unesp, 1999.

ARAGÃO, Ivan Rêgo. Devoção negra aos santos católicos: identidade, hibridização religiosa e cultura nas celebrações. Anais do IV Encontro Nacional do GT História das Religiões e das Religiosidades – ANPUH – Memória e Narrativas nas Religiões e nas Religiosidades. *Revista Brasileira de História das Religiões*, Maringá (PR), v. V, n. 15, jan. 2013.

ARAÚJO, Emanuel. A arte da sedução: sexualidade feminina na colônia. *In*: PRIORE, Mary Del. *A história das mulheres no Brasil*. São Paulo: Contexto, 1997. p. 45-77.

ARAÚJO, Regina Mendes de. *Donas de bens e de "gentes"*: mulheres livres e forras da vila do Carmo 1713-1750. 2008. Dissertação (Mestrado em História) – Universidade Federal de Juiz de Fora, Juiz de Fora, 2008.

ARAÚJO, Rita de Cássia Barbosa de. A redenção dos pardos: a festa de São Gonçalo Garcia no Recife, em 1745. *In*: JANCSÓ, István; KANTOR, Iris (org.). *Festa, cultura e sociabilidade na América Portuguesa*. São Paulo: Hucitec/Edusp/Fapesp/Imprensa Oficial, 2001, v. I e II. p. 419-444.

ARAÚJO, Rita de Cássia Barbosa de; MOTTA, Teresa Alexandrina (org.). *O retrato e o tempo*. Recife: Fundação Joaquim Nabuco/Massangana, s/d. (Coleção Francisco Rodrigues.)

ARIÈS, Philippe. *História social da criança e da família*. 2. ed. Rio de Janeiro: LTC, 1981.

AZEVEDO, Célia Maria Marinho de. Maçonaria, cidadania e a questão racial no Brasil escravagista. *Estudos Afro-asiáticos*, Rio de Janeiro, n. 34, p. 121-136, dez. 1998.

AZEVEDO, Célia Maria Marinho de. Maçonaria: história e historiografia. *Revista da USP*, São Paulo, n. 32, p. 178-189, dez. 1996-fev. 1997.

AZEVEDO, Célia Maria Marinho de. *Onda negra, medo branco*: o negro no imaginário das elites – século XIX. Rio de Janeiro: Paz e Terra, 1987.

BARATA, Alexandre Mansur. *Luzes e sombras*: a ação da maçonaria brasileira (1870-1910). Campinas: Unicamp/Centro de Memória Unicamp, 1999.

BARBOSA, Marialva C. *Escravos e o mundo da comunicação*: oralidade, leitura e escrita no século XIX. Rio de Janeiro: Mauad, 2016.

BASTIDE, Roger. *As religiões africanas no Brasil*. São Paulo: Pioneira/USP, 1971.

BERGAMINI, Atílio. Escravos, escrita, leitura e liberdade. *Leitura: Teoria & Prática*, Campinas, v. 35, n. 71, p. 115-136, 2017.

BERNARDES, Ricardo (org.). *Música no Brasil nos séculos XVIII e XIX*. Rio de Janeiro: Funarte, 2001.

BORGES, Célia. *Devoção branca de homens negros*: as irmandades do Rosário em Minas Gerais no século XVIII. 1998. Tese (Doutorado em História) – Universidade Federal Fluminense, Niterói, 1998.

BORGES, Vera Lúcia Bogéa. A campanha presidencial de 1909-1910 na correspondência de Rui Barbosa e de Hermes da Fonseca. *Seminário Cultura e Política na Primeira República*: Campanha Civilista na Bahia. Uesc, jun. 2010.

BOSCHI, Caio. *Os leigos e o poder*. São Paulo: Ática, 1986.

BOTELHO, Luiza. *O cativeiro e as penas*: a experiência escravista nos escritos da Primeira Geração Romântica (1836-1844). 2019. Dissertação (Mestrado em História) – Instituto de Ciências Humanas e Sociais, Universidade Federal de Ouro Preto, Mariana, 2019.

BRAGA, Bruno Miranda. A cidade, os índios e a *belle époque*: Manaus no final do século XIX (Amazonas-Brasil). *Revista de História da UEG*, Anápolis, v. 5, n. 1, p. 103-123, jan.-jul. 2016.

BRAZIL, Maria do Carmo; FIGUEIREDO, Luciana. História da meninice afro-brasileira: disciplinarização, aprendizado e ludicidades oitocentistas em mananciais literários. *Acta Scientiarum. Education*, Maringá, v. 38, n. 2, p. 181-192, abr.-jun. 2016.

BRIET, Anaïs. *La maternité des femmes africaines*, Diplôme d'Etat de Sage-femme. Université de Limoges, 2018.

BUTLER, Kim D. A nova negritude no Brasil – movimentos pós-abolição no contexto da diáspora africana. *In*: GOMES, Flávio; DOMINGUES, Petrônio (coord.). *Experiências da emancipação*: biografias, instituições e movimentos sociais pós-abolição (1890-1980). São Paulo: Selo Negro, 2011. p. 137-156.

CARDOSO, Aparecido Pereira; OLIVEIRA, Cristiane Aparecida Nunes. A inserção política dos intelectuais românticos e o debate sobre a escravidão e a força de trabalho: o caso de Francisco de Salles Torres Homem (1831-1839). *Anais do I Encontro de Pesquisa em História da UFMG – EPHIS*, Belo Horizonte, 23 a 25 maio 2012, p. 23-31.

CARONE, Edgard. *A República Velha*: evolução política. São Paulo: Difel, 1971.

CARVALHAL, Lázara. *Loucura e sociedade*: o pensamento de Juliano Moreira (1903-1930). 1997. Monografia (Bacharelado em História) – Universidade Federal do Rio de Janeiro, 1997.

CARVALHO, José Murilo de. *A construção da ordem e teatro das sombras*. 5. ed. Rio de Janeiro: Civilização Brasileira, 2010.

CARVALHO, Marcelo Augusto Monteiro de. *Nilo Peçanha e o sistema federal de Escolas de Aprendizes Artífices (1909 a 1930)*. 2017. Tese (Doutorado em História Econômica) – Universidade de São Paulo, São Paulo, 2017.

CARVALHO, Marcus J. M. de. Cavalcantis e cavalgados: a formação das alianças políticas em Pernambuco. *Revista Brasileira de História*, São Paulo, v. 18, n. 36, 1998.

CASA DE OSWALDO CRUZ – FIOCRUZ. *Dicionário Histórico-Biográfico das Ciências da Saúde no Brasil (1832-1930)*. Disponível em: http://www.dichistoriasaude.coc.fiocruz.br. Acesso em: 17 maio 2021.

CASCUDO, Luís da Câmara. *Made in África*. São Paulo: Global, 2001.

CASTRO, Celso. *Os militares e a República*: um estudo sobre cultura e ação política. Rio de Janeiro: Zahar, 1995.

CASTRO, Celso; IZECKSOHN, Victor; KRAAY, Hendrik (org.). *Nova história militar brasileira*. Rio de Janeiro: FGV, 2004.

CASTRO, Rafael; FACHINETTI, Cristiana. A psicanálise como saber auxiliar da psiquiatria no início do século XX: o papel de Juliano Moreira. *Revista Culturas Psi*, Buenos Aires, n. 4, p. 24-52, mar. 2015.

CASTRO, Yeda Pessoa de. *Falares africanos na Bahia*: um vocabulário afro-brasileiro. Rio de Janeiro: Topbooks, 2001.

CASTRO, Yeda Pessoa de. *A língua mina-jeje no Brasil*: um falar africano em Ouro Preto, século XVIII. Belo Horizonte: Fapemig/Fundação João Pinheiro/Governo de Minas Gerais, 2002.

CASTRO JÚNIOR, Sebastião Eugenio Ribeiro de. *Francisco Montezuma e os dilemas da mestiçagem e da cidadania na construção do Império do Brasil (c. 1820-c. 1834)*. 2014. Dissertação (Mestrado em História) – Universidade Federal Fluminense, Niterói, 2014.

CERCEU NETTO, Raquel. *Entre as formas de pensar e as maneiras de viver*: a família mestiça e a vida familiar em Minas Gerais colonial. 2013. Tese (Doutorado em História) – Faculdade de Filosofia e Ciências Humanas, Universidade Federal de Minas Gerais, 2013.

CHALHOUB, Sidney. *A força da escravidão*: ilegalidade e costume no Brasil oitocentista. São Paulo: Companhia das Letras, 2012.

CHALHOUB, Sidney. *Trabalho, lar e botequim*: o cotidiano dos trabalhadores no Rio de Janeiro da *belle époque*. 2. ed. Campinas: Unicamp, 2001. p. 64-89.

CHALHOUB, Sidney. *Visões da liberdade*: uma história das últimas décadas da escravidão na corte. São Paulo: Companhia das Letras, 1990.

CONCEIÇÃO, Nancy Nery da. *Religiosidade em Ouro Preto no século XVIII*: os signos africanos na igreja de Santa Ifigênia: entre a norma e o conflito: espaços de negociação. 2016. Dissertação (Mestrado em História) – Universidade de São Paulo, 2016.

COQUERY-VIDROVITCH, Catherine. *Les Africaines*: histoire des femmes d'Afrique noire du XIXe au XXe siècle. Paris: Editions Desjonquères, 1994.

COQUERY-VIDROVITCH, Catherine. Femmes, mariage et esclavage dans l'Afrique noire du XIXe siècle précolonial. *In*: *La chaîne et le lien, une vision de la traite négrière*. UNESCO Éditions, 1998. p. 33-46.

CÔRTE, Andréa Telo da (org.). *Política, economia e finanças*: Nilo Peçanha. 2. ed. Niterói: Imprensa Oficial, 2010.

CORTES, Ana Sara Ribeiro. *Cabras, caboclos, negros e mulatos*: a família escrava no Cariri Cearense. 2008. Dissertação (Mestrado História) – Universidade Federal do Ceará, 2008.

COSTA, Caio Itália. Joias de crioula: estudo etnográfico sobre brincos, colares, anéis, pulseiras e balangandãs, no Brasil Colônia. 2018. Artigo (Bacharelado interdisciplinar em Ciências Humanas) – Universidade Federal de Juiz de Fora, 2018.

COSTA, Emília Viotti da. *Da monarquia à república*: momentos decisivos. 6. ed. São Paulo: Unesp, 1999. (Biblioteca Básica.)

COSTA, Emília Viotti da. *Da senzala à colônia*. São Paulo: Difel, 1966.

COTTA, Francis Albert. Militares negros numa sociedade escravista. *XXIII Simpósio Nacional de História*, Associação Nacional de História, Londrina, 2005.

COTTA, Francis Albert. Os Terços de Homens Pardos e Pretos Libertos: mobilidade social via postos militares nas Minas do século XVIII. *Revista de Humanidades*, v. 3, n. 6, out.-nov. 2002. Disponível em: https://periodicos. ufrn.br/mneme/article/view/158. Acesso em: 17 maio 2021.

COUTO, André Luiz Faria. O Liceu de Artes e Ofícios. *Brasil Arte Enciclopédias*. Disponível em: http://brasilartesenciclopedias.com.br/tablet/temas/ liceu_de_artes_e_oficios_do_rio_de_janeiro.php.

CRISPIN, Ana Carolina Teixeira. *Além do acidente pardo*: os oficiais das milícias pardas de Pernambuco e Minas Gerais (1766-1807). 2011. Dissertação (Mestrado em História) – Universidade Federal Fluminense, Niterói, 2011.

CUNHA, Laura; MILZ, Thomas. *Joias de crioula*. São Paulo: Terceiro Nome, 2011.

DALGALARRONDO, Paulo. *Civilização e loucura*: uma introdução à história da etnopsiquiatria. [S.l.]: Lemos, s/d.

DELANEY, John J. *Dictionary of Saints*. Nova York: Doubleday, 2005.

DIAS, Maria Odila Leite da Silva. *Quotidiano e poder em São Paulo no século XIX*. 2. ed. rev. São Paulo: Brasiliense, 1995.

DOLHNIKOFF, Miriam. *O pacto imperial*: origens do federalismo no Brasil. São Paulo: Globo, 2005.

DOMINGUES, Petrônio. Cidadania por um fio: o associativismo negro no Rio de Janeiro (1888-1930). *Revista Brasileira de História*, São Paulo, v. 34, n. 67, p. 251-281, 2014.

DOZON, Jean-Pierre. Afrique, la famille à la croisée des chemins. *In*: BURGUIÈRE, André; KLAPISCH-ZUBER, Christiane; SÉGALEN, Martine; ZONABEND, Françoise (ed.). *Histoire de la famille*: 2. Le choc des modernités. Paris: A. Colin, s/d. p. 301-337.

DUARTE, Sebastião Moreira. *Alcântara, alma e história*. São Luiz: Instituto GEIA, 2011.

DUTRA, Vivian Machado. *De Nilo Peçanha a Aurelino Leal*: conflitos interoligárquicos em torno da escola profissional feminina de Niterói. Dissertação (Mestrado em Educação) – Universidade Federal do Rio de Janeiro, Rio de Janeiro, 2013.

EISENSTEIN, Elizabeth L. *A revolução da cultura impressa*: os primórdios da Europa moderna. São Paulo: Ática, 1998.

EL-BAINY, Estênio Iriarte. *Juliano Moreira*: o mestre/a instituição. Salvador, 2007. Disponível em: http://bvsms.saude.gov.br/bvs/publicacoes/juliano_moreira_mestre_instiuicao_p1.pdf. Acesso em: 17 maio 2021.

ERMAKOFF, George. *O negro na fotografia brasileira do século XIX*. Rio de Janeiro: G. Ermakoff Casa Editorial, 2004.

FARIA, Sheila Siqueira de Castro. *A colônia em movimento*: fortuna e família no cotidiano colonial. Rio de Janeiro: Nova Fronteira, 1998.

FARIA, Sheila Siqueira de Castro. Família escrava e legitimidade: estratégia de preservação da autonomia. *Estudos Afro-asiáticos*, n. 23, p. 123-125, 1992.

FARIA, Sheila Siqueira de Castro. História da família e a demografia histórica. *In*: CARDOSO, Ciro Flamarion; VAINFAS, Ronaldo (org.). *Domínios da história*: ensaios de teoria e metodologia. 5. ed. Rio de Janeiro: Campus, 1997.

FARIA, Sheila Siqueira de Castro. Mulheres forras: riqueza e estigma social. *Tempo*, n. 9, p. 65-92, jul. 2000.

FARIA, Teresa Peixoto. Campos dos Goytacazes nos anos 1870-1880: a modernização brasileira e o "mundo citadino". *Revista do PPGPS/UENF*, Campos dos Goytacazes, v. 2, n. 2, p. 40-64, maio-set. 2008.

FARIAS, Eny Kleyde Vasconcelos. *Maria Felipa de Oliveira*: heroína da independência da Bahia. Salvador: Quarteto, 2010.

FARIAS, Juliana Barreto; GOMES, Flávio; XAVIER, Giovana. *Mulheres negras no Brasil escravista e no pós-emancipação*. Rio de Janeiro: Selo Negro, 2012.

FARIAS, Juliana Barreto; GOMES, Flávio; SOARES, Carlos Eugênio Líbano; MOREIRA, Carlos Eduardo de Araújo. *Cidades negras*: africanos, crioulos e espaços urbanos no Brasil escravista do século XIX. São Paulo: Alameda, 2006.

FAUSTO, Boris. *Crime e cotidiano*: a criminalidade em São Paulo (1880-1924). São Paulo: Brasiliense, 1984.

FAUSTO, Boris. *História do Brasil*. 2. ed. São Paulo: Edusp, 1995.

FEITOSA, Orange Matos. *À sombra dos seringais*: militares e civis na construção da ordem republicana no Amazonas 1910-1924. 2015. Tese (Doutorado em História Social) – Faculdade de Filosofia, Letras e Ciências Humanas, Universidade de São Paulo, 2015.

FELIPE, Adilson Ednei. Homens de Letras: intelectuais negros no Brasil imperial. *Sankofa*, São Paulo, ano 9, n. 17, p. 74-89, ago. 2016.

FERRARI, José. Engenheida: poema didático-heróico-cômico. Bahia: Tipografia Carlos Poggetti, 1853.

FERREIRA, Avelino. *Nilo Peçanha*: o homem, o político. Câmara Municipal de Campos dos Goytacazes/RJ, 2016. Disponível em: http://www.camaracampos.rj.gov.br/livretonilo.pdf. Acesso em: 17 maio 2021.

FERREIRA, Carlos Alberto Dias. *Barão de Guaraciaba – Francisco Paulo de Almeida*: um negro no Brasil Império-Escravagista. Rio de Janeiro: Novas Edições Acadêmicas, 2018.

FERREIRA, Higor Figueira. O protagonismo social de professores negros da corte na produção de experiências escolares independentes (Rio de Janeiro, século XIX). *XXVI Simpósio Nacional de História*, Natal, jul. 2013.

FERREIRA, Marieta de Moraes. Nilo Peçanha. *Verbetes – Primeira República*. Rio de Janeiro: CPDOC/FGV, s/d.

FERREIRA, Marieta de Moraes. *A República na Velha Província*: oligarquias e crise no estado do Rio de Janeiro (1889-1930). Rio de Janeiro: Rio Fundo, 1989.

FIGUEIREDO, Luciano Raposo de Almeida. *Barrocas famílias*: vida familiar em Minas Gerais no século XVIII. São Paulo: Hucitec, 1997.

FLORENTINO, Manolo; GÓES, José Roberto. Morfologias da infância escravizada: Rio de Janeiro, séculos XVIII e XIX. *In*: FLORENTINO, Manolo (org.). *Tráfico, cativeiro e liberdade*: Rio de Janeiro, séculos XVII-XIX. Rio de Janeiro: Civilização Brasileira, 2005. p. 210.

FLORIANO, Raul. Montezuma, no foro e na vida. *Revista do IHGSP*, São Paulo, v. 69, p. 203-229, 1970.

FRAGO, Antonio Viñao. *Alfabetização na sociedade e na história*: vozes, palavras e textos. 2. reimpr. Porto Alegre: Artes Médicas, 2002.

FRAGOSO, João Luís Ribeiro; FLORENTINO, Manolo. *O arcaísmo como projeto*: mercado atlântico, sociedade agrária e elite mercantil no Rio de Janeiro (1790-1840). Rio de Janeiro: Civilização Brasileira, 2001.

FRAGOSO, João Luís Ribeiro. Elite das senzalas e nobreza da terra numa sociedade rural do Antigo Regime nos Trópicos: Campo Grande (Rio de Janeiro), 1704-1741. *In*: *O antigo regime nos trópicos*: a dinastia imperial portuguesa (séculos XVI-XVIII). Rio de Janeiro: Civilização Brasileira, 2001. p. 241-305.

FRAGOSO, João Luís Ribeiro; BICALHO, Maria Fernanda; GOUVÊA, Maria de Fátima (org.). *O antigo regime nos trópicos*: a dinastia imperial portuguesa (séculos XVI-XVIII). Rio de Janeiro: Civilização Brasileira, 2001.

FREIRE, Jonis. *Escravidão e família escrava na zona da mata mineira oitocentista*. São Paulo: Alameda, 2014.

FREYRE, Gilberto. *Casa-grande & senzala*: formação da família brasileira sob o regime da economia patriarcal. 48. ed. rev. São Paulo: Global, 2003.

FREYRE, Gilberto. Casas de Residência no Brasil Patriarcal: em torno de testemunho de um engenheiro-arquiteto francês. *In*: FREYRE, Gilberto. *Oh de Casa!*. Recife: Artenova/IJNPS, 1979.

FREYRE, Gilberto. *O escravo nos anúncios de jornais brasileiros do século XIX*: tentativa de interpretação antropológica, através de anúncios de jornais brasileiros do século XIX, de característicos de personalidade e de formas de corpo de negros ou mestiços, fugidos ou expostos à venda, como escravos, no Brasil do século passado. São Paulo: Global, 2010.

FREYRE, Gilberto. *Ordem e progresso*: processo de desintegração das sociedades patriarcal e semipatriarcal no Brasil sob o regime de trabalho livre. 5. ed. Rio de Janeiro: Record, 2000.

FREYRE, Gilberto. *Sobrados e mucambos*: decadência do patriarcado rural e desenvolvimento do urbano. São Paulo: Global, 2013.

FREYRE, Gilberto. *Novos estudos afro-brasileiros*. Rio de Janeiro: Civilização Brasileira, 1937. t. II.

FROTA, Lélia Coelho. *Ataíde*: vida e obra de Manuel da Costa Ataíde. Rio de Janeiro: Nova Fronteira, 1982.

FURTADO, Júnia Ferreira. *Chica da Silva e o contratador de diamantes*: o outro lado do mito. São Paulo: Companhia das Letras, 2003.

FURTADO, Júnia Ferreira. Pérolas Negras: mulheres livres de cor no Distrito Diamantino. *In*: FURTADO, Júnia Ferreira. *Diálogos oceânicos*: Minas Gerais e as novas abordagens para uma história do Império Ultramarino Português. Belo Horizonte: UFMG, 2001.

GATO, Matheus. Espaço, cor e distinção social em São Luís (1850-1888). *Pesquisa Fapesp*, 2015.

GERHARDT, Douglas Felipe; AZEVEDO, Wagner Fernandes de. O preconceito estadunidense nas políticas internas e externas com a América Latina, durante a Guerra de Secessão e a expansão no século XX. *Revista Perspectiva*, v. 8, n. 14, 2015.

GODOY, Solange de Sampaio. *Círculo das Contas*: joias das crioulas baianas. Salvador: Museu Carlos Costa Pinto, 2006.

GÓES, José Roberto de; FLORENTINO, Manolo. Crianças escravas, crianças dos escravos. *In*: PRIORE, Mary Del (org.). *História das crianças no Brasil*. São Paulo: Contexto, 1999. p. 177-191.

GOUREVITCH, Jean-Paul. *Les Africains de France*. Acropole, 2009.

GRUZINSKI, Serge. *O pensamento mestiço*. São Paulo: Companhia das Letras, 2001.

GUEDES, Roberto. *Egressos do cativeiro*: trabalho, família, mobilidade social. Rio de Janeiro: Faperj/Mauad, 2008.

HOLANDA, Sérgio Buarque de. *Caminhos e fronteiras*. 3. ed. São Paulo: Companhia das Letras, 1994.

HOLANDA, Sérgio Buarque de (org.). *História geral da civilização brasileira*: Brasil monárquico. O processo de emancipação. 9. ed. Rio de Janeiro: Bertrand Brasil, 2003. (História geral da civilização brasileira, v. 3, t. 2.)

INFOPÉDIA. *Irmandades religiosas no Brasil*. Porto: Porto Editora, 2003-2020. Disponível em: https://www.infopedia.pt/$irmandades-religiosas-no-brasil?uri=lingua-portuguesa/balandrau. Acesso em: 17 maio 2021.

IVO, Isnara Pereira; FREITAS, Evandra Viana de. Degenerescência humana em função da raça e a fala pública de Juliano Moreira. *Fronteiras & Debates*, Macapá, v. 7, n. 1, p. 29-46, jan.-jun. 2020. Disponível em: https://periodicos.unifap.br/index.php/fronteiras/article/view/6231/pdf. Acesso em: 17 maio 2021.

IZECKSOHN, Vitor. Quando era perigoso ser homem: recrutamento compulsório, condição masculina e classificação social no Brasil. *In*: PRIORE, Mary Del; AMANTINO, Márcia (org.). *História dos homens no Brasil*. São Paulo: Unesp, 2013. p. 267-297.

IZECKSOHN, Vitor. "Raça" e forças armadas na Bahia oitocentista. *Afro-Ásia*, Salvador, n. 47, p. 419-425, 2013.

JACOBINA, Ronaldo Ribeiro. Da dermatologia à psiquiatria: vida e obra de Juliano Moreira na Bahia. *In*: PONDÉ, Milena Pereira; LIMA, Manoela Garcia; ASSIS-FILHO, Bernardo. *A tensão na atenção. Anais da XII Jornada Nordestina de Psiquiatria*. Salvador: Associação Psiquiátrica da Bahia, 2008.

JACOBINA, Ronaldo Ribeiro. Nem clima nem raça: a visão médico-social do acadêmico Juliano Moreira sobre a "Sífilis Maligna Precoce". *Revista Baiana de Saúde Pública*, [S.l.], v. 38, n. 2, p. 432-465, out. 2014. Disponível em: http://rbsp.sesab.ba.gov.br/index.php/rbsp/article/view/603. Acesso em: 17 maio 2021.

JACOBINA, Ronaldo Ribeiro; GELMAN, Ester Aida. Juliano Moreira e a Gazeta Médica da Bahia. *História, Ciência e Saúde*, Manguinhos, Rio de Janeiro, v. 15, n. 4, p. 1077-1097, out.-dez. 2008.

JANCSÓ, István; KANTOR, Iris (org.). *Festa, cultura e sociabilidade na América Portuguesa*. São Paulo: Imprensa Oficial/Hucitec/Edusp/Fapesp, 2001. v. I e II.

KARASCH, Mary C. *A vida dos escravos no Rio de Janeiro (1808-1850)*. São Paulo: Companhia das Letras, 2000.

KLEIN, Herbert S. *A escravidão africana na América Latina e Caribe*. São Paulo: Brasiliense, 1987.

KORNIS, Monica Almeida. Os impasses para consolidação do nilismo: retomada, enfrentamento e acordo. *In*: FERREIRA, Marieta de Moraes (coord.). *A República Velha da província*: oligarquias e crise no Estado do Rio de Janeiro (1889-1930). Rio de Janeiro: Rio Fundo, 1989.

KRAAY, Hendrik. *Política racial, estado e forças armadas na época da independência*: Bahia, 1790-1850. São Paulo: Hucitec, 2011.

KRAAY, Hendrik. O "recrutamento" de escravos na guerra da Independência na Bahia. *Vermelho*, jul. 2016.

LANGE, Francisco Curt. A música na Irmandade de São José dos Homens Pardos ou Bem Casados. *Anuário do Museu da Inconfidência*, Ministério da Educação e Saúde/Diretoria do Patrimônio Histórico e Artístico Nacional, Ouro Preto, ano III, v. 2, p. 11-231, 1979. (Coleção História da Música na Capitania Geral das Minas Gerais.)

LARA, Silvia Hunold. *Campos da violência*: escravos e senhores na capitania do Rio de Janeiro, 1750-1808. Rio de Janeiro: Paz e Terra, 1988.

LARA, Silvia Hunold. *Fragmentos setecentistas*: escravidão, cultura e poder na América portuguesa. São Paulo: Companhia das Letras, 2007.

LARA, Silvia Hunold. Sedas, panos e balangandãs: o traje das senhoras e escravas nas cidades do Rio de Janeiro e Salvador (século XVIII). *In*: SILVA, Maria Beatriz N. da (org.). *Brasil*: colonização e escravidão. Rio de Janeiro: Nova Fronteira, 2000.

LIMA, Ivana Stolze. *Cores, marcas e falas*: sentidos da mestiçagem no Brasil. Rio de Janeiro: Arquivo Nacional, 2003.

LIMA, Kelly Cristina Azevedo de. Frei Caneca: entre a liberdade dos antigos e a igualdade dos modernos. *CAOS – Revista Eletrônica de Ciências Sociais*, n. 12, p. 126-196, set. 2008.

LIMA, Nísia Trindade; HOCHMAN, Gilberto. Condenado pela raça, absolvido pela medicina: o Brasil descoberto pelo movimento sanitarista da Primeira República. *In*: MAIO, Marcos C.; SANTOS, Ricardo V. (ed.). *Raça, ciência e sociedade*. Rio de Janeiro: Fiocruz, 1996. p. 23-40.

LIMA, Priscila de; SOUZA, Fernando Prestes de. Músicos negros no Brasil colonial: trajetórias individuais e ascensão social (segunda metade do século XVIII e início do XIX). *Revista Vernáculo*, n. 19 e 20, 2007.

LIMA, Renata (org.). *Tetos do Brasil*. São Paulo: Babel, 2012.

LODY, Raul. *Joias de axé*: fios de contas e outros adornos do corpo: a joalheria afro-brasileira. Rio de Janeiro: Bertrand Brasil, 2001.

LODY, Raul. *Pencas de balangandãs da Bahia*: um estudo etnográfico das joias-
-amuleto. Rio de Janeiro: Funarte/Instituto Nacional do Folclore, 1988.

LOPES, Eliane Cristina. *O revelar do pecado*: os filhos ilegítimos na São Paulo do século XVIII. São Paulo: Annablume/Fapesp, 1998.

LUNA, Francisco Vidal; COSTA, Iraci del Nero da. Vila Rica: notas sobre casamentos de escravos 1727-1826. *África – Revista do Centro de Estudos Africanos da USP*, v. 4, p. 105-108, 1981.

LUSTOSA, Isabel. *D. Pedro I*: um herói sem caráter. São Paulo: Companhia das Letras, 2007.

LUSTOSA, Isabel. *Histórias de presidentes*: a República do Catete, 1897-1960. Petrópolis: Vozes/Fundação Casa de Rui Barbosa, 1989.

MAC CORD, Marcelo. *O rosário de D. Antônio*: irmandades negras, alianças e conflitos na história social do Recife, 1848-1872. Recife: UFPE, 2005.

MACEDO, Ubiratan Borges de. *A liberdade no Império*: 1975. São Paulo: Convívio, 1975.

MACHADO, Maria Helena P. T. Em torno da autonomia escrava: uma nova direção para a história social da escravidão. *Revista Brasileira de História*, São Paulo, v. 8, n. l, p. 144-145, mar.-ago. 1988.

MACHADO, Maria Helena P. T. Sendo cativo nas ruas: a escravidão urbana na cidade de São Paulo. *In*: PORTA, Paulo. *História da cidade de São Paulo*. São Paulo: Paz e Terra, 2004. p. 59-99.

MACHADO, Roberto. *Danação da norma*: a medicina social e constituição da psiquiatria no Brasil. Rio de Janeiro: Graal, 1978.

MAGALHÃES JR., Raimundo. *Três panfletários do Segundo Reinado*. Rio de Janeiro: Academia Brasileira de Letras, 2009.

MARIA, Fábio Genésio dos Santos. O presidente negro? Uma discussão racial e política a partir da construção da imagem de Nilo Peçanha em *O Malho* (1909-1910). *Mimesis*, Bauru, v. 40, n. 1, p. 129-158, 2019.

MARIANO, Agnes. Mudando o rumo da história. *Histórias do povo negro* (blog). Disponível em: https://historiasdopovonegro.wordpress.com/conhecimento/mudando-o-rumo-da-historia/. Acesso em: 17 maio 2021.

MARQUES, Leticia Rosa. *José Marianno de Mattos*: conquistas e desafios de um mulato carioca na Revolução Farroupilha (1835-1845). 2013. Dissertação (Mestrado em História) – Pontifícia Universidade Católica do Rio Grande do Sul, Porto Alegre, 2013.

MARQUESE, Rafael de Bivar. *Feitores do corpo, missionários da mente*: senhores, letrados e o controle dos escravos nas Américas, 1660-1860. São Paulo: Companhia das Letras, 2004a.

MARQUESE, Rafael de Bivar. História, antropologia e a cultura afro--americana: o legado da escravidão. *Estudos Avançados*, São Paulo, v. 18, n. 50, p. 303-308, 2004b.

MATOS, Geisimara Soares. O Amazonas de luto: o rito fúnebre e a consagração de Eduardo Gonçalves Ribeiro. *Epígrafe*, v. 3, n. 3, p. 57-79, 2016.

MATOS, Geisimara Soares. *O bacharel "pardo", Eduardo Gonçalves Ribeiro*: Escola Militar e mobilidade social (1862-1887). 2019. Dissertação (Mestrado em História Social) – Universidade Federal do Rio de Janeiro, Rio de Janeiro, 2019.

MATTOS, Hebe. *Das cores do silêncio*: os significados da liberdade no Sudeste escravista. Rio de Janeiro: Nova Fronteira, 1998.

MATTOS, Hebe. Da guerra preta às hierarquias de cor no Atlântico português. *ANPUH – XXIV Simpósio Nacional de História*, São Leopoldo, 2007.

MATTOS, Hebe. Laços de família e direitos no final da escravidão. *In*: ALENCASTRO, Luiz Felipe de. *História da vida privada no Brasil*: Império. São Paulo: Companhia das Letras, 1997. v. 2. p. 337-383.

MATTOSO, Kátia M. de Queirós. *Bahia, século XIX*: uma província no Império. Rio de Janeiro: Nova Fronteira, 1992.

MATTOSO, Kátia M. de Queirós. *Ser escravo no Brasil*: séculos XVI-XIX. 3. ed. 2. reimpr. São Paulo: Brasiliense, 2003.

MELLO, Evaldo Cabral de (org.). *O Brasil holandês (1630-1654)*. São Paulo: Penguin Classics/Companhia das Letras, 2010.

MELLO, Evaldo Cabral de. *Um imenso Portugal*: história e historiografia. São Paulo: Editora 34, 2002.

MELLO, Evaldo Cabral de. *Olinda restaurada*: guerra e açúcar no Nordeste, 1630-1654. 3. ed. São Paulo: Editora 34, 2007.

MELLO, Evaldo Cabral de. *Rubro Veio*: o imaginário da restauração pernambucana. 3. ed. São Paulo: Alameda, 2008.

MELLO, José Antônio Gonsalves de. *Tempo dos flamengos*: influência da ocupação holandesa na vida e na cultura do Norte do Brasil. Rio de Janeiro: José Olympio, 1947.

MENDES, Marta Michel. *Em busca de honras, isenções e liberdades*: as milícias de homens pretos forros na cidade do Rio de Janeiro (meados do século XVIII e início do século XIX). 2013. Dissertação (Mestrado em História) – Universidade Federal Fluminense, Niterói, 2013.

MENEZES, José Luiz Mota. A presença de negros e pardos na Arte Pernambucana. *In*: ARAÚJO, Emanuel (org.). *A mão afro-brasileira*: significado da contribuição artística e histórica. São Paulo: Tenenge, 1988.

MENUCCI, Sud. *O precursor do abolicionismo no Brasil*. São Paulo: Nacional, 1938.

MIRANDA, Ana Caroline Carvalho. As últimas vontades: considerações sobre o testamento de Maria Machado Pereira: preta forra, Vila de Pitangui (1777). *Fontes*, n. 4, p. 71-78, 2016-1.

MIRANDA NETO. O enigma Guaraciaba: um barão negro, empresário no Brasil imperial. *Revista do Instituto Histórico e Geográfico do Rio de Janeiro*, ano 25, n. 25, p. 17-40, 2018.

MOREL, Marco. *As transformações dos espaços públicos*: imprensa, atores políticos e sociabilidades na Cidade Imperial (1820-1840). São Paulo: Hucitec, 2005.

MOTA, Assislene Barros da (coord.). Preâmbulo da história e memória da educação na cidade de Manaus (1889-1930). *VIII Seminário Nacional de Estudos e Pesquisas "História, Sociedade e Educação no Brasil"*, Campinas, 2009.

MOTT, Luiz. Cotidiano e vivência religiosa: entre a capela e o calundu. *In*: SOUZA, Laura de Mello e (org.). *História da vida privada no Brasil*: cotidiano e vida privada na América portuguesa. São Paulo: Companhia das Letras, 1997. v. 1.

MOTT, Luiz. De escravas a senhoras. *Jornal Mulherio/Diário Oficial*, São Paulo, Leitura, 7 ago. 1988.

MOTT, Maria Lúcia. A criança escrava na literatura de viagens. *In*: *Caderno de Pesquisa da Fundação Carlos Chagas*, n. 31, p. 57-67, dez. 1972.

MOTTA, José Flávio. *Corpos escravos, vontades livres*: posse de cativos e família escrava em Bananal (1801-1829). São Paulo: Annablume/Fapesp, 1999.

MOTTA, José Flávio. Família escrava: uma incursão pela historiografia. *História: Questões & Debates*, Curitiba, v. 9, n. 16, p. 104-159, jun. 1988.

MULVEY, Patricia. The Black Lay Brotherhoods of Colonial Brazil: A History. *Luso-Brazilian Review*, n. 17, p. 255, 1980.

NARLOCH, Leandro. *Guia politicamente incorreto da história do Brasil*. São Paulo: Leya, 2009.

NETSCHER, Peter Marinus. *Os holandeses no Brasil*: notícia histórica dos Países Baixos e do Brasil no século XVII. São Paulo/Rio de Janeiro: Nacional, 1942.

NOBRE, Maira Fátima de Oliveira. A clausura sob a ótica de Juliano Moreira. *ANPUH, Simpósio Nacional de História – Conhecimento Histórico e Diálogo Social*, Natal, 2013.

NOVAIS, F. A. (coord.); SOUZA, Laura de Mello e (org.). *História da vida privada no Brasil*: cotidiano e vida privada na América portuguesa. São Paulo: Companhia das Letras, 1997.

ODA, Ana Maria Galdini Raimundo; DALGALARRONDO, Paulo. Juliano Moreira: um psiquiatra negro frente ao racismo científico. *Revista Brasileira de Psiquiatria*, Campinas, v. 22, n. 4, p. 178-179, 2000.

OLIVEIRA, Anderson José Machado de. *Devoção negra*: santos pretos e catequese no Brasil colonial. Rio de Janeiro: Quartet/Faperj, 2008.

OLIVEIRA, Maria Inês Cortês. *O liberto*: o seu mundo e os outros. Salvador: Corrupio, 1988.

OLIVEIRA, Maria Inês Cortês. Viver e morrer no meio dos seus: nações e comunidades africanas no século XIX. *Revista da USP*, Dossiê Povo Negro – 300 Anos, n. 28, p. 184-195, dez. 1995-fev. 1996.

OLIVEIRA, Miriam Ribeiro de; SANTOS FILHO, Olinto Rodrigues dos; SANTOS, Antônio Fernando Batista dos. *O Aleijadinho e sua oficina*: catálogo de esculturas devocionais. São Paulo: Capivara, 2002.

ORTIZ, Ivanice Teixeira Silva. Entre meu filho e minha "cria": laços familiares no alto sertão da Bahia escravista, Caetité 1830-1860. *I Seminário Internacional Brasil século XIX*, 2014. *Anais*, 2015. v. I.

ORTIZ, João Francisco. *Reminiscências, opúsculo autobiográfico de 1808 a 1866*. Bogotá, 1907.

OZANAN, Luiz Henrique. *A joia mais preciosa do Brasil*: joalheria na Comarca do Rio das Velhas 1735-1815. Belo Horizonte: UEMG, 2017.

OZANAN, Luiz Henrique; CARPINTEIRO, Edson José Rezende. Uma sociedade de aparência: a joalheria em Sabará, Minas Gerais no século XVIII. *e-hum – Revista Científica das áreas de História, Letras, Educação e Serviço Social do Centro Universitário de Belo Horizonte*, v. 9, n. 1, jan.-jul. 2016.

PAIVA, Eduardo França. *Escravidão e universo cultural da colônia*: Minas Gerais, 1716-1789. Belo Horizonte: UFMG, 2001.

PAIVA, Eduardo França. *Por meu trabalho, serviço e indústria*: histórias de africanos, crioulos e mestiços na Colônia, Minas Gerais, 1716-1789. 1999. Tese (Doutorado em História) – Universidade de São Paulo, São Paulo, 1999.

PAIVA, Eduardo França; ANASTASIA, Carla Maria (org.). *O trabalho mestiço*: maneiras de pensar e formas de viver – séculos XVI a XIX. São Paulo: Annablume/Belo Horizonte: UFMG, 2002.

PASCOAL, Isaias. *Escravos e libertos nas Minas Gerais do século XVIII*: estratégias de resistência através de testamentos. São Paulo: Annablume/Belo Horizonte: PPGH/UFMG, 2009.

PASCOAL, Isaias. Família escrava: ninho acolhedor?. *Fênix – Revista de História e Estudos Culturais*, ano V, vol. 5, n. 1, jan.-mar. 2008.

PEÇANHA, Celso. *Nilo Peçanha e a revolução brasileira*. 3. ed. Brasília: Senado Federal/Centro Gráfico, 1989.

PESSÔA, José. *Milagres*: os ex-votos de Angra dos Reis. Rio de Janeiro: Casa da Palavra, 2001.

PINTO, Ana Flávia Magalhães. *De pele escura e tinta preta*: a imprensa negra do século XIX. 2006. Dissertação (Mestrado em História) – Instituto de Ciências Humanas, Departamento de História, Universidade de Brasília, 2006.

PINTO, Ana Flávia Magalhães. *Imprensa negra no Brasil do século XIX*. São Paulo: Selo Negro, 2010.

PORTO, Ângela. Tuberculose: a peregrinação em busca da cura e de uma nova sensibilidade. *In*: NASCIMENTO, Dilene R. do; CARVALHO, Diana Maul de (org.). *Uma história brasileira das doenças*. Brasília: Paralelo 15, 2004. p. 91-108.

PRECIOSO, Daniel. *Legítimos vassalos*: pardos livres e forros na Vila Rica colonial (1750-1803). 2010. Dissertação (Mestrado em História) – Faculdade de História, Direito e Serviço Social da Universidade Estadual Paulista "Júlio de Mesquita Filho", Franca, 2010.

PRIORE, Mary Del. *A maternidade da mulher negra no período colonial brasileiro.* São Paulo: Cedhal/FFLCH-USP, 1989.

PRIORE, Mary Del. *A mulher na História do Brasil.* 4. ed. São Paulo: Contexto, 1994. (Coleção Repensando a História.)

PRIORE, Mary Del. A trajetória de Francisco Salles Torres Homem: um negro de sucesso no centro do poder. *Carta Mensal,* Confederação Nacional do Comércio de Bens, Serviços e Turismo, v. 66, n. 783, p. 4-38, 2020.

PRIORE, Mary Del. *Ao sul do corpo:* condição feminina, maternidade e mentalidades no Brasil Colônia. São Paulo: Unesp, 2009.

PRIORE, Mary Del. *Festas e utopias no Brasil colonial.* São Paulo: Brasiliense, 1994.

PRIORE, Mary Del. *Histórias da gente brasileira:* República – Memórias (1889-1950). São Paulo: Leya, 2017.

PRIORE, Mary Del. *Sobreviventes e guerreiras:* uma breve história da mulher no Brasil 1500 a 2000. São Paulo: Planeta, 2020.

PUNTONI, Pedro. A arte da guerra no Brasil: tecnologia e estratégia militar na expansão da fronteira da América Portuguesa, 1550-1700. *Novos Estudos/ CEBRAP,* n. 53, p. 184-204, mar. 1999.

QUERINO, Manuel. *Costumes africanos no Brasil.* Recife: Fundaj/Fundação Joaquim Nabuco, 1988.

QUINTÃO, Antonia Aparecida. *Lá vem o meu parente:* as irmandades de pretos e pardos no Rio de Janeiro e em Pernambuco (século XVIII). São Paulo: Annablume/Fapesp, 2002.

RAMINELLI, Ronald. O mal e suas raízes. *Revista de História da Biblioteca Nacional,* Rio de Janeiro, p. 58-60, 1º out. 2008.

RAMINELLI, Ronald. *Nobrezas do Novo Mundo:* Brasil e ultramar hispânico – séculos XVII e XVIII. Rio de Janeiro: FGV/Faperj, 2015.

RANGEL, Alberto. *Textos e pretextos:* incidentes da crônica brasileira à luz de documentos conservados na Europa. Tours: Typographia de Arrault e Companhia, 1926.

RANGEL, Marcelo de Mello. A literatura a serviço da nação e da civilização do Império do Brasil na *Revista Niterói. Revista Ágora,* Vitória, n. 12, p. 1-34, 2011.

REGINALDO, Lucilene. "Não tem informação": mulatos, pardos e pretos na Universidade de Coimbra (1700-1771). *Estudos Ibero-americanos,* Porto Alegre, v. 44, n. 3, p. 421-434, set.-dez. 2018.

REGINALDO, Lucilene. *Os rosários dos angolas:* irmandades de africanos e crioulos na Bahia setecentista. São Paulo: Alameda, 2011.

REIS, Isabel Cristina Ferreira dos. *Histórias de vida familiar e afetiva de escravos na Bahia do século XIX*. Dissertação (Mestrado em História) – Universidade Federal da Bahia, 1998.

REIS, João José (org.). *Escravidão e invenção da liberdade*: estudos sobre o negro no Brasil. São Paulo: Brasiliense, 1988.

REIS, João José. Identidade e diversidade étnicas nas irmandades negras no tempo da escravidão. *Tempo*, Rio de Janeiro, v. 2, n. 3, p. 7-33, 1996.

REIS, João José; SILVA, Eduardo. *Negociação e conflito*: resistência negra no Brasil escravista. São Paulo: Companhia das Letras, 1999.

RIBEIRO, Gladys Sabina; FREIRE, Jonis; ABREU, Martha C.; CHALOUB, Sidney (org.). *Escravidão e cultura afro-brasileira*: temas e problemas em torno da obra de Robert Slenes. Campinas: Unicamp, 2016.

RIOS, Ana Lugão; MATTOS, Hebe. *Memórias do cativeiro*: família, trabalho e segregação no pós-abolição. Rio de Janeiro: Civilização Brasileira, 2005.

RISÉRIO, Antônio. *A casa no Brasil*. Rio de Janeiro: Topbooks, 2019.

RISÉRIO, Antônio. *Em busca da nação*. Rio de Janeiro: Topbooks, 2020.

RODRIGUES, Jaime. *O infame comércio*: propostas e experiências no final do tráfico de africanos para o Brasil (1800-1850). Campinas: Unicamp/CECULT, 2000.

RODRIGUES, Luciana dos Santos. *Os exaltados – política e identidade na corte regencial, 1831-1834*. 2013. Dissertação (Mestrado em História) – Universidade Federal Fluminense, Niterói, 2013.

RODRIGUES, Vilmara Lúcia. Negras Senhoras: o universo material das mulheres africanas forras. *Anais do Colóquio do LAHES*, Juiz de Fora, jun. 2005.

ROSA, Zita de Paula. Fontes orais da família negra. *Revista Brasileira de História*, v. 8, n. 16, p. 251-265, mar.-ago. 1988.

SALLES, Ricardo Henrique; SOARES, Mariza de Carvalho. *Episódios de história afro-brasileira*. Rio de Janeiro: DPA/Fase, 2005.

SAMARA, Eni de M. *As mulheres, o poder e a família*: São Paulo, século XIX. São Paulo: Marco Zero, 1989.

SANTOS, Anderson de Rieti Santa Clara dos. Fragmentos de uma trajetória: os caminhos de um músico voluntário da pátria. *XXIX Simpósio Nacional de História*, Brasília, 2017.

SANTOS, Igor. *Famílias plurais*: uniões mistas e mestiçagens na comarca de Sabará (1720-1800). Curitiba: Apris, 2018.

SANTOS, Joel Rufino. Prefácio. *In*: ARAÚJO, Emanuel. *A mão afro-brasileira*: significado da contribuição artística e histórica. São Paulo: Tenenge, 1988.

SCARANO, Julita. *Devoção e escravidão*: a Irmandade de Nossa Senhora do Rosário dos Pretos no distrito Diamantino no século XVIII. São Paulo: Nacional, 1975.

SCHNOOR, Eduardo. *Na penumbra*: o entrelace de famílias e negócios (Vale do Paraíba 1770-1840). 2005. Tese (Doutorado em História Social) – Faculdade de Filosofia, Letras e Ciências Humanas, Universidade de São Paulo, 2005.

SCHNOOR, Eduardo; MATTOS, Hebe. *Resgate*: uma janela para o oitocentos. Rio de Janeiro: Topbooks, 1995.

SCHWARCZ, Lilia Moritz (org.). *História da vida privada no Brasil*: contrastes da intimidade contemporânea. São Paulo: Companhia das Letras, 1998. v. 4.

SCHWARCZ, Lilia Moritz. *O espetáculo das raças*: cientistas, instituições e pensamento racial no Brasil: 1870-1930. São Paulo: Companhia das Letras, 1993.

SCHWARCZ, Lilia Moritz. *Retrato em branco e negro*: jornais, escravos e cidadãos no final do século XIX. São Paulo: Companhia das Letras, 1987.

SCHWARTZ, Stuart B. *Segredos internos*: engenhos e escravos na sociedade colonial 1550-1835. São Paulo: Companhia das Letras, 1988.

SILVA, Eduardo. *Dom Obá II D'África, o príncipe do povo*: vida, tempo e pensamento de um homem livre de cor. São Paulo: Companhia das Letras, 1997.

SILVA, Gian Carlo de Melo. "Dizia que forrava a dita criança": os forros na pia batismal no Recife setecentista. *Revista Transversos*, Rio de Janeiro, n. 10, ago. 2017.

SILVA, Gian Carlo de Melo. *Na cor da pele, o negro*: escravidão, mestiçagens e sociedade no Recife colonial (1790-1810). Maceió: Edufal, 2018.

SILVA, João Manuel Pereira da. *Memórias do meu tempo*. Brasília: Senado Federal, 2003.

SILVA, Kalina Vanderlei. *O miserável soldo & a boa ordem da sociedade colonial*: militarização e marginalidade na capitania de Pernambuco. Recife: Fundação Cultural da Cidade do Recife, 2001.

SILVA, Luiz Geraldo da. Gênese das milícias de pardos e pretos na américa portuguesa: Pernambuco e Minas Gerais, séculos XVII e XVIII. *Revista de História*, São Paulo, n. 169, p. 111-144, jul.-dez. 2013.

SILVA, Maciel Henrique. Delindra Maria de Pinho: uma preta forra de honra no Recife da primeira metade do séc. XIX. *Afro-Ásia*, Salvador, Universidade Federal da Bahia, n. 32, p. 219-240, 2005.

SILVA, Maria Beatriz Nizza da. A luta pela alforria. *In*: SILVA, Maria Beatriz Nizza da. *Brasil*: colonização e escravidão. Rio de Janeiro: Nova Fronteira, 2000. p. 298-307.

SILVA, Maria Beatriz Nizza da. *Sistema de casamento no Brasil colonial*. São Paulo: T. A. Queiróz/Edusp, 1984.

SILVA, Renato Araújo da Silva. Joias africanas e alguns exemplos de suas memórias nas Américas. *XI Congresso Luso-afro-brasileiro de Ciências Sociais UFBA*, Salvador, 2011. Disponível em: https://www.yumpu.com/pt/document/view/12773336/joias-africanas-e-alguns-exemplos-de-suas-memorias-. Acesso em: 17 maio 2021.

SILVA, Roberta Felix da. *Imprensa e poder*: discursos e projetos políticos de Francisco Salles Torres Homem (1840-1849). 2014. Dissertação (Mestrado em História Política) – Instituto de Filosofia e Ciências Humanas, Universidade do Estado do Rio de Janeiro, 2014.

SILVA, Robson Roberto da. *Infância no cativeiro*: estudo das condições sociais e familiares das crianças escravas e libertas na cidade de São Paulo (1825-1888). 2018. Tese (Doutorado em História) – Faculdade de Ciências e Letras, Universidade Estadual Paulista (Unesp), Assis, 2018.

SILVA, Robson Roberto da. Negrinhos no tombadilho: a traficância de crianças escravas nos navios negreiros nos séculos XVIII-XIX. VII Congresso Internacional de História UEM, 2015, Maringá. *Anais...*, Maringá, UEM, 2015, p. 2171-2187. Disponível em: http://www.cih.uem.br/anais/2015/trabalhos/756.pdf. Acesso em: 17 maio 2021.

SILVA, Samuel Vieira da; MARQUES, Atílio. A influência maçônica no surgimento de sociedades secretas no século XIX no Brasil. *C&M*, Brasília, v. 5, n. 1, p. 35-50, jan.-jun. 2018.

SIMAS, Luiz Antonio. *Almanaque brasilidades*: um inventário do Brasil popular. Rio de Janeiro: Bazar do Tempo, 2018.

SKIDMORE, Thomas E. *Preto no branco*: raça e nacionalidade no pensamento brasileiro. Rio de Janeiro: Paz e Terra, 1976.

SLENES, Robert W. Lares negros, olhares brancos: histórias da família escravizada no século XIX. *Revista Brasileira de História*, v. 8, n. 16, p. 189, mar.-ago. 1988.

SLENES, Robert W. *Na senzala uma flor*: esperanças e recordações na formação da família escrava. Rio de Janeiro: Nova Fronteira, 1999.

SOARES, Mariza. *Devotos da cor*: identidade étnica, religiosidade e escravidão no Rio de Janeiro do século XVIII. Rio de Janeiro: Civilização Brasileira, 2000. p. 171.

SOUTO, Adriana Branco Correia. Nilo Peçanha e a Primeira Comissão Federal da Baixada Fluminense: política e saneamento nos anos 10. *XXVIII Simpósio da ANPUH*, Florianópolis, jul. 2015.

SOUZA, Célio Mota. *A face parda da "Conspiração dos Alfaiates"*: homens de cor, corporações militares e ascensão social em Salvador no final do século XVIII. 2010. Dissertação (Mestrado em História) – Universidade Estadual de Feira de Santana, Feira de Santana, 2010.

SOUZA, Christiane Laidler de. *Mentalidade escravista e abolicionismo entre os letrados da corte 1808-1850*. 1994. Dissertação (Mestrado em História) – Universidade Federal Fluminense, Niterói, 1994.

SOUZA, Jessé (org.). *Democracia hoje*: novos desafios para a teoria democrática contemporânea. Brasília: UnB, 2001.

SOUZA, Laura de Mello e. *O diabo e a Terra de Santa Cruz*. São Paulo: Companhia das Letras, 1986.

SOUZA, Marina de Mello e. *Reis negros no Brasil escravista*: história da festa de coroação do rei Congo. Belo Horizonte: UFMG/São Paulo: Humanitas/USO, 2002.

SOUZA, Vinicius de. *Experiência da história num Império em construção*: narrativas, linguagens, conceitos e metáforas em Francisco de Sales Torres Homem (1831-1856). Dissertação (Mestrado em História) – Instituto de Ciências Humanas e Sociais, Universidade Federal de Ouro Preto, Mariana, 2017.

TEIXEIRA, José Paulo Antunes. O discurso de Juliano Moreira: a loucura como alvo da ciência na Bela Época carioca. *XXVI Simpósio Nacional de História – ANPUH*, São Paulo, jul. 2011.

TEIXEIRA, Paulo Eduardo. *O outro lado da família brasileira*. São Paulo: Unicamp, 2004.

TORRES-LONDOÑO, Fernando. *A outra família*: concubinato, igreja e escândalo na Colônia. São Paulo: Loyola, 1999.

TRINDADE, Jaelson Bitran. Arte colonial: corporação e escravidão. *In*: ARAÚJO, Emanoel (org.). *A mão afro-brasileira*: significado da contribuição artística e histórica. São Paulo: Tenenge, 1988.

UZEDA, Aluísio de (Maj). Análise militar da Campanha insurrecional luso--brasileira e ira contra o domínio holandês no século XVII. *Defesa Nacional*, v. 50, n. 583, 1963.

VAINFAS, Ronaldo (org.). *Dicionário do Brasil colonial (1500-1808)*. Rio de Janeiro: Objetiva, 2001.

VAINFAS, Ronaldo. Colonização, miscigenação e questão racial: notas sobre equívocos e tabus da historiografia brasileira. *Tempo*, Niterói, v. 8, p. 7-22, ago. 1999.

VAINFAS, Ronaldo. Moralidades brasílicas: deleites sexuais e linguagem erótica na sociedade escravista. *In*: SOUZA, Laura de Mello e (org.). *História da vida privada no Brasil*: cotidiano e vida privada na América portuguesa. São Paulo: Companhia das Letras, 1997. v. 1.

VAINFAS, Ronaldo. *Trópico dos pecados*: moral, sexualidade e inquisição no Brasil colonial. Rio de Janeiro: Campus, 1989.

VALLADARES, Clarival do Prado. *Nordeste monumental*. Salvador: Odebrecht, 1971. v. 1 e 2.

VENANCIO, Ana Teresa A. As faces de Juliano Moreira: luzes e sombras sobre seu acervo pessoal e suas publicações. *Estudos Históricos*, Rio de Janeiro, n. 36, 2005.

VENÂNCIO, Renato Pinto. *Famílias abandonadas*: assistência à criança de camadas populares no Rio de Janeiro e em Salvador – séculos XVIII e XIX. Campinas: Papirus, 1999.

VERGER, Pierre. Notícias da Bahia – 1850. *In*: LODY, Raul. *Joias de axé*: fios de contas e outros adornos do corpo: a joalheria afro-brasileira. Rio de Janeiro: Bertrand Brasil, 2001.

VIANNA, Hélio. Francisco de Sales Torres Homem, visconde de Inhomirim. *Revista do Instituto Histórico e Geográfico Brasileiro*, v. 246, p. 253-281, jan.-mar. 1960.

VIANNA, Hélio. *Vultos do Império*. São Paulo: Nacional, 1968.

WEHLING, Arno. O funcionário colonial entre a sociedade e o rei. *In*: PRIORE, Mary Del (org.). *Revisão do paraíso*: 500 anos e continuamos os mesmos. Rio de Janeiro: Campus, 2000. p. 139-160.

WEHLING, Arno. As origens do Instituto Histórico e Geográfico Brasileiro. *Revista do Instituto Histórico e Geográfico Brasileiro*, v. 338, p. 716, jan.-mar. 1983.

WISSENBACH, Maria Cristina Cortez. *Sonhos africanos, vivências ladinas*: escravos e forros em São Paulo (1850-1888). São Paulo: Hucitec, 1998.

Agradecimentos

Tatiana Vieira Allegro
Profa. Dra. Lizir Arcanjo
Prof. Dr. Jonis Freire
Prof. Dr. Jorge Luís Prata de Sousa
Prof. Dr. Auxiliomar Ugarte
Prof. José Antônio Monteiro Ameijeiras
Sr. Rafael Branco
Prof. Dr. Eduardo Schnoor
Profa. Fernanda Vinagre Ferreira
Profa. Adrianna Setemys

Um tempo para amar? Sim. O pintor Rugendas talvez tenha captado o momento de um primeiro encontro na vida familiar e amorosa de escravizados. Por meio dela, eles redefiniam suas raízes africanas, mantinham tradições religiosas e conservavam sua língua num quadro de surpreendente estabilidade.

Inúmeros estudos vêm revelando que o pequeno comércio foi um eficiente elevador social para negras que, graças ao ganho com seus produtos, compravam a própria liberdade e a de seus parentes.

Livres e economicamente ativos, os afro-mestiços já eram 42% da população no início do século XIX, muitos deles donos de posses e escravos, como a mulata que segue a caminho do sítio para as festas de Natal, retratada por Debret.

Obtido graças à cerimônia de batismo, o parentesco espiritual permitiu o desenvolvimento do compadrio, uma relação formal em que padrinhos e madrinhas assumiam, em tese, as obrigações de ajudarem seus afilhados em todas as ocasiões especiais e incorporá-los à sua família em caso da falta dos pais. Extensas redes de solidariedade entre escravizados e livres foram assim construídas.

Novas pesquisas confirmam não só a intensa mestiçagem como também a mobilidade social de parte de nossa sociedade no século XIX, quando afro-mestiços enriqueceram e até chegaram a fazer parte do primeiro escalão das autoridades do Império, além de receberem títulos de nobreza.

Colares vistosos, xales, blusas rendadas e outros adornos faziam parte do vestuário das escravas no século XIX. Ciosas de seus sinais de nação, elas investiam também em penteados elaborados, escarificações e dentes limados. As afro-brasileiras livres acompanhavam as modas europeias e muitas delas tinham seu próprio ateliê de costura, como atestaram viajantes estrangeiros.

Chica da Silva é uma das mais emblemáticas protagonistas da história do Brasil. A tela *Gula*, que faz parte da coleção 7 vezes Chica, de autoria de Marcial Ávila, está em exposição na Casa de Chica da Silva, em Diamantina/MG.

Jean-Baptiste Debret, Casamento de negros pertencentes a uma família rica, 1826. Aquarela sobre papel. Reprodução/Museus Castro Maya, Rio de Janeiro, RJ.

Na imagem de Debret, vemos crioulos (negros nascidos no Brasil) ricamente vestidos e calçados, parte da chamada "aristocracia das senzalas", durante uma cerimônia de casamento. A Igreja reconhecia e amparava os escravos, permitindo-lhes um importante instrumento de socialização. Para muitos senhores, o matrimônio e a formação de famílias atenuavam as tensões dentro das senzalas.

Arsênio Silva, Congada, c. 1865. Fotografia em preto e branco. Fundação Biblioteca Nacional, Rio de Janeiro.

Nas fotos de Arsênio Silva, de 1865, as rainhas da congada seguiam rigorosamente a moda das cortes europeias: saias-balão, faixas no peito e coroas na cabeça.

Uma das fotos de Rodolpho Lindemann, tiradas na Bahia no fim do século XIX, mostra joias magníficas adornando colos e braços negros. O entesouramento era não só uma forma de comprar a liberdade, como também signo de identidade de nação e mobilidade social de afro-brasileiras.

Pulseiras de ouro ornamentadas com figuras e medalhões estiveram muito na moda entre afro-brasileiras durante o século XIX. Já o balangandã ornamentava sobretudo as indumentárias das negras de tabuleiro, e cada peça tinha significado religioso e propiciatório.

Nas lentes dos gabinetes de fotografia de Firmino & Lins e Henschel, a bela Sra. Antônia Herculano e outra mulher não identificada. A elegância dos penteados, o detalhe do uso do leque e das joias, os vestidos dentro da moda europeia revelam que não havia limites quando existia liberdade e dinheiro.

As negras forras ostentavam imensos colares e travessas de ouro à moda das joias africanas, muitas vezes feitos por ourives cujas técnicas, desde o século XVII, também vinham da África.

Nos tetos das igrejas mineiras, anjos, santos e Nossas Senhoras mulatos permitiam a identificação dos afro-brasileiros com as imagens da cristandade.

Pequenos, os santos de nó de pinho inspirados na escultura africana podiam ser facilmente guardados entre os pertences dos escravizados. Representavam deuses de lá e de cá do Atlântico.

Imagens de Santa Ifigênia e Santo Elesbão, santos de devoção dos negros brasileiros e patronos de irmandades poderosas dentro da sociedade colonial. Responsáveis por festas, alforrias, eleição de reis negros e suas cortes, as irmandades permitiam a consolidação de redes de identidade e solidariedade entre diferentes nações africanas.

Papa negro na Igreja de Santa Ifigênia do Alto da Cruz de Ouro Preto. A construção da igreja foi iniciada em 1733, ficando pronta apenas em 1785. O retábulo-mor segue o estilo joanino, executado por Francisco Xavier de Brito. A abóbada da capela-mor em forma de barrete de padre tabuada recebeu pintura ilusionista de Manuel Rebelo de Souza (1768). Na tribuna, sobre a cartela do coroamento, há um papa negro com barrete frígio: homenagem ao financiador da igreja, o lendário negro Chico Rei.

Grandes artistas deixaram poucos ou nenhum retrato. Mas, nessa pintura de João Muzzi, vemos Mestre Valentim coberto com um manto, oferecendo um projeto a uma autoridade, tendo ao fundo Leandro Joaquim.

De autoria anônima, esse é o mais conhecido retrato de Padre José Maurício Nunes Garcia, músico da corte de d. João VI.

Coroação de uma rainha negra em uma festa de devoção realizada pelas irmandades. Depois de uma dança dramática com cantos e música, seguia-se o baile, regado a comidas e bebidas.

Na imagem de Debret, vê-se o rei e a rainha do Congo prestigiando a coleta de esmolas e doações para sua festa. Era uma tradição vinda de Angola e Congo, organizada pelas irmandades, especialmente as de Santa Efigênia, São Benedito ou Nossa Senhora do Rosário, que tinha sua imagem pintada de preto. O festejo era animado por coreografias e jogos de simulação guerreira, como a dança de espadas.

Os invisíveis da História raramente deixaram testemunho. Aqui, um retrato de Henrique Dias feito por um autor anônimo.

João Fernandes Vieira nasceu mulato e pobre, mas livre. Foi um dos heróis da guerra contra os holandeses, que ficou conhecida como a Restauração Pernambucana. O Museu do Estado do Pernambuco é detentor de um retrato anônimo de Vieira.

Na aquarela de Carlos Julião, a elegância de um oficial do Terço.
O porte da espada lhe dava autoridade e distinção.

Jovens soldados por volta de 1907. O Exército, desde sempre, um veloz elevador social.

Capitão da Companhia de Zuavos, composta exclusivamente por homens negros durante a Guerra do Paraguai, Marcolino Dias dos Santos exibe com orgulho suas medalhas. A participação de negros ao lado de pardos e brancos nos batalhões selou a aliança dos militares na luta pela Abolição.

Raríssima imagem de José da Natividade Saldanha, o advogado afro-mestiço que enfrentou a fúria de d. Pedro I.

A qualidade das poesias de Saldanha impressionou até os franceses que o fizeram prisioneiro em Paris.

Aimée Pagés, Retrato de Francisco Gê Acayaba de Montezuma, Visconde de Jequitinhonha, 1826. Óleo sobre tela © Reprodução/Coleção Particular.

Retratado pela pintora Aimée Pagés, a figura elegante e ligeiramente irônica de Francisco Gê Acaiaba de Montezuma, futuro visconde de Jequitinhonha, não trai a personalidade deste que foi uma das mais vulcânicas personagens do Primeiro Reinado.

SISSON, Sebastien Auguste, 1824-1898. Visconde de Jequitinhonha. Galeria dos Brasileiros Ilustres, litografia em preto e branco, 1861. Coleção Biblioteca Brasiliana Guita e José Mindlin. (Domínio público). Disponível em: https://digital.bbm.usp.br/handle/bbm/3560. Acesso em: 2 mar. 2021.

Mais velho, o incansável visconde de Jequitinhonha transpirava serenidade, experiência e poder.

Figura conhecida nas ruas do Rio de Janeiro e frequentador do palácio de São Cristóvão, onde conversava com d. Pedro II, Cândido da Fonseca Galvão era reconhecido pelo seu povo como rei: d. Obá II d'África.

TEXTO DA ILUSTRAÇÃO PARCIAL

Um fazendeiro também fez uma descoberta que o deixou embatucado!

Um escravo lia, no eito, para os seus parceiros ouvirem, um discurso abolicionista do Cons. Dantas!

Escravos não liam? Engano. Havia muitos deles letrados, e eram eles que passavam para os companheiros de trabalho as últimas notícias dos jornais.

Um dos mais importantes editores do século XIX, Francisco de Paula Brito foi também jornalista, escritor, poeta, dramaturgo e tradutor, e em sua livraria, reunia-se a elite intelectual e política do Rio de Janeiro. Ativo abolicionista, foi o primeiro a inserir no debate político a questão racial.

Tive por certa menina
Uma paixão sem egual,
Que escapou de dar conmigo
Dos doudos no hospital.

Amei com pontos e vírgulas,
divisões e reticências...
Tiradas as consequencias,
Tudo era artificial!

O qu'ella por mim fazia.
Fazia a outros também;
Não ter amor a ninguem
É seu timbre natural.

Porém agora
Meu coração
Poz na oração
Ponto final.

PAULA BRITTO

José do Patrocínio foi uma das mais importantes figuras dos movimentos abolicionista e monarquista. Atuou não só como ativo jornalista, mas coordenou campanhas para angariar fundos para alforrias, comandou comícios e ajudou na fuga de escravos. Amigo fiel da princesa Isabel, que desejava ver como sucessora de d. Pedro II, é considerado o idealizador da Guarda Negra da Redentora, formada por ex-escravos, para defender a monarquia contra os republicanos.

Filho de um padre e de uma negra alforriada, Torres Homem foi advogado, médico, jornalista, diplomata, político e protagonista de carreira brilhante, além de ser considerado o homem negro mais influente do Segundo Reinado.

Advogado dos pobres e libertador dos negros, o denominado "Apóstolo Negro da Abolição" passou de analfabeto a poeta e escritor; foi sucessivamente escravo, soldado, copista, secretário, tipógrafo, jornalista e autoridade da maçonaria. Destemido republicano, Luiz Gama foi um ícone dos últimos anos do Império.

Estação do Rodeio e ponte sobre o ribeirão dos Macacos. Em 1869 foi aprovado o regimento da Companhia Estrada de Ferro D. Pedro II. Francisco Paulo de Almeida, o barão de Guaraciaba, aproveitou a construção de ramais ferroviários que cortavam o vale do Paraíba para modernizar seus negócios e tornar-se banqueiro.

Petrópolis foi fundada por d. Pedro I, mas foi apenas no Segundo Reinado que passou a ser a cidade dos barões de café e dos ricos comerciantes, que, como o barão de Guaraciaba, aproveitavam os verões para cruzar com a família de d. Pedro II pelas ruas. Era considerado chique, na época, passar pelos menos seis meses na serra.

A construção de palacetes para acompanhar o enriquecimento de Petrópolis se tornou moda entre os barões de café. Dos mais imponentes, o Palacete Amarelo, construído em 1850, pertenceu ao barão de Guaraciaba e hoje abriga a prefeitura da cidade.

Francisco Paulo de Almeida, o barão de Guaraciaba: o menino pobre que se tornou milionário.

A praça João Lisboa, em São Luís, onde nasceu Eduardo Ribeiro; uma cidade com população majoritariamente preta e animada vida intelectual, da qual ele participou.

A praia da Saudade, o Hospício D. Pedro II e, ao fundo, a Escola Militar da Praia Vermelha, onde se formou com mérito Eduardo Ribeiro.

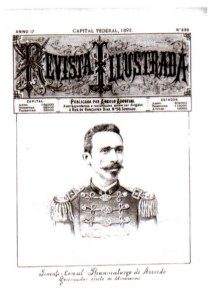

"A esfinge": o melancólico, introspectivo e brilhante Eduardo Ribeiro.

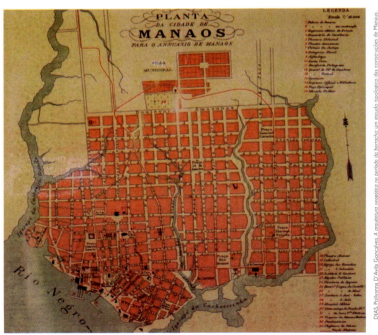

Eduardo Ribeiro transformou Manaus numa cidade moderna e preocupada com a educação de seus moradores.

Uma joia da *belle époque* na selva, o teatro Amazonas teve sua construção iniciada por Eduardo Ribeiro.

Salvador ao final do Oitocentos, cidade onde nasceu e deu os primeiros passos profissionais o notável Juliano Moreira.

Juliano Moreira na Bahia, entre 1896 e 1902 (ele é o quinto da esquerda para a direita).

Asilo São João de Deus por volta de 1918. Ali Juliano Moreira realizava aulas práticas e discutia questões médicas com os colegas.

MEDICAL HISTORY

THE EXTRAORDINARY CAREER OF JULIANO MOREIRA: AFRO-BRAZILIAN PSYCHIATRIST

Robert Fikes, Jr., MA, MALS, and Douglas A. Cargille, MA, MLS
San Diego, California

In 1921 the American College of Physicians and Surgeons sponsored a select group of doctors to observe medical practices in several South American countries. Upon returning to the United States, one Midwesterner in the party commented on the salutary racial climate in Brazil. To demonstrate his point that blacks there were better able to realize their full potential and to support his contention that there was hardly any evidence of color prejudice, he cited (in a report to the organization) the case of Dr. Juliano Moreira, the country's leading psychiatrist and an internationally recognized medical researcher. Fluent in French, German, Spanish, Portuguese, and English (the latter spoken with the facility of a polished upper-class Englishman), Moreira received the distinguished Midwesterner in his spacious library where, as on so many other occasions, he charmed the guest with his warm, gentle nature and won him with his "high intelligence, culture, and ability."[1] By the time Moreira had escorted him to the entrance and wished him farewell in his deep, mellow voice, the American was convinced that his host had indeed lived up to his reputation as being "generally considered one of the representative men of Brazil. . .an exceptional man [who] well illustrated the possibility of the Negro in South America."[1]

Born on January 1, 1873, in Salvador, the picturesque seaport capital of Bahia, a Brazilian state comprised largely of unmixed blacks and mulattoes, young Juliano Moreira could view firsthand the system of slavery, which was not to be outlawed in Brazil until 1888, the last country in the Western Hemisphere to do so. By then more Africans had been imported to work in that county's

Juliano Moreira, MD

mines and plantations than had been brought to the United States. But unlike the United States, Brazil was spared the fratricidal bloodletting of a civil war over the issue of slavery. The Brazilian attitude concerning interracial relationships will be discussed later, since this point is central to understanding the successful career of Moreira and other prominent Afro-Brazilians around the turn of the century.

Even before the emancipation of slaves, mulattoes far outnumbered unmixed blacks, and nowhere in Brazil was the African presence more visible than in the staid and rather isolated state of Bahia where blacks and mulattoes still outnumbered whites. As the oldest city in Brazil, Salvador could also boast of churches of unrivaled grandeur and, of interest to the precocious Moreira, the oldest medical school in the nation, the Faculdade de

---

Requests for reprints should be addressed to Mr. Robert Fikes, Jr., University Library, San Diego State University, San Diego, CA 92182-0511.

Artigo sobre Juliano Moreira no *Journal of the National Medical Association*, de 1986. O reconhecimento internacional de seu prestígio era indelével.

Juliano Moreira ao lado de Albert Einstein, em foto de 1925. O cientista e matemático alemão, ganhador do prêmio Nobel, fez questão de conhecer seu trabalho no Hospício Nacional dos Alienados.

Juliano Moreira por volta de 1930. Um gênio cujo brilho foi reconhecido e aclamado dentro e fora do país.

Filho de um padeiro mestiço e de uma descendente de antiga família de prestígio na política norte-fluminense, Nilo Peçanha contou ter passado a infância "comendo paçoca e pão dormido". Como tantos afro-brasileiros, ele saiu da classe média e, com brilho, conquistou prestígio a partir das brechas que a sociedade oferecia.

Croqui da fachada da Faculdade de Direito do Recife, onde se pretendia buscar o desenvolvimento de uma autonomia nacional e se formar uma elite intelectual independente das escolas jurídicas portuguesas e francesas.

Campos dos Goytacazes na época em que a carreira de Nilo decolava.

A charge demonstra que, como um destemido cavaleiro, Nilo Peçanha era capaz de domar quaisquer problemas — no caso, aqui, a anarquia.

Na *Revista da Semana* que sempre deu destaque às suas realizações, Nilo Peçanha em vários momentos.